Revivre !

Révision : Maryse Barbance
Correction : Anne-Marie Théorêt et Brigitte Lépine
Infographie : Marie-Josée Lalonde
    et Chantal Landry

Catalogage avant publication de Bibliothèque et Archives
nationales du Québec et de Bibliothèque et Archives Canada

Corneau, Guy

    Revivre!

    Autobiographie.
    Comprend des réf. bibliogr.

1. Corneau, Guy. 2. Lymphome - Patients - Québec (Province) -
Biographies. 3. Psychanalystes - Québec (Province) - Biographies.
I. Titre.

RC280.L9C67 2010   362.196'994460092   C2010-941961-8

09-10

© 2010, Les Éditions de l'Homme,
division du Groupe Sogides inc.,
filiale du Groupe Livre Quebecor Media inc.
et Susanna Lea Associates / Versilio

Dépôt légal : 2010
Bibliothèque et Archives nationales du Québec

ISBN : 978-2-7619-2955-4

DISTRIBUTEURS EXCLUSIFS :

Pour le Canada et les États-Unis :
MESSAGERIES ADP*
2315, rue de la Province
Longueuil, Québec J4G 1G4
Téléphone : 450 640-1237
Télécopieur : 450 674-6237
Internet : www.messageries-adp.com
* filiale du Groupe Sogides inc.,
    filiale du Groupe Livre Quebecor Media inc.

Pour la France et les autres pays :
INTERFORUM editis
Immeuble Paryseine, 3, Allée de la Seine
94854 Ivry CEDEX
Téléphone : 33 (0) 1 49 59 11 56/91
Télécopieur : 33 (0) 1 49 59 11 33
Service commandes France Métropolitaine
Téléphone : 33 (0) 2 38 32 71 00
Télécopieur : 33 (0) 2 38 32 71 28
Internet : www.interforum.fr
Service commandes Export – DOM-TOM
Télécopieur : 33 (0) 2 38 32 78 86
Internet : www.interforum.fr
Courriel : cdes-export@interforum.fr

Pour la Suisse :
INTERFORUM editis SUISSE
Case postale 69 – CH 1701 Fribourg – Suisse
Téléphone : 41 (0) 26 460 80 60
Télécopieur : 41 (0) 26 460 80 68
Internet : www.interforumsuisse.ch
Courriel : office@interforumsuisse.ch
Distributeur : OLF S.A.
ZI. 3, Corminboeuf
Case postale 1061 – CH 1701 Fribourg – Suisse
Commandes :
Téléphone : 41 (0) 26 467 53 33
Télécopieur : 41 (0) 26 467 54 66
Internet : www.olf.ch
Courriel : information@olf.ch

Pour la Belgique et le Luxembourg :
INTERFORUM BENELUX S.A.
Fond Jean-Pâques, 6
B-1348 Louvain-La-Neuve
Téléphone : 32 (0) 10 42 03 20
Télécopieur : 32 (0) 10 41 20 24
Internet : www.interforum.be
Courriel : info@interforum.be

Gouvernement du Québec – Programme de crédit d'impôt
pour l'édition de livres – Gestion SODEC – www.sodec.
gouv.qc.ca

L'Éditeur bénéficie du soutien de la Société de développement des entreprises culturelles du Québec pour son programme d'édition.

Le Conseil des Arts du Canada
The Canada Council for the Arts

Nous remercions le Conseil des Arts du Canada de l'aide
accordée à notre programme de publication.

Nous remercions le gouvernement du Canada de son
soutien financier pour nos activités de traduction dans le
cadre du Programme national de traduction pour l'édition
du livre.

Nous reconnaissons l'aide financière du gouvernement du
Canada par l'entremise du Fonds du livre du Canada pour
nos activités d'édition.

Guy Corneau

Revivre !

*à Brigitte,
ma précieuse
petite sœur,*

Gaétane ♡

LES ÉDITIONS DE
L'HOMME
Une compagnie de Quebecor Media

À ma mère, Cécile,
avec amour et tendresse

Aux personnes qui souffrent
et aux personnes qui les accompagnent.
Que mon livre les inspire à voir dans le destin qui leur échoit
une opportunité de devenir de meilleurs êtres humains.

À ceux et celles qui, par leurs pensées,
leurs prières et leurs méditations,
de près ou de loin, en public ou en privé,
m'ont accompagné à travers l'épreuve.
Je suis convaincu que sans leur présence amoureuse,
je ne serais plus sur ce rivage-ci de l'existence éternelle.

La maison est en ruines,
mais il y veille quelqu'un qui ne peut être ruiné.
RUMI

Me voici, passé le gué d'une terrible épreuve, ayant récupéré tant de santé et de joie que j'en suis tout étonné. J'entreprends donc de vous la raconter afin que le bilan qu'elle m'a amené à faire puisse éventuellement vous servir à vous ou d'autres personnes. Je le fais animé par l'énergie de la renaissance, accompagné de l'enfant joyeux qui m'a souri au fond de l'abîme. Je connaissais de vastes horizons avant la maladie, aujourd'hui c'est comme si je prenais pied pour de bon sur la lande merveilleuse et inconnue de notre terre commune.

Pourtant, je ne trouve pas facile de me retourner sur moi-même pour témoigner sans fard de ce qui a été rencontré. Je crains comme la femme de Loth dans la bible d'être transformé en statue de sel pour avoir regardé en arrière. Je me dis tout de même que le jeu en vaut la chandelle s'il peut servir quelques navigateurs égarés sur la mer périlleuse de la maladie. Je souhaite de tout cœur que mon récit puisse inspirer leur cheminement et les guider à bon port, que ce soit ici-bas ou dans l'au-delà.

Mon livre est fait des péripéties et des rencontres, des idées et des exercices qui m'ont aidé à m'affranchir de mes peurs et à m'ouvrir au cœur de l'épreuve. Ce passage par le cancer fut pour moi l'occasion d'intégrer dans mes tripes ce que je savais déjà et que j'enseignais. En définitive, l'épreuve m'a permis encore une fois de comprendre l'écart qu'il y avait entre moi et moi-même, entre mes idées et ma volonté, entre le personnage que je suis devenu et l'être vrai qui cherchait à s'exprimer. De plus, au moment du diagnostic, j'accompagnais Yanna, une véritable compagne d'âme pour moi, à travers son propre cancer. J'y étais donc déjà plongé depuis une bonne année et j'étais confronté aux questions que cette maladie pose, comme le recours ou non à la chimiothérapie et aux médecines alternatives.

J'ai choisi la forme intime du récit biographique pour mener mon propos. La période dont je vous parle s'étale sur trois ans. J'ai tenté de conserver le fil chronologique de l'histoire tout en me permettant de le rompre à quelques reprises afin de m'auto-riser des incursions dans mon passé ou dans le registre des idées pour mieux faire comprendre ce que je vivais. Par ailleurs, dans le but de protéger la vie de mes proches du regard public, plu-sieurs noms et prénoms ont été changés. Je suis certain que ceux et celles qui sont concernés se reconnaîtront facilement. Ce n'est pas le psychanalyste qui parle d'abord ici, mais l'homme confronté à sa propre finitude. Bien humblement, je veux témoigner de ce qui m'a ramené à la santé sans chercher toutefois à déterminer lequel, des nombreux outils que j'ai utilisés, a été le plus utile et le plus déterminant. Chacun d'eux a été un précieux compagnon de route. Chacun d'eux m'a chuchoté son savoir à l'oreille. Et j'ai fait usage du mieux que j'ai pu de cette approche globale.

J'estime que c'est bel et bien l'association de quatre types de médecines qui m'a ramené à l'équilibre : 1) la médecine allopa-thique, celle des médicaments et des traitements hospitaliers comme la chimiothérapie, la radiothérapie et la chirurgie ; 2) la médecine naturelle des herbes et des plantes, qui inclut la phy-tothérapie, l'alimentation et différents produits ou suppléments naturels ; 3) la médecine énergétique, qui agit directement sur la vitalité de l'être et qui va de la méditation à la visualisation en passant par l'homéopathie et l'acupuncture ; 4) la psychothérapie, qui harmonise les émotions. Je fais de cette dernière une catégorie à part bien qu'elle constitue un soin énergétique à proprement parler.

Cet ouvrage n'est pas une bible. J'y expose quelques procédures que j'ai utilisées en détail ; toutefois, sorties de leur contexte, celles-ci n'ont pas de pouvoir en elles-mêmes. Dans son livre *Anticancer*, le Dr David Servan-Schreiber explique que le cancer est *une maladie du style de vie*[1]. Ce style de vie ne touche pas seulement notre alimentation et la gestion du stress engendré par notre mode d'existence. Il s'étend également à notre façon de vivre intérieurement, notamment en ce qui a trait au respect de nos élans créateurs et de nos idéaux. Il n'y a pas de formule magique. Une technique isolée ne peut être d'une grande aide. Par contre, accepter de remettre en question notre style de vie et le changer peut faire la différence.

En réalité, il ne saurait y avoir de formule magique, car, bien simplement, nous allons tous mourir un jour ou l'autre. Nous mourrons parce que les processus de dégénérescence sont plus rapides que les processus de régénérescence. La seule chose que nous puissions faire consiste à retarder notre déchéance par un style de vie qui favorise la santé physique et psychique. Ainsi donc, la prudence est de mise lorsque nous parlons de guérison et d'autoguérison. Il s'agit en fait des processus d'autoréparation et d'autorégulation sans cesse présents dans notre organisme, grâce à l'action du système immunitaire, notamment. Les médecins parlent d'ailleurs de « rémission » plutôt que d'autoguérison.

---

1. David Servan-Schreiber, *Anticancer. Prévenir et lutter avec ses défenses naturelles*, Paris, Éditions Robert Laffont, coll. Réponses, 2007, 2010.

Pour ma part, je préfère parler de retour à la santé ou de retour à l'équilibre. Ce dernier terme me semble tout particulièrement adéquat, car l'équilibre se doit d'être quelque chose de vivant; par exemple, lorsqu'on se promène à vélo, notre équilibre repose sur le mouvement. Nous sommes en équilibre un moment et l'instant d'après nous ne le sommes plus. De même, la guérison n'est pas statique, et elle n'est pas gagnée une fois pour toutes. Chacun de nous doit constamment favoriser l'équilibre de sa santé par son alimentation, par l'air qu'il respire, une activité physique suffisante, l'expression créatrice ou artistique, des relations saines et authentiques, ainsi que par une spiritualité active.

De manière provocante, je pourrais résumer la question qui guide ce livre en la formulant ainsi: pourquoi avais-je besoin du cancer dans ma vie? Je sais que mon interrogation a de quoi étonner. Après tout, pourquoi une maladie aurait-elle un sens? À l'inverse, pourquoi n'en aurait-elle pas? Il y a un réflexe bien installé en chacun de nous faisant que nous nous exclamons à la moindre épreuve: « Pourquoi moi? » Pour ma part, je constate que *l'être humain est bel et bien un créateur de sens*. Nous avons besoin de donner du sens à ce qui nous arrive. Il est vrai que ce sens peut être tout à fait relatif et s'inscrire dans un contexte bien précis. Il n'en reste pas moins qu'ouvertement ou secrètement nous en cherchons un, parce que le sens aide à vivre. Et parce qu'une souffrance qui a du sens fait moins mal, pour ainsi dire, que celle qui n'en a pas. Nous acceptons souvent de travailler fort et d'endurer des épreuves importantes parce qu'elles ont du sens à nos yeux. C'est pourquoi, dans le contexte d'une médecine intégrale qui soigne le corps, l'âme et l'esprit, je désire vous parler plus spécifiquement des aspects psychologiques et spirituels du cancer, ceux qui donnent du sens à l'existence.

L'aspect *psychologique* correspond à la biographie d'un individu. Il se réfère à ce qui s'est passé dans sa vie sur le plan émotionnel. Il est en effet nécessaire de comprendre comment une émotion peut affecter la santé du corps. Il y a des conditions intérieures associées aux états affectifs et aux blessures du passé qui favorisent la maladie. Elles peuvent même l'appeler ou l'attirer sans que la personne en ait conscience.

L'aspect *spirituel* équivaut à ce qui soutient et dépasse la dimension proprement personnelle de l'existence. La spiritualité s'associe à un regard élargi sur la vie. Cette perspective se déploie à partir de l'esprit et des éclairages que ce dernier peut nous offrir sur notre parcours. Elle rassemble les connaissances et les attitudes philosophiques qui aident à vivre, en dehors de toute considération religieuse, dogmatique ou sectaire.

Les dimensions psychologique et spirituelle se complètent. Par exemple, d'un point de vue spirituel, une difficulté relationnelle n'a pas beaucoup d'importance. Elle ressemble plutôt à un grain de sable dans le mécanisme psychique. Et une vie humaine n'a guère plus de concrétude qu'une feuille qui flotte au vent. Pourtant, les nœuds affectifs qui ne sont pas défaits empêchent le mouvement d'ouverture et d'expansion de l'être. Ainsi, une psychologie qui n'a pas d'horizon spirituel devient facilement nombriliste. Alors qu'une spiritualité qui n'engage pas un travail sur soi au niveau psychologique assied ses pratiquants sur un volcan d'impulsions non maîtrisées. Sans le savoir, elle encourage le refoulement.

Dans ce livre, j'aimerais faire ressortir le fait qu'il est de toute première importance de participer activement à son propre retour à l'équilibre tant que la capacité nous en est donnée. La raison en est simple : les médecins et les médicaments, les thérapeutes et les techniques ne font que vivifier des mécanismes de guérison qui, eux, sont déjà en nous. La formule que le Dr Liliane Reuter emploie résume bien cet état de fait : « Le médecin soigne, le patient guérit. » En d'autres termes, la guérison vient de l'intérieur. Les soins que nous apportent les personnes et les techniques stimulent des mécanismes de réparation et de régulation qui font déjà partie du patrimoine génétique de chaque organisme, de pair d'ailleurs avec les mécanismes d'autopréservation, d'auto-organisation et d'autoexpression. Nous découvrirons, chemin faisant, que nous pouvons autant intensifier nos capacités d'autoguérison avec de la chimie que grâce à une aide psychologique ou notre imagination. En somme, la présence consciente à ses propres processus intérieurs constitue un élément fondamental du retour à une santé intégrale qui inclut le corps, l'âme et l'esprit. En tout état de cause, la maladie est une invitation à sortir de l'état de la victime qui subit un mauvais coup du destin pour entrer dans celui de la personne qui crée sa vie en collaboration avec les différentes dimensions de son univers tant intérieur qu'extérieur.

Cette participation créatrice à la guérison signifie souvent l'exploration de pistes et de techniques inconnues de nous et qui peuvent susciter résistance et rejet de notre part. Pour atteindre un nouvel équilibre, il est nécessaire de s'ouvrir l'esprit, en particulier en ce qui a trait aux liens étroits qui existent entre le corps et la psyché. Cela constitue sans doute un premier accomplissement de la maladie : nous obliger à quitter nos vérités toutes faites pour nous lancer dans l'aventure de la vie. En effet, pour passer de la médication à la méditation, il faut faire parfois un pas de géant.

J'ai écrit ce volume pour qu'il serve à ses lecteurs. Je n'ai pas de propension particulière à raconter mon histoire intime. À plusieurs reprises, j'ai été tenté d'abandonner mon entreprise, car elle nous expose, moi et mes proches, plus que je ne le souhaite. Mais la perspective que cette recherche de vérité puisse en aider d'autres m'a gardé au travail. Ce livre présente donc une quête de sens menée au sein de la crise. Il n'a pas d'autre prétention. Il est l'espoir d'une flamme dans le froid de la nuit intérieure. Je souhaite simplement qu'il réchauffe quelques cœurs touchés par le désarroi. Car le cancer survient comme un inconnu frappant furieusement à notre porte alors que nous n'attendions personne.

J'espère que ce que vous lirez correspondra à quelque chose que vous reconnaîtrez en vous-même, que vous soyez malade ou en santé et que vous accompagniez ou non quelqu'un qui est touché par la maladie. Je vous encourage à explorer les attitudes et les exercices que je propose pour prendre à votre tour le chemin de la guérison authentique. Cette guérison concerne le lien entre le corps, l'âme et l'esprit, et elle parle des retrouvailles avec l'unité fondamentale. Car c'est la satisfaction de la pulsion d'union qui permet de revivre.

corneau

Chapitre un

La salle d'attente

PREMIÈRES ALERTES

Quelques mois avant sa mort, lorsque mon père a finalement consulté pour les points noirs qu'il voyait le matin en cultivant son jardin, le médecin lui a appris qu'il devait être opéré du cœur dans les plus brefs délais.

« Vous devrez subir cinq pontages et quatre greffons, monsieur Corneau. Vous devez vous sentir mal depuis longtemps !

– Oh ! Je dois bien m'asseoir de temps à autre parce que j'ai le vertige, mais mis à part ce symptôme bénin, je vais très bien. »

Il est mort des suites de son opération quelques mois après celle-ci. Après une seconde intervention, pour un cancer de l'intestin cette fois, son cœur a flanché. Quelques semaines avant son décès il estimait encore que le bon docteur était le seul responsable de ses maux, et que sans cet homme il serait encore en train de cultiver ses légumes. Et il le croyait dur comme fer.

Étonnant, n'est-ce pas ? Mon père était en quelque sorte un spécialiste du déni. Et force est de constater que j'en suis bien le digne fils… Dans les années qui ont précédé le diagnostic de cancer, j'ai connu des pertes de vitalité qui m'ont ralenti pour de longs mois chaque fois. Comme ma vie était intense à souhait et que ces maladies mystérieuses survenaient toujours après d'exigeantes tournées, je me disais que c'était simplement de la fatigue et qu'un peu de repos suffirait.

Pourtant, à l'été 2006, neuf mois avant le diagnostic fatal, je sue tellement pendant la nuit que je mouille facilement deux tee-shirts et une paire de drap. Je nage littéralement dans mon oreiller. Même si je ne veux rien en savoir, je comprends que quelque chose ne va pas. Depuis quelques mois, une amie me presse de consulter. Je lui réplique immanquablement, fier de ma trouvaille :

« Ça ne vaut pas la peine. Ce que j'ai est trop grave. Ça ne se soigne pas !

– Mais, Guy, on ne sue pas comme ça pour rien.

– Je n'ai pas le temps d'être malade. »

Je sais bien qu'elle a raison. Notre premier informateur est le corps et il ne ment pas. Je prends donc rendez-vous avec un médecin, l'interprète officiel de notre organisme physique dans notre société. La plupart du temps, il y a des avantages à être un personnage public ; de temps en temps, il y a des inconvénients. Lors de notre premier entretien, le docteur s'applique à me dire qu'il écrit lui aussi et qu'il publiera bientôt. Il est en pleine compétition. Au point que j'ai hâte qu'il se taise pour lui parler de ce qui m'arrive. Un mois plus tard, je suis de retour dans son bureau pour recevoir les résultats des examens. Ce fut bref.

« Monsieur Corneau, me dit-il, moins bavard que la première fois, pensez-vous que vous allez mourir de ce que vous avez ?

— Je ne sais pas. Je ne pense pas.

— Alors, ça devrait aller. Le corps a tendance à se réparer par lui-même. »

Je n'en crois pas mes oreilles. Il n'a rien trouvé. Je rentre chez moi consterné, mais trop heureux de croire à cette version optimiste de mon état. Bref, je sue comme un cochon mais tout va bien. Je découvrirai quelques mois plus tard qu'il avait tout bêtement cherché dans la mauvaise direction. Car le cancer me ronge déjà.

LE DIAGNOSTIC

L'automne qui suit est des plus exigeants : un mois de conférences en Europe, un mois de tournage pour mon émission de télévision à Montréal, et un mois d'écriture intense. Le stress du livre à produire se poursuit à travers les vacances de Noël qui y passent en entier.

Février 2007 est consacré à la virée médiatique et à la tournée de conférences qui entourent la sortie de mon dernier livre. J'accorde une soixantaine d'entrevues, tous médias confondus, et le livre connaît un franc succès au Québec. Début mars, je m'envole pour l'Irlande où je coanime un séminaire d'une dizaine de jours avec d'autres psychanalystes jungiens. Je peux faire mon travail, mais l'après-midi, je dois me coucher. Je suis trop essoufflé pour participer aux excursions de groupe. Je le regrette, car une moitié de ma famille est de souche irlandaise et c'est pur délice que de baigner dans les paysages qui ont engendré la musique de mon enfance. À la fin du séminaire, je passe quelques jours à Dublin. Le hall de mon hôtel s'ouvre sur un grand café aux divans colorés et invitants. On peut rester toute la journée dans ce bistro à écrire, à bavarder ou à prendre un goûter. Je suis au paradis. Je me sens à la maison dans cette ville où les écrivains peuvent flâner sans vergogne dans les cafés. Je vais au théâtre chaque soir.

Puis je gagne la France où mon livre paraît chez Robert Laffont à l'occasion du Salon du livre de Paris. Je ne suis pas peu fier. Le lendemain de mon arrivée, mon amie Marie Lise Labonté m'invite pour une coupe de champagne afin de célébrer l'heureux événement entre amis. Je tousse affreusement.

« Je n'aime pas ça du tout ! me lance-t-elle.

– C'est l'hiver parisien si humide et si pollué qui réactive ma bronchite.

– Non, ce n'est pas ça. J'appelle mon médecin et je te prends un rendez-vous. »

Je trouve son inquiétude quasiment loufoque, mais je lui promets de voir son toubib. Quelques jours plus tard, le Dr Junès m'ausculte longuement.

« Franchement, je n'aime pas ça non plus. Il faut faire des tests plus poussés », me dit-il.

En une semaine, on me trouve une anémie si sévère qu'il en déduit que l'un de mes organes internes saigne goutte à goutte depuis longtemps.

« Vous devez avoir quelque chose qui va bien, car je ne sais pas comment vous faites pour tenir debout », conclut-il en écrivant une lettre à mon médecin montréalais pour la poursuite des examens.

Le mois d'avril 2007 apporte avec lui la catastrophe. De semaine en semaine, le Dr Michel Boivin, mon gastroentérologue depuis vingt ans à l'Hôpital Saint-Luc de Montréal, découvre une condition de plus en plus grave. D'abord, il réalise avec surprise que c'est l'estomac qui saigne. On aurait en effet pu s'attendre à ce que ce soit l'intestin puisque je souffre d'une colite ulcéreuse, une maladie inflammatoire de l'intestin, depuis trente ans. Puis, il se rend compte que c'est cancéreux.

Hélas, je l'apprends fort malencontreusement. Au réveil d'un examen qui a demandé que l'on m'endorme, l'infirmière me renvoie chez moi avec un papier que je dois lire impérativement : les résultats. Nous sommes un vendredi en fin d'après-midi. Quelques heures plus tard, je suis seul chez moi aux prises avec un rapport auquel je ne comprends presque rien. Je me mets à chercher la signification des mots sur Internet pour réaliser avec stupeur que j'ai le cancer. Je n'en crois pas mes yeux. Je descends dans mon bureau à plusieurs reprises pour vérifier le diagnostic comme si j'avais pu mal lire, comme s'il pouvait s'effacer entre deux lectures à la façon d'un mauvais rêve au réveil. Le choc m'atteint peu à peu. Par petites secousses successives, il vient me tirer le tapis de dessous les pieds. Bientôt, je me retrouve les jambes pendant dans le vide comme au bord d'un précipice, effaré.

Je me réfugie dans un fauteuil du salon tel un animal blessé. Je m'assieds à moitié couché émergeant à peine des coussins comme un être qui va se noyer et dont seule la bouche pointe encore hors de l'eau. Je me retrouve suspendu dans une sorte de temps mort, ankylosé, n'osant pas bouger de peur que ça fasse mal. Le moindre mouvement éveille de la peine et de l'angoisse. Je trouve très bizarre de me tenir ainsi à contempler ma mort possible, ma propre mort, devenue soudain palpable, devenue soudain réelle.

Je dors quelques heures à peine avec des mots étranges qui tourbillonnent dans ma tête, des mots comme adénopathie, lymphome, me construisant une mythologie personnelle à partir de ces termes que je ne connais pas.

Je ne bouge pas jusqu'au samedi après-midi. Je ne mange pas. Je ne bois pas. Je suis plongé dans un état complètement irréel.

Je ne sais pas comment annoncer cela à mes proches. Je n'ai plus de mots. Je suis affreusement triste et, obscurément, j'ai honte de ce qui m'arrive. Vers 16 heures, le téléphone me sort de ma léthargie. Je parviens à balbutier que j'ai le cancer, en riant, incrédule.

Puis, je me force à m'activer un peu. Sans faim aucune, je vais manger au restaurant avec Yanna, ma plus grande amie, elle-même touchée par la maladie. C'est qu'il est plus facile de trouver du réconfort auprès de quelqu'un qui est déjà atteint. On se sent compris sans avoir à entrer dans de grandes explications sur les états d'âme que l'on traverse. J'arrive au dimanche soir comme un naufragé, toujours fragilisé par le choc. Je parviens tout de même à retrouver un semblant de contenance, assez pour parler à la plupart de mes intimes, un à un. Je les préviens à chaque fois que j'ai quelque chose de navrant à leur apprendre. Je rencontre de l'étonnement, de la compassion, et du soutien moral en abondance.

Il y a aussi les membres de ma famille qui vont s'inquiéter. J'apprends ce qui m'arrive à mes sœurs Line et Joanne en leur demandant de ne pas en parler tout de suite à notre mère, car je préfère le faire en personne. Je me suis toujours senti proche de mes sœurs cadettes. Il faut dire qu'elles me suivent de très près. Elles sont de deux ans et trois ans plus jeunes que moi, ce qui fait que nous avons été élevés ensemble. Je les admire sincèrement. Joanne est devenue une peintre connue sous le nom de Corno. Line a brillé dans le monde de l'éducation. L'annonce les bouleverse. Joanne insiste pour que j'aille me faire soigner dans un hôpital réputé de New York afin d'y recevoir des traitements de pointe. Elle souhaite que son frère soit près d'elle pour pouvoir s'occuper de lui. Quant à ma sœur Line, elle relève d'un âpre combat aux frontières de la mort contre la bactérie *Clos-*

tridium difficile (C. difficile). Elle a connu six rechutes, un record dans les annales québécoises de cette maladie. Cela l'a épuisée et elle reprend ses forces peu à peu. L'expérience lui permet néanmoins d'être d'excellent conseil pour son grand frère. Sans cesse, elle me répétera de ne pas m'impatienter et de ne pas perdre espoir, que l'on est « faits forts » et que « de la graine de Corneau, ça ne se déracine pas si facilement ! »

À travers les réactions de mes proches, j'éprouve le bienfait que représente un réseau d'entraide solide. Je me dis même qu'il ne doit pas être facile d'affronter le même diagnostic si l'on est isolé et que le téléphone ne sonne jamais pour nous tirer de la léthargie. La tentation doit être grande alors de se laisser aller et de ne pas combattre. Je dirais donc aux gens qui se trouvent à l'écart de ne pas hésiter à mobiliser leurs réseaux familiaux et sociaux pour les soutenir dans l'épreuve. Il faut commencer par eux. De plus, s'ils le désirent ou s'ils se sentent incompris par leurs proches, il ne faut pas qu'ils hésitent à se joindre aux groupes de parole, aux ateliers de création ou aux séances de yoga ou de méditation qui sont offerts dans la plupart des hôpitaux pour venir en aide aux malades. En général, on peut aussi avoir accès à quelques heures de psychothérapie gratuitement. Ce sont des outils précieux qui peuvent faire la différence. Il vaut la peine de se secouer pour bénéficier du travail d'un professionnel de la psychologie ou des activités d'une association de bénévoles. On y rencontre des gens qui ont connu le passage par la maladie presque sans exception. Ils savent ce que leur clientèle est en train de vivre. Le mot d'ordre, lorsque l'on se trouve en difficulté extrême, est d'éviter l'isolement, car celui-ci amène à négliger l'alimentation, l'exercice et les bonnes habitudes de vie en général. Les statistiques sur la santé, notamment celles établies en cardiologie, montrent sans équivoque

que les groupes d'entraide prolongent de façon significative l'espérance de vie des individus de même qu'ils accélèrent les processus de guérison.

Directeur de l'Institut de recherche en médecine préventive et professeur de médecine à l'université de Californie à San Francisco, Dean Ornish mène depuis plus de trente ans des études cliniques qui ont clairement démontré que l'absence d'amour et d'intimité est la source même de ce qui nous rend malade. L'amour est un besoin biologique, au même titre que boire et manger, dit-il. Rien n'a autant d'impact sur la qualité de vie, la maladie et la mort prématurée que le fait de vivre isolé. C'est pourquoi il recommande aux personnes seules de participer à des rencontres de groupe afin de créer des liens et d'entretenir des relations susceptibles d'apporter de la joie dans leur vie[2].

Je retrouve mon médecin le mardi midi. Il m'attend dans son bureau, l'air soucieux, ramassant sans doute ses forces pour ce qu'il a à m'annoncer. La scène m'évoque un souvenir de puberté où, prenant son courage à deux mains, mon père m'a emmené dans ma chambre pour me parler de ce qu'il est convenu d'appeler les « mystères de la vie ». Je les avais toutefois appris depuis fort longtemps auprès de mes compagnons de jeu. Néanmoins, je l'ai écouté patiemment et comme si de rien n'était pour ne pas le jeter dans plus d'embarras.

Cette fois, cependant, lorsque je constate le trouble de Michel devant annoncer à l'un de ses plus anciens patients que son cas est devenu plus qu'inquiétant, je le délivre en lui disant que je suis au courant. Son soulagement fait rapidement place

---

2. Dean Ornish, *Love and Survival. 8 Pathways to Intimacy and Health*, New York, Harper Collins Publishers, 1998. Un livre à lire si l'on a besoin de se convaincre des effets des relations affectives sur la santé.

à de la colère lorsqu'il apprend de quelle façon je l'ai su. Il n'en revient pas que j'aie eu ce rapport entre les mains et que j'aie passé le week-end seul avec mes résultats. Au cours de la même rencontre, il m'apprend malheureusement que les examens ont aussi révélé que les ganglions autour de l'estomac sont atteints et qu'il faut poursuivre l'investigation.

LA TOURNÉE EUROPÉENNE

Je suis catastrophé par cette nouvelle. Le constat s'aggrave de visite en visite. Où est-ce que cela va s'arrêter ? Nous sommes à la mi-avril et, désormais, je n'ai plus qu'une question en tête : vais-je devoir annuler la tournée de conférences et d'entrevues devant commencer dans quelques jours en Europe francophone ? Une telle tournée est longue à organiser et nécessite la collaboration de l'éditeur, des relationnistes de presse et des organisateurs de conférences. À ces derniers s'ajoute Marie, ma précieuse assistante, qui coordonne tous ces gens et gère les contrats. À l'évidence, tout le monde y perdra.

La semaine suivante, ce qui devait arriver arriva. La rencontre avec mon médecin débute par des mots que je ne veux pas entendre. Je les écoute le cœur battant dans les oreilles.

« Tu ne pourras pas faire ta tournée, c'est trop grave !

— Et si je décide de la faire quand même ?

— Je ne réponds plus de rien. Dans deux mois, peut-être que le cancer aura peu évolué. Ou peut-être qu'il se sera aggravé et que nous aurons perdu un temps précieux. La rate est touchée elle aussi et il y a peut-être autre chose encore. Je dois te chercher un oncologue dans une autre institution hospitalière, car la gravité de ton cas ne relève plus de moi. »

Je suis bouche bée. Je ne me résous pas à contremander ma tournée. Moi qui n'ai jamais annulé une conférence de toute ma carrière, je mets mes partenaires dans l'eau chaude d'un seul coup. Quelques jours plus tard, je décide d'enregistrer un DVD de ma conférence dans mon salon. Je l'envoie aux organisateurs pour qu'ils puissent le présenter au public. Au moins, ils ne perdront pas tout. Je leur fais également parvenir une lettre dans laquelle je les informe de ma maladie tout en leur spécifiant qu'il n'y a pas de doutes en moi par rapport à l'issue positive de ce combat. Bien qu'ils réagissent tous avec une compréhension généreuse et une compassion manifeste, je me sens vraiment malheureux de la tournure des événements. C'est comme si je perdais la face. Mais, il n'y a pas que cela. Il y a pire.

Comme je l'ai expliqué, ce cancer s'est manifesté au moment où je venais de terminer le livre que je considère comme mon testament sur le plan psychospirituel. *Le meilleur de soi* rassemble vraiment le meilleur de moi-même, de ma connaissance et de mon expérience sur le terrain pratique de la vie et de la psychothérapie. J'y parle de ce qui fait obstacle en nous à l'expression de notre créativité profonde au niveau psychologique et de ce qui la facilite du point de vue spirituel.

J'ai voulu écrire le livre qui peut guider une vie si on ne peut en lire qu'un seul. Entreprise ambitieuse, mais menée sans ambages. Pour ce faire, j'ai beaucoup utilisé le travail que j'ai développé au sein des Productions Cœur.com avec mon ami Pierre Lessard, un enseignant spirituel, qui a été et continue d'être pour moi à la fois un compagnon de route et un guide. Nous avons eu un plaisir extraordinaire à développer et à enseigner ce qui constitue les bases de mon dernier volume. Mais voilà, malgré toutes ces connaissances qui donnent la vie, le cancer vient tout de même d'éclater. Je suis maintenant face à moi-même plus que jamais dans mon existence. Je n'arrive pas à croire vraiment à ce qui m'arrive. Mon humeur est sombre. Je me demande vraiment comment je pourrai faire de cet événement un pont vers une quelconque lumière.

GRADE 4

Le 26 avril 2007, à 8 h du matin, j'attends dans la salle d'attente du quatrième étage du Pavillon Deschamps de l'Hôpital Notre-Dame de Montréal. Elle est pleine à craquer. Cela m'impressionne. Il y fait chaud de la chaleur humide qui se dégage des corps. Je constate que le cancer, ça touche tout le monde sans faire de distinction. La répartition des gens atteints semble même démocratique : des riches, des pauvres, des hommes, des femmes, des jeunes, des vieux, des gros, des maigres, des femmes voilées, des Noirs, des gens bien habillés, d'autres en tenue de sport. C'est presque « politiquement correct ».

Même si je fais des blagues dans ma tête, je suis très tendu. J'ai rendez-vous avec le Dr Louise Yelle. Elle doit faire le point avec moi sur la totalité des examens que j'ai passés. Va-t-elle me dire que j'en ai seulement pour quelques semaines à vivre ? Je m'attends au pire puisque tout n'a fait que s'aggraver depuis un mois. Elle me serre la main dès que j'entre dans son bureau. Je me sens accueilli. Cela me la rend sympathique sur-le-champ. Mais ça ne rend pas plus sympathique ce qu'elle a à m'annoncer : un cancer de grade 4, de type lymphome, à larges cellules, non hodgkinien, extra-ganglionnaire et qui touche la rate et l'estomac, siège de la tumeur principale. En prime, on a remarqué une cinquantaine de lésions métastatiques qui atteignent les deux poumons. M'annonçant tout cela, la doctoresse fait le commentaire suivant :

29

« En général, les lymphomes réagissent bien à la chimio, monsieur Corneau.

— Merci pour votre optimisme.

— Je ne suis pas optimiste, je suis réaliste. »

Je ne veux pas en savoir plus. Tout ce dont j'ai besoin en ce moment réside dans ce mot d'espoir. Elle a l'élégance de ne pas parler de statistiques. Ce n'est qu'à la toute fin des traitements de chimio, pratiquement neuf mois plus tard, que j'eus le courage de lui demander combien il y avait de grades de cancer. Elle me dit :

« Quatre ! Un, deux, trois, quatre. Est-ce que c'est plus clair ?

— C'est très clair et je suis content de ne pas l'avoir demandé avant ! Je serais mort de peur. »

Voyez-vous, le déni est une chose qui a son importance dans la vie. Il a un aspect négatif, mais il a aussi un aspect positif. C'est un mécanisme de défense inconscient, c'est-à-dire qu'il se met en place à notre insu. Cette stratégie naturelle permet de bloquer des émotions qui pourraient par trop bouleverser notre état intérieur. Comme psychanalyste, on passe son temps à pointer du doigt ces mécanismes de défense, car, paradoxalement, ils finissent par étouffer l'individu. La sagesse thérapeutique invite toutefois à ne jamais oublier leur fonction première : permettre à la personne de survivre. Pour les remettre en question, il est bon de disposer d'un cadre comme la thérapie. Un tel cadre favorise la rencontre avec les émotions intenses qui ne manquent pas de se manifester chez une personne au moment où elle tente de sortir du déni.

En ce matin de la fin avril, je ne veux pas savoir combien il y a de stades de cancer. Pourtant, la question me brûle les lèvres. Mais je préfère imaginer qu'il en existe cinq ou six. Cela me permet de mettre en échec l'angoisse mortelle que je ressens. Ainsi, je me donne une marge pour respirer. Je sais que mon cas est très grave. Je sais que le cancer est agressif, qu'il touche trois organes vitaux et que, selon les mots de mon oncologue, « ça avance vite ». Cependant, je ne peux tolérer d'en savoir plus. J'ai déjà le vertige. J'étouffe.

Nous sommes un jeudi et mon médecin propose de commencer les traitements de chimiothérapie le lendemain matin tellement elle juge ma situation critique. Je réclame deux semaines de répit, le temps de me faire à l'idée, de chercher des alternatives et de l'annoncer à ma mère avec tous mes cheveux, car je vais perdre tous mes poils. La date de la première séance de chimio est donc arrêtée au mardi 15 mai, soit trois semaines plus tard.

Une fois sorti du bureau, je me fais la remarque suivante : « Ce n'est pas la médecine qui va décider de l'issue de cette maladie, c'est moi. »

C'est peut-être un brin prétentieux, mais ça veut surtout dire que je suis prêt à mobiliser mes forces pour rester en vie. L'attitude du Dr Yelle n'est pas étrangère au réveil de ma combativité. Je suis content d'avoir rencontré une femme médecin avec qui « ça clique », comme on dit au Québec. Le Dr Boivin a bien visé. L'humanité sans complaisance du Dr Yelle, sa simplicité et sa capacité d'accueil ont permis l'établissement d'un climat de confiance dès le départ.

Ces habiletés devraient faire partie du profil obligé de tout bon docteur. En oncologie, où tout le monde se trouve confronté à la mort, elles deviennent essentielles. Moi qui donne des ateliers aux médecins sur *les pièges et les bonheurs de la relation patient-médecin*, je sais que leur rôle n'est pas toujours facile. Par ailleurs, comme patient, j'ai pu constater combien l'attitude du soignant est centrale pour soutenir le moral de la personne atteinte. Il ne s'agit pas pour le médecin de se transformer en psychologue, mais plutôt de *renoncer à des attitudes qui réduisent*

les patients au silence et les entretiennent dans le rôle inconscient de victime.

Il y a définitivement des avantages à avoir fréquenté longtemps la maladie, les siennes et celles des autres : on sait quoi
faire pour ne pas sombrer dans le désespoir. À travers mes nombreuses crises de colite, j'ai appris que dans ces cas-là il faut se
prendre par la main et se traiter avec la plus grande délicatesse
possible. La maladie est d'ailleurs un enseignement fort précieux
par rapport à la catastrophe : si l'on est si malade, c'est que l'on
a bien dû se manquer d'attention en cours de route, et qu'il est
grand temps de s'en accorder.

Je sors de l'hôpital abasourdi. À un point tel que je dois me
parler intérieurement pour continuer à fonctionner : « Bon, là,
on va y aller tout doucement. Il faut descendre les marches une
à une, sortir dans la rue, respirer au parc et ne prendre le volant
de l'automobile qu'une fois revenu sur terre. »

Je me fais aussi des reproches : « L'infirmière m'avait prévenu.
Je n'aurais pas dû venir seul. Je suis trop bouleversé. Je ne me
rappelle plus de la moitié de ce que le docteur m'a dit. »

Je me parle comme cela, dans ma tête ou à voix basse, le temps
qu'il faut, à travers la peine et le désarroi, accompagnant mon être
intérieur parti à la dérive. Pour moi, il s'agit de la seule attitude possible afin de ne pas être submergé par la révolte et le désespoir. Il y a
longtemps que je pratique ce type de dialogue intérieur presque
enfantin. Il me donne juste assez de distance pour pouvoir m'accompagner en cas de coup dur. Je n'essaie pas de me dissocier de ce qui
monte de l'intérieur ou de nier les émotions fortes qui se présentent.
Au contraire, ce doux murmure me permet de les accueillir sans en
être complètement victime, sans être outrageusement submergé.

Car il y a une sorte d'outrage lié au diagnostic de cancer. Je
me sens violé dans mon intimité, touché par un ennemi que je

n'ai pas vu venir, un ennemi marié au plus intime de mon processus cellulaire. J'apprends d'ailleurs en cours de route qu'il y a quelques centaines de milliards de cellules dans notre corps. Chacune de ces cellules baigne dans des molécules d'eau. Vous pouvez imaginer cela, plus de 200 milliards de cellules plongées dans environ cinq fois plus de molécules d'eau ? Chacun trouve là un magnifique champ de projection et d'invention, car il est très difficile de se représenter la situation.

À ce propos, le psychiatre et psychanalyste Carl Gustav Jung affirme que l'infiniment grand du cosmos étoilé et l'infiniment petit des neutrons, des protons, des atomes et des molécules deviennent les endroits par excellence où projeter notre inconscient. Ainsi remplissons-nous à l'aide de contenus qui nous appartiennent les vides de notre ignorance. Je serais d'ailleurs très curieux de savoir à quelle création fantasmatique chaque patient du cancer se livre par rapport à ce qui se passe dans son corps. Je suis certain que ces créations sont fabuleuses, car nous sommes tout à coup soumis à un vocabulaire médical si inconnu qu'il ne peut que provoquer l'invention de fables fantastiques. Fantastiques et souvent catastrophiques, il faut bien le dire. Bref, ça nous échappe et il faut tout de même en faire quelque chose pour survivre.

Pour ma part, je me plonge dans des livres de biologie afin de m'aider à me représenter l'intérieur du corps. Ce que j'y découvre me confond encore plus. Je suis surpris de découvrir une organisation qui semble informe de prime abord et qui, en même temps, s'avère si efficace. Finalement, je renonce. Il est trop tard pour apprendre tout cela. Je vivrai avec mes représentations partielles.

L'ANNONCE À CÉCILE

Il me reste maintenant trois semaines pour réaliser véritablement où j'en suis. Je veux d'abord prévenir ma mère de ce qui m'arrive. Dans les jours qui suivent ma rencontre avec le Dr Yelle, je prends la route de Chicoutimi, ma ville natale, à 500 kilomètres de Montréal, pour aller la visiter et lui parler en personne. Comme elle a déjà souffert de cancer, je crains qu'elle ne meure d'une crise cardiaque au bout du fil si je lui apprends ma maladie au téléphone. Ma visite coïncide avec le week-end de la fête des Mères. Cela lui fait grand plaisir que je vienne la voir à cette occasion. Ma sœur Line, qui vit aussi à Chicoutimi, organise un brunch à l'occasion duquel, après avoir mangé, j'offre un cadeau à ma maman avant de lui avouer la véritable raison de ma visite.

Il se passe alors quelque chose de tout à fait inattendu. Recevant mon présent, ma mère éclate en sanglots. Elle est très émue. Elle marmonne à travers ses larmes :

« Je suis tellement contente que tu sois là !

– Mais je t'envoie toujours des fleurs. Je te téléphone…

– Oui, mais aujourd'hui, tu es là ! »

Je suis médusé. Je ne sais plus quoi dire. Je suis rempli d'amour et de compassion envers celle qui m'a donné la vie et qui s'est tellement dévouée pour moi. Je m'approche d'elle et je lui confie tout doucement la véritable raison de ma présence. Une grande inquiétude traverse ses yeux et je tente de la rassurer du mieux que je le peux. Elle se montre courageuse et conclut que, si elle s'est tirée d'un cancer du sein, je peux tout aussi bien réussir. Line, elle aussi une survivante, nous enveloppe de son regard bienveillant. Lorsque nous quittons son petit salon, l'espoir a repris place en nos cœurs.

J'ai tenu à procéder de la sorte avec ma mère, car j'ai remarqué que pour la plupart des mamans, peu importe l'âge des enfants, la frontière semble difficile à maintenir entre ce qui arrive à un fils ou une fille et ce qui se passe en elles. Je veux dire que cela modifie directement leur état affectif. Un jour, je me trouve en ondes à la radio et, lors d'une pause, l'animatrice reçoit un appel téléphonique de son fils. Il veut lui faire part de ses résultats scolaires. Après la conversation, elle pose le combiné et me souffle mi-figue, mi-raisin : « Nous avons échoué en mathématiques. » La remarque semble anodine mais elle renseigne sur-le-champ au sujet des inquiétudes qui touchent nos proches et particulièrement nos mères. Cela est amplifié dès qu'un mot comme « cancer » est prononcé. Bientôt, ce n'est plus « mon enfant a le cancer », mais « nous avons le cancer ». Un tel degré d'identification ne sert pas la personne malade, car bientôt celle-ci se voit dans l'obligation de mentir à son environnement immédiat. Elle le fait pour ne pas avoir à « réparer » une autre personne qui devient plus malade qu'elle à la simple écoute de ses malaises ou à l'annonce de ses résultats d'examens.

Je ne veux pas qu'une telle chose se produise avec ma mère et avec mes sœurs. Je souhaite que nos communications restent le plus transparentes possible. J'espère ne pas avoir à cacher à mes proches mon état réel pendant la maladie par peur de leurs excès d'empathie, si on peut les appeler ainsi. À l'évidence, il n'est pas facile pour les intimes de vivre avec la perspective de perdre un membre de sa propre famille, mais le deuil fait partie de la vie, même si cette réalité est cruelle.

Malgré tout, en cours de traitement, je dois prendre mon courage à deux mains et rappeler à ma mère que c'est bien moi qui ai le cancer et pas elle :

« Maman, moi, mon boulot, c'est de m'occuper du cancer. Le tien, c'est d'être de bonne humeur et de faire ce qu'il faut pour le rester même si ton fils est très malade.

– Je le sais. Je le sais. Tu as raison, mon grand. Mais je suis tellement inquiète. »

Je connais bien le cycle qui fait que, trop soucieuse, elle commence à en perdre le sommeil. Bientôt, nous avons deux raisons de nous faire du souci au lieu d'une. Ma mère comprend très bien ce que je lui explique et elle fera tout son possible pour rester à flot à travers mon périlleux parcours. Au bout du compte, elle y parviendra très bien. Cette expérience nous a rapprochés et notre relation s'est allégée au lieu de s'alourdir.

De toute façon, personne ne peut nous sauver de nous-mêmes. Quand on va mal, la première personne qui puisse nous venir en aide demeure soi-même — si l'on en est capable, car il y a des situations où ce pouvoir nous fait défaut. Les grandes souffrances physiques ou psychiques demeurent difficiles à expliquer à notre entourage. Il y a une solitude irrémédiable liée aux épreuves de taille. Tout en veillant du mieux possible à ne pas se refermer sur soi, chacun doit apprendre à s'aider par ses propres moyens, des moyens que l'on développe en chemin, sur le tas pour ainsi dire. Il y a quelque chose de juste dans ce fait, car, d'un point de vue constructif, la maladie invite à une rencontre cruciale avec soi-même.

ROCK STAR DE LA PSYCHANALYSE

Alors que je me débats en me demandant quelle serait la position la plus appropriée vis-à-vis de mes proches, un songe me visite :

Je me trouve au sommet d'un pic de montagne. Je contemple un autre sommet où se situe un petit village. Il règne une atmosphère des plus étranges. Cet autre pic est enveloppé par un brouillard causé par une tempête de sable, si bien que parfois je vois le hameau et que l'instant d'après il disparaît à mes yeux. Je décide de marcher vers le village. La nuit tombe maintenant. Je me retrouve sur la place carrée en plein centre de celui-ci. J'y assiste à un spectacle déroutant : une armée d'adolescents et d'adolescentes, des punks, tous et toutes habillés de noir avec des chaînes qui brillent dans la nuit sombre, se disputent les restes d'une rock star qu'ils viennent d'assassiner après son spectacle — ils la mangent. Il s'agit d'une sorte de rituel sanglant qui me fait frémir d'horreur. Je me mets à fuir éperdument pour regagner ma maison, mais l'un des jeunes me poursuit. Je ne connais pas ses intentions ; toutefois, je ne peux pas m'arrêter de courir pour lui faire face tellement ma frayeur est grande. Je traverse ma demeure en coup de vent et poursuis ma fuite désespérée jusqu'à mon réveil.

J'émerge du sommeil les sens aux abois. Le cauchemar est partout dans ma chambre. Essoufflé par ma course, je tente d'apaiser mon angoisse. Au début, je ne comprends rien à mon songe. Puis, peu à peu, au fil des heures et des jours qui suivent, des fragments de sens se mettent à bouger en moi. L'atmosphère de réalité vacillante qui règne dans le rêve me parle totalement. Je me sens comme cela, exactement comme cela. J'ai de la difficulté à regarder ma situation en face. Je la fuis, incapable de reprendre pied. Tout s'effrite sous ma main et sous mes pas. L'armée de punks déchaînée et sanguinaire m'effraie. La scène semble parler de quelque chose qui se passe au tréfonds de moi-même dans ma nuit la plus noire. La place carrée en plein centre du village pointe vers un élément central et fondamental qu'il me faudrait remettre en question.

Le plus dur à affronter demeure la rock star assassinée que l'on dévore. Est-ce bien de moi qu'il s'agit ? Est-ce possible ? Je ne suis pas une rock star, je suis un psychanalyste. Néanmoins, un souvenir émerge de la pénombre : une fois, dans une station de radio à Genève, un animateur déluré m'a surnommé *le Roch Voisine de la psychanalyse*. J'ai joué le jeu de cette comparaison avec un chanteur rock et nous avons eu un grand fou rire en ondes. Il est vrai qu'avec mes tournées de conférences et mon émission de télévision, je vis d'une certaine façon comme une rock star. Mais pourquoi cette star doit-elle mourir ? Comment s'est-elle attiré la hargne de toute cette jeunesse ? L'adolescence s'affichant comme l'âge des rêves et des transformations, l'âge où l'on veut changer le monde, j'en conclus que je suis allé contre mes forces les plus vives. Se peut-il que ma carrière aille à l'encontre de ma puissance vitale et qu'elle condamne un fort contingent de moi-même à vivre dans la noirceur et la barbarie ?

Une autre association pointe dans cette direction. L'été précédent, j'ai écouté avec délectation le livre audio du roman *Le dictateur et le hamac*[3] de Daniel Pennac. L'auteur y fait mourir son héros, président, dictateur et agoraphobe, sur la place carrée et remplie de monde d'un petit village. Suis-je un tel dictateur ? En tout cas, il semble y avoir un conflit obscur en moi, et ce conflit inconscient comporte un aspect mortel. Le seul élément qui me réconforte dans ce rêve, même si je fuis à toutes jambes le punk qui me poursuit, repose sur le fait que ces jeunes sont bel et bien vivants. Aussi, je me dis que, si un jour je peux entendre le message de ces sombres aspects, je pourrai aussi jouir de leur vitalité.

---

3. Daniel Pennac, *Le dictateur et le hamac*, Paris, Gallimard, 2003.

En raison de son ivresse sanguinaire, le songe dans son ensemble me fait également penser au mythe grec de Dionysos, un dieu de mort et de résurrection. Dionysos est le dieu errant, l'éternel étranger, le dieu des abus et de l'ivresse. La tête éclatée par le délire éthylique, il a été démembré et dévoré par les Titans qui le poursuivaient. Athéna recueillit cependant son cœur et l'apporta à Zeus qui l'avala pour donner naissance à son fils une seconde fois. On l'appela donc « Dionysos, le deux fois né ». Violent et menaçant, il s'est imposé aux Grecs comme une divinité indispensable de la joie de vivre, de la renaissance et de l'éternel recommencement. Représentant l'ouverture à l'autre, il va contre « la tendance de l'homme et de la cité à se replier sur les certitudes de leur maîtrise et de leur identité autochtone[4] ». Suis-je devenu cet homme replié sur les certitudes de sa maîtrise et de son identité ?

En lisant, vous vous dites peut-être que cette histoire de star ne vous concerne pas. Il y a toutefois plusieurs façons de jouer à la vedette. On peut se croire la star de son bureau ou remplir le rôle de la maîtresse de maison modèle. Et, tout à coup, la maladie vient vous dépouiller de votre identité sociale. Vous avez toujours pensé que cette identité vous représentait. Vous découvrez peu à peu que vous vous étiez identifié à votre personnage.

À cette époque, je ne sais pas encore jusqu'à quel point la matrice de la maladie sera profondément transformatrice. Une partie de ma vie sera en effet mise à mort. Je me rends compte aujourd'hui que le choix se posait déjà très clairement : me détacher de la partie star, autant dire de l'orgueil et des parties flattées par le succès, ou mourir. Mais à ce moment-là, je trouve la pilule difficile à avaler. Je trouve que la sentence du destin est trop

---

4. Voir le dossier thématique consacré à Dionysos sur le site de Musagora : www.musagora.education.fr. La citation se trouve dans la partie intitulée *Le culte de Dionysos*.

amère. Je crie à l'injustice en moi-même, car j'ai déjà entrepris un virage visant à mener une vie plus équilibrée en confiant entre autres la gestion et la direction des Productions Cœur.com, la dernière-née de mes organisations, à d'autres personnes. Nonobstant mes récriminations, reste-t-il une autre alternative que celle de ployer sous la force du coup dans l'espoir d'y survivre ?

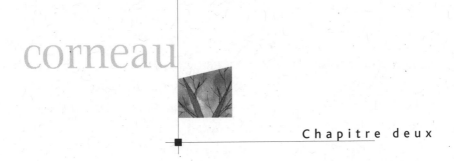

corneau

Jus de verdure et chimio

UNE PLANTE QUI DÉVORE LE CANCER

Mai. En raison de mes écrits, mes proches m'ont souvent dit à la blague qu'il ne pouvait y avoir de meilleure personne que moi pour attraper le cancer, comme si ça s'attrapait ! Il est vrai qu'une fois mon entourage immédiat avisé, je ne me vois pas du tout attendre bêtement le premier traitement de chimiothérapie comme un acte salvateur et unique. Je veux renverser la vapeur et reprendre l'initiative en ce qui concerne mon équilibre. Mon but secret est de trouver une alternative à la chimio, car cette dernière me fait affreusement peur. À la limite, je la considère même comme une sorte de suicide chimique. En effet, le problème de ce traitement, bien qu'il soit beaucoup mieux ciblé qu'il y a vingt ans, est qu'il détruit les bonnes comme les mauvaises cellules et qu'il laisse une lourde trace dans l'organisme. Je ne suis cependant pas si certain de mon coup, car mon amie Yanna ne semble pas arriver à des résultats concluants sans traitement hospitalier. J'ai à peine deux semaines devant moi pour parvenir à une décision claire avant ma chimio du 15 mai. Il n'y a donc pas de temps à perdre. De toute façon, pour moi, il n'est pas question que je n'administre rien à mon corps. Pas de chimio, peut-être, mais je désire trouver autre chose.

J'ai entendu parler d'une plante fascinante, la carnivora, qui, assimilée à haute dose par voie intraveineuse et sur une base quotidienne pendant plusieurs semaines, combat le cancer. Comme son nom l'indique, il s'agit d'une plante carnivore. Sans avoir de système digestif, cette plante digère les protéines animales une fois qu'elles sont dégradées. L'idée centrale est qu'elle peut faire la même chose avec les cellules cancéreuses en raison de leur état de dégénérescence. De prime abord, cette idée me semble géniale. Malheureusement, la carnivora est maintenant interdite sous forme de perfusion au Canada et aux États-Unis. Il faudrait que je m'expatrie au Mexique pour de longs mois afin de recevoir ces traitements, fort coûteux au demeurant. Par ailleurs, je me vois mal, isolé dans une petite chambre à l'étranger, coupé de mes proches, et en proie aux inquiétudes les plus vives quant à l'efficacité du traitement.

Je consulte donc mes amis médecins. David Servan-Schreiber, apprenant la gravité de mon cas, me fait le premier l'amitié d'une longue conversation téléphonique. Il passe en revue avec moi les causes tant physiologiques que psychologiques du cancer pour m'aider à prendre une décision éclairée. Il pousse la gentillesse jusqu'à me faire parvenir quelques chapitres de son ouvrage *Anticancer*[5] dont il termine la rédaction. Il veut soi-disant mon avis ; en fait, il tente plutôt de m'aider à ne pas tomber sous le coup du diagnostic. Olivier Soulier, médecin et homéopathe, Marion Prévost, une passionnée de recherches et de produits naturels, et

---

5. David Servan-Schreiber, *Anticancer*, *op. cit.*

Fernand Boileau, un médecin féru d'ayurvéda, le plus ancien mode thérapeutique au monde, investiguent tous pour moi au sujet de la fameuse plante. Ils lisent les quelques articles et recherches que j'ai trouvés sur ses effets pour conclure en chœur qu'au point où j'en suis, j'ai besoin de chimiothérapie, même si celle que l'on me prescrit s'annonce des plus rudes.

Je me résigne donc à suivre le traitement médical quitte à le compléter par d'autres types d'interventions. Je me dis qu'une fois passée l'épreuve de la chimio, je pourrai nettoyer ses effets néfastes sur le plan cellulaire. Ce n'est pas la première fois que je me retrouve dans la position d'avoir à composer avec des traitements chimiques pour me sauver la vie. Je peux m'appuyer sur mon expérience de la colite ulcéreuse pour penser de la sorte. Les corticoïdes, la cortisone et les anti-inflammatoires m'ont indéniablement aidé et même sauvé la vie à plusieurs reprises. Cependant, c'est à un changement alimentaire et à des traitements phytothérapiques (extraits de plantes), homéopathiques et psychologiques que je dois de ne plus souffrir de cette maladie depuis plus de dix ans. Elle est pourtant réputée chronique et irréversible. Il est même notable qu'au cours de ma dernière épreuve l'organe le plus régulier ait été mon intestin ! J'ai donc des raisons d'espérer.

Une fois résolu le dilemme de la chimiothérapie, je m'emploie à trouver des méthodes alternatives de traitement du cancer. Je décide dès le départ de faire appel à l'homéopathie, à la psychothérapie, à la visualisation, à la méditation, aux jus de verdure et à une fréquentation assidue de la nature pour me régénérer.

Aujourd'hui, ayant vu mourir plusieurs de mes proches, dont pratiquement tous ceux qui ont refusé la chimiothérapie, je suis intimement convaincu que le cancer a de multiples causes et que, par conséquent, il faut le soigner de multiples façons. Dans l'état de nos connaissances, il s'agit de mettre en jeu différents types de traitements, autant ceux de la médecine allopathique que ceux proposés par des méthodes complémentaires, qu'elles soient psychologiques, énergétiques ou naturelles. Mon idée actuelle là-dessus est que, si les médicaments allopathiques ont la puissance de feu nécessaire pour combattre directement la maladie à traiter, il est nécessaire de les compléter par une médecine de terrain, plus douce et plus longue certes, mais qui touche les causes du problème. Par analogie, si une plante a des pucerons, on prendra un antiparasite puissant pour les éradiquer. Mais on veillera par ailleurs à lui apporter l'air, l'eau, le soleil et la terre dont elle a besoin pour rester en bonne santé. Vous conviendrez avec moi que les deux médecines apparaissent nécessaires, et que recourir à l'une sans faire appel à l'autre risquerait de manquer le but.

LES IMAGES DE TRANSFORMATION

Marie Lise est maintenant de passage à Montréal pour quelques conférences. Afin de m'aider à supporter les traitements de chimio, elle veut m'initier à un outil de travail intérieur qu'elle a développé et qu'elle appelle *les images de transformation*. Elle m'invite dans sa chambre d'hôtel pour me proposer la démarche suivante : après qu'elle m'aura guidé dans une longue relaxation et fait gagner ce qu'elle appelle le « lieu de rêve », un lieu imaginaire où l'on se sent parfaitement à l'aise, je devrai laisser émerger librement les scènes qui surgiront de mon être profond en influençant le moins possible mon processus de pensée[6].

6. Voir Marie Lise Labonté, *Guérir grâce à nos images intérieures*, Montréal, Les Éditions de l'Homme, 2006. Une séance de relaxation et de visualisation guidée intitulée *Endroit de rêve, endroit sacré* est aussi disponible sur CD (Montréal, Diffusion Marie Lise Labonté Inc., 2006) à partir du site : www.marieliselabonte.com.

« Laisse d'abord monter de ton inconscient une image qui rend compte de façon brute de ton état actuel, me dit-elle.

– Je me balance sur un trapèze au-dessus d'une mer noire infestée de requins menaçants. Ça me fait très peur.

– Très bien, essaie de rester relié à la scène malgré tout. Dans un deuxième temps, laisse venir une représentation des cellules touchées par le cancer. Que vois-tu ?

– Des grappes de cellules vertes et jaunes m'apparaissent.

– C'est bon. Finalement, demande à ton inconscient de te donner une image de ta propre guérison.

– Je vois un chemin de campagne de terre brune. »

Par la suite, il s'agit d'esquisser chaque scène sur le papier avec des crayons de couleur. En étendant la couleur brune sur mon troisième dessin, il me semble qu'elle représente le ton de la terre que je ne veux pas quitter. Cette couleur me fait du bien. Ensuite, Marie Lise discute avec moi de chacune de ces esquisses, notant au passage le désir de vivre et de guérir qui s'illustre à travers les couleurs verte, jaune et brune.

Dans les jours qui suivent, elle fabrique à mon intention un protocole personnalisé de visualisation qu'elle met sur cassette. Je dois m'en servir au début de chaque traitement de chimiothérapie. La procédure commence par une détente guidée ; ensuite, il m'est proposé d'utiliser le pouvoir de l'imagination pour orienter la distribution du médicament dans le corps : je dois concevoir le liquide que l'on m'administre pendant de longues heures comme un allié guérisseur de couleur brune, la couleur qui correspondait à la guérison lors de ma séance d'imagerie mentale ; je dois diriger le précieux liquide vers les organes atteints, voir son effet destructeur sur les cellules dégénérées et imaginer qu'il préserve les cellules saines.

Je n'aurais jamais pensé que l'on puisse orienter un processus physiologique par l'imagination. Cela me surprend. Néanmoins, je me livre à l'exercice avec assiduité au début de chaque traitement de chimio. Je me rappelle que l'on peut très bien se détendre en s'imaginant détendu au lieu de lutter contre ses propres tensions. À l'évidence, l'esprit possède un ascendant sur le corps. En prime, la procédure me relaxe, ce qui n'est pas négligeable lorsque l'on reçoit ses premières chimios, car le taux d'angoisse devient alors très palpable. Et puis, cette visualisation a l'immense avantage de me faire entrevoir le poison présent dans la chimiothérapie comme une aide et pas seulement comme un mal nécessaire.

LA PREMIÈRE FOIS

Presque à mon corps défendant, je me rends à ma première séance de chimiothérapie : cellules cancéreuses mieux ciblées que jamais, mais empoisonnement général, abattement total et perte des cheveux au programme. Malgré ma résolution et le soutien de ma famille et de mes amis, j'avale la coupe qui m'est présentée avec beaucoup de difficultés. J'ai l'impression d'un échec cuisant. Vont ainsi commencer des années de protocoles médicaux pour moi qui n'ai connu l'hôpital qu'une seule fois dans ma vie.

Je crains le médicament et mes réactions au médicament. Mon ami Claude Lemieux, que je surnomme affectueusement « mon bon Claude », m'accompagne. Quelques jours auparavant, il m'a ému aux larmes en souhaitant au-dessus des bougies de son gâteau d'anniversaire que son ami Guy guérisse. Yanna, la personne la plus proche de moi au quotidien, ne vient pas cette fois-ci et ne viendra pas plus pour les autres séances : elle a une phobie sévère des hôpitaux. Ma boule d'angoisse est difficile à maîtriser. Mon cœur « pompe ». Je nage dans un état second avant même de me présenter dans la petite salle où la procédure doit avoir lieu. Grâce à son sens théâtral et à son goût aiguisé pour l'absurde, Claude arrive tout de même à me faire rire en imitant le pharmacien zélé qui me renseigne sur la nature du cocktail que l'on va m'administrer. Il semble tout droit sorti d'une bande dessinée. Mais il est compétent. Le protocole de traitement en question porte le nom peu poétique de CHOP, un composé d'adriamycine, de cyclophosphamide, de vincristine et de prédnisone, une procédure classique, semble-t-il, dans le cas d'un lymphome non hodgkinien à larges cellules. Personnellement, à part la question des grades de cancer, j'aime mieux en savoir plus que moins en ce qui a trait aux conséquences prévisibles de la chimiothérapie. En oncologie, à l'Hôpital Notre-Dame, on nous renseigne beaucoup sur ce qui nous arrive, et c'est tant mieux.

Cette prolifique diffusion d'information a tout de même un caractère équivoque. Avant, hôpitaux et médecins en disaient le moins possible aux patients. Aujourd'hui, c'est exactement le contraire, ils ont tendance à tout dire. Les professionnels de la santé sont en effet sans cesse aux prises avec ces questions délicates : faut-il dire toute la vérité et comment faut-il la dire ? Ma crainte de psychothérapeute est que, dans un cas comme dans l'autre, le malade ne soit évacué. Je ne sais pas ce qui est préférable entre tout cacher ou tout dire brutalement. Ou plutôt, je le sais trop bien. Il s'agit d'*en dire le plus possible avec finesse et psychologie* selon la condition du patient et sa personnalité. Toutefois, cela demande un temps dont le personnel hospitalier ne dispose pas toujours, ainsi qu'une habileté à parler des choses graves que les médecins ne sont pas appelés à développer pendant leur formation.

On commence à m'administrer le médicament sous perfusion. Avec toutes les tubulures et les bandes adhésives requises, mon bras ressemble à celui du héros dans *Édouard aux mains d'argent* de Tim Burton, un de mes films fétiches. En tout cas, je me dis que la scène se classe définitivement du côté de la science-fiction ! Ça me fait sourire et ça m'effraie à la fois. J'ai toujours été amateur de mélanges particuliers, ils doivent réveiller l'alchimiste en moi. Cette fois, pourtant, la mixture bat tous les records de jus de verdure et autres boissons de santé qui font reculer mes amis.

Mon bras gauche se prête au protocole. Mon magnifique bras gauche, c'est lui qui s'est tapé toutes les prises de sang et toutes les perfusions depuis trois ans. Le bras droit s'avère complètement réfractaire à tout cela. J'ai l'impression que mon sang va se figer et refuser de couler si c'est lui qu'on pique. Je lui parle souvent et je lui demande de prendre exemple sur l'autre. Rien à faire, il se rebiffe. Il regarde toutes ces procédures avec dédain. C'est mon bras macho. Le gauche est plus souple, plus doux, plus réceptif. Je l'identifie à la sagesse qui s'écoule comme l'eau et pénètre dans les interstices cachés de l'être. Par exemple, quand je tape à l'ordinateur intensément, comme pour faire ce compte rendu, les tensions atteignent mon bras droit sans cesse au bord de la tendinite, jamais le gauche. Il veut trop, mon bras droit, et il ne semble pas capable d'adopter une autre attitude.

Qu'à cela ne tienne ! Je suis rendu en chimio, engourdi par les médicaments qui contrôlent les réactions allergiques, et je mange la bonne salade que Claude m'a apportée. Ah, la douceur de l'amitié dans ces moments-là !

Après cinq ou six heures, c'est terminé et je suis, permettez-moi l'anglicisme, « buzzé », « buzzé de chez buzzé », sonné, K.-O.

Je me sens bouffi et j'ai mal à la tête. Je n'ai qu'une envie : m'allonger et dormir pour fuir cette réalité. Le traitement CHOP a pour effet de diminuer énormément la quantité de globules blancs de l'organisme et l'efficacité du système immunitaire. La conséquence est que l'on combat avec peine la dose de poison que l'on vient de recevoir, ce qui est le but de la manœuvre. Il en résulte une sorte d'abattement qui est très difficile à décrire. La deuxième semaine après l'administration du traitement est la pire. Pendant la première, en effet, on vous soutient en vous donnant de la cortisone sous forme de prédnisone — d'où le « P » de CHOP —, un médicament corticostéroïde anti-inflammatoire et antiallergique. Cette hormone stimule les surrénales à fond et provoque des décharges d'adrénaline qui vous font toucher à la fébrilité. Mais après cinq jours, on arrête brutalement la prise de cortisone pour ne pas enclencher de dépendance. C'est alors que le patient sombre bien bas.

Par exemple, l'idée de concocter quelque chose à manger me semble surréaliste. Je passe au moins vingt minutes sur mon canapé à visualiser la séquence de gestes nécessaires pour me faire une tisane avant de pouvoir me lever. Un jour, mon oncologue me dit que les médecins devraient peut-être aller faire un tour en chimio juste pour faire l'expérience de l'accablement qui en découle. Je suis on ne peut plus d'accord. Mon état me fait penser à celui que m'a décrit Francis, un camarade de théâtre, quelques années auparavant. Dépressif, il passait des heures devant ses comprimés sans pouvoir se résoudre à les prendre. Je me sens pris au fond de moi par quelque chose de similaire. Je suis comme englué. Je patauge dans la mélasse. Heureusement, je peux encore me parler et laisser passer tout cela avec une sorte de sourire, ce que Francis ne pouvait plus faire depuis longtemps.

Thomas d'Ansembourg vient me visiter tout de suite après mon premier traitement. Je suis gonflé à bloc par la cortisone, enflé par la chimio, et très content de le voir. Mes amis sont tendres et font preuve d'une réelle compassion à mon égard, ce dont je leur suis très reconnaissant. Thomas arrive donc et nous allons manger dans un petit bistro près de chez moi. Je suis sans doute trop excité, car un terrible hoquet se déclenche. Vingt-quatre heures plus tard, je hoquette toujours et la fièvre s'en est mêlée. Je dois prendre le chemin de l'hôpital d'urgence. On finit par me donner une chambre pour la nuit, histoire d'observer ce qui se passe. Je revois encore le regard malheureux de Thomas m'abandonnant à mon triste sort alors qu'il doit aller prendre son avion. J'essaie de le rassurer mais je n'en ai guère les moyens. Je suis aussi inquiet que lui. La fièvre est passagère. Je ressors le lendemain. J'apprends ainsi comment gérer les trois semaines qui séparent les chimios l'une de l'autre et cela ne m'arrivera plus.

LA MACHINE À JEDI

Vous souvenez-vous de la série de films *Star Wars*, *La guerre des étoiles*? On y trouve Yoda, le fameux guerrier Jedi. Ce petit nain vert à la peau ratatinée a l'air d'avoir mille ans et il manie allègrement le sabre de lumière en disant: « Que la force soit avec toi! » Eh bien, le premier rêve que je fais à la suite de ma première chimiothérapie le fait intervenir.

Je suis avec Marie Lise Labonté. Nous devons nous faire tomber à la renverse dans une sorte de machine en carton comme dans un jeu d'enfant. Nous atterrissons un étage plus bas et remontons tout excités tels des mômes qui grimpent de nouveau en haut d'une glissoire pour recommencer. À chaque passage un de nos membres est transformé et nous nous montrons les parties de notre corps qui ont déjà pris la couleur de l'espèce Jedi, soit un vert fluorescent. Je lui fais voir mon bras et elle me présente son avant-bras. Un guerrier Jedi supervise toute la manœuvre. Nous recommençons dans une sorte de course euphorique pour arriver à transformer toutes les parties de nos corps. Non seulement nos membres sont verts, mais ils irradient comme s'ils avaient été exposés à des radiations nucléaires. L'atmosphère du rêve est délirante.

Je vois ce rêve comme la tentative de mon inconscient de traduire ce qui est en train de se produire dans mon organisme. En effet, les rêves constituent des autoportraits de ce qui nous arrive à différents niveaux, qu'ils soient organiques, émotifs, mentaux ou spirituels. Mon être est plongé en plein délire chimique, avec des poisons mortels d'un côté et de la cortisone euphorisante de l'autre ; les songes tentent de m'en donner une image. Il y a tout de même un côté encourageant : alors que la procédure est si triste sur le plan conscient, elle provoque du rire dans l'inconscient ! De plus, le vert est la couleur de la guérison. Cette machine en carton digne d'un jeu pour enfants géants et apte à fabriquer des guerriers Jedi est définitivement de bon augure : la force doit être avec moi si je veux passer à travers.

J'ai également une autre association qui va dans le même sens. Durant mes études à l'Institut C. G. Jung de Zurich, j'ai eu l'occasion d'analyser des planches alchimiques. L'une d'elles représentait un immense athanor dans lequel les gens entraient par le haut et d'où ils ressortaient par le bas, rajeunis. C'était une sorte de fontaine de Jouvence. Jung a noté que les rêves ont souvent une fonction prospective et je me dis que toute cette entreprise servira peut-être à un rajeunissement de mon être. En effet, comme je l'ai déjà compris dans le premier songe de cette série, une partie de moi doit mourir et je dois la laisser aller plutôt que de mourir avec si je veux sortir renouvelé de ce passage pénible et angoissant.

Finalement, je constate combien les rêves, dans leur aspect compensateur, essaient de me donner une perspective plus juste par rapport à ce qui se passe. Au niveau conscient, je vis tristesse et angoisse; de son côté, l'inconscient présente la chose comme un jeu enfantin. Il vient ajouter ce qui manque à ma position consciente, contrastant avec elle. En somme, ni l'attitude consciente ni la position inconsciente ne sont justes. La vérité se trouve entre les deux. Je me suis réveillé en riant, heureux de cette aide inattendue.

Dans les jours qui suivent, je fais un autre rêve. La même atmosphère de délire loufoque y règne.

Je suis devant le tapis roulant d'une petite chaîne de montage. Il en sort des poissons rouges qui sont tous alignés sur un convoyeur. Ces poissons ressemblent à de petits rougets ou à des sébastes, ces poissons un peu monstrueux venus des profondeurs. Certains sont gonflés et arborent une couleur rose saumon. Les autres sont comme dégonflés, ils sont morts. Un homme m'explique ce qui se passe sur cette chaîne de montage, et encore ici le rire est au rendez-vous.

Au réveil, je suis convaincu que ces poissons représentent les globules de mon sang soumis à l'impact de la chimio. Une grande quantité de cellules meurent, d'autres restent en vie. J'interprète le côté industriel de la procédure comme représentant l'aspect mécanique des chimiothérapies. En effet, même si celles-ci sont de plus en plus fines, elles détruisent encore de nombreuses cellules saines. J'assiste ainsi à l'abattage en série de mes globules. Toutefois, encore ici, on me propose d'en rire plutôt que d'en pleurer.

Ainsi commence ma descente dans la médication extrême. À chaque cycle, je vis à peu près les mêmes choses : une première semaine stimulée par l'effet de la cortisone, une deuxième dominée par un abattement total et une troisième au cours de laquelle je reprends graduellement mes forces. Puis, on remet ça pour un autre tour. De fois en fois, je sais de plus en plus à quoi m'attendre et je peux mieux m'adapter. Les ulcérations dans la bouche que la chimio provoque sont ce qu'il y a pour moi de plus désagréable à gérer.

LA BOULE À ZÉRO

De tout ce que l'on m'a prédit, je redoute en première ligne la perte de ma chevelure abondante. La rock star est peut-être en train de mourir, mais elle s'accroche encore à sa crinière. Mes cheveux doivent tomber dans les 15 jours suivant la première chimiothérapie. Pourtant, deux semaines après celle-ci, je ne perds encore rien ; il y a à peine quelques poils sur mon oreiller au réveil. Je commence à espérer l'impossible, priant pour que cette humiliation me soit épargnée. Pourtant, un matin, alors que je suis dans ma douche à me laver les cheveux, ils se mettent à partir par grappes. Paniqué, je veux les rincer sur-le-champ pour me sortir de ce cauchemar. Mais c'est pire. Plus je passe la main dans ma tignasse et plus elle s'effiloche. Tant et tant que je n'arrive plus à déboucher le bain qui est encombré par cette masse de poils. Je patauge maintenant dans une eau savonneuse remplie de cheveux et je me mets à pleurer d'impuissance, complètement envahi par cette sensation désagréable. Soudain, je réalise que ce n'est pas une mauvaise blague. Tout cela est vrai. Tout cela est en train d'arriver. Je suis vraiment malade et je suis réellement en traitement. Le déni qui me permettait de flotter à la surface de l'eau coule à pic avec ma chevelure, et moi aussi.

Instantanément, j'acquiers la conviction que je ne saurais survivre à une deuxième douche. Je ne suis pas capable d'envisager que je vais perdre le reste de mes cheveux poignée par poignée. Je téléphone sur-le-champ à mon ami Alvaro, qui non seulement est un coiffeur réputé de Montréal, mais également un proche de ma famille. Il est au courant de ma condition et je n'ai pas besoin de lui faire un dessin.

« Alvaro, c'est Guy. Je…

– J'arrive tout de suite ! » me dit-il.

Et ainsi, avec son aide, dans l'intimité, devant le miroir de ma propre salle de bain, je peux faire le deuil de mon apparence habituelle. D'une main experte et attentionnée, il rase tout. Il découvre avec moi de quoi j'ai l'air la boule à zéro.

« Tu as une belle tête. Tout te fait, me dit-il.

– Quand même, ça fait vraiment étrange. Je me sens nu. On voit trop mon visage.

– Mais non. Tu es chanceux, les crânes rasés sont à la mode cet été ! »

À travers ses mots percent sa tendresse et son cœur généreux. Bizarrement, l'une des pires épreuves de cette traversée vient d'être franchie.

Moi qui suis une vedette locale au Québec en raison de mes nombreuses apparitions à la télévision, je ne sais pas encore que je viens de plonger d'un seul coup dans l'anonymat. À partir de ce moment-là, les gens ne me reconnaissent plus ni au super-marché, ni dans les cafés, ni sur les trottoirs de mon quartier. La star de la psychanalyse vient de tomber de son piédestal. Cela dit, le fait de passer incognito me vaut de nombreux épisodes cocasses. En saluant tout naturellement des connaissances dans la rue, je n'ai en retour que des regards interloqués. Elles ne me reconnaissent pas. Il faut que les gens s'arrêtent et me regardent droit dans les yeux pour finalement m'identifier. Vedette ou non, j'imagine d'ailleurs que chaque patient qui se retrouve d'un seul coup dans cette situation vit des scènes similaires.

. Il n'empêche que, de cette façon, je peux prendre conscience de l'un des principaux bénéfices de la renommée : les gens s'intéressent à vous, particulièrement les femmes. Normalement, celles que je croise me rendent mon regard. Maintenant, plus rien. Elles baissent les yeux pour éviter le contact. Ma vanité en prend un coup. Ce n'était donc pas ma beauté qui me valait tant de considération féminine, c'était mon succès. Je me dis que de nombreux hommes font sans doute l'expérience de cette réalité à longueur d'année. Je me rends compte ainsi que tout en servant de grands idéaux, je faisais beaucoup de choses plus ou moins consciemment pour rester à la vue des personnes de l'autre sexe. Cela a commencé tout jeune. Je pouvais pelleter de la neige pendant des heures pour mériter le coup d'œil admiratif de ma mère à travers une fenêtre de la maison.

La présence de femmes inspirées par mes mots a constitué jusque-là une raison de vivre très importante pour moi. Maintenant, cette raison tombe avec mes cheveux, et ma libido, devrais-je ajouter, car celle-ci prend également congé pendant le traitement. Heureusement, tout comme les cheveux, cela revient. J'apprends ainsi à orienter mon existence autrement. Une sorte d'esclavage à la séduction se termine. N'eût été de l'expérience du cancer, je n'aurais jamais pris conscience de la puissance de cet enchaînement.

Les Américains emploient l'expression « grâce déguisée » pour parler d'un drame qui se transforme en bénédiction. Ce passage dans l'anonymat en est une pour moi. J'ai cependant atteint le niveau zéro sur bien des plans. Je ne travaille plus et je ne peux plus rien faire d'utile pour autrui. Ma principale ambition consiste à me rendre au comptoir de la cuisine pour me préparer une infusion. Pour tout le reste, je suis dépendant de mon entourage. J'abandonne peu à peu toute résistance physique et psychologique. Je me complais à passer des heures étendu sur le divan du salon à ne rien faire et cela prend de plus en plus des allures de vacances pendant lesquelles on ne s'oblige à rien. Je prends congé du besoin d'être reconnu et de mes devoirs envers le public. J'ai officiellement la permission de m'occuper de moi très égoïstement. On ne me le reprochera pas.

Ma boule à zéro me permet une plongée dans l'authenticité profonde, des retrouvailles avec un moi-même délivré du souci de son image. Si l'on me disait que cela a été le principal effet de ma chimiothérapie, je dirais que cela a valu la peine tellement cet effet, qui s'est avéré un facteur de guérison central, est apparu comme un cadeau à mes yeux ! Chaque jour de ma vie, je me reporte à l'expérience de cette honnêteté avec soi et je m'y replonge. Je porte même un petit objet dans ma poche pour me rappeler de rester proche de cette franchise fondamentale au-delà de toute justification ou de toute considération orgueilleuse. Dans cette vérité simple et essentielle, je trouve une détente réelle et une communion avec la vie.

C'est là aussi que je trouve chaque jour la force de faire triompher en moi la joie créatrice au-delà des ombres de mon personnage et de ses exigences. La vie m'apparaît comme si précieuse et si sacrée que je voudrais la célébrer à chaque instant en toute humilité et avec toute la gratitude possible. Je ne comprends pas que nous lui demandions tant alors que tout est donné, sans cesse là, à portée de la main. Je voudrais dire aux personnes qui sont malades que le principal bienfait de la maladie consiste précisément à se dépouiller de son personnage habituel. Je voudrais tant les aider à entrer dans la grâce de ces moments où nous ne pouvons plus prétendre à quoi que ce soit.

MAMMOGRAPHIE

La leçon d'humilité se poursuit à travers des événements cocasses. Je dois me présenter pour une mammographie en clinique privée. En effet, on craint maintenant qu'il y ait des métastases au sein droit. En arrivant, je découvre, mal à l'aise, que je suis le seul homme dans la salle d'attente qui compte au moins une vingtaine de femmes. J'essaie de me faire le plus petit possible et je tente d'oublier l'incongruité de la situation, jusqu'à ce qu'une infirmière prononce mon nom au microphone. Instantanément, j'attire les regards de toute l'assistance. Je redoutais ce moment et j'en rougissais à l'avance. La quasi-brutalité de la procédure me ramène cependant assez vite à des considérations plus terre à terre.

« Vous devez tirer votre sein pour que je puisse le mettre entre les plaques de métal, monsieur Corneau.

– Mais, je n'ai pas de sein, madame…

– Il va bien falloir en trouver un, car vous avez un examen à passer ! »

Je trouve la procédure douloureuse et je pense à toutes les femmes qui doivent s'y prêter de façon régulière, avec la peur de découvrir une anomalie en prime. J'ai très hâte que ça finisse. En sortant, je réalise toutefois que, en cet endroit du moins, je ne suis pas du tout anonyme. Une dame m'interpelle pour me raconter sa vie et me soutirer quelques conseils pratiques. Bon, au moins je suis encore utile à quelques personnes !

Cela se passe aussi lorsque je reçois mes traitements de chimio dans les salles de l'hôpital réservées à cet effet. J'ai souvent droit aux confidences des autres patients. De leur côté, les infirmières sont d'une grande gentillesse. D'ailleurs, je ne sais pas ce que ces gens-là mettent dans leurs céréales le matin, mais tout le monde est accueillant, des préposées à l'accueil aux médecins, en passant par les infirmiers, les infirmières et les techniciens qui les soutiennent. Cela aide beaucoup ! Car du côté des patients, le drame est souvent au rendez-vous. À l'occasion, je vois des personnes écroulées se chercher un coin pour pleurer. J'en vois d'autres éteintes par la douleur. Chez tous et toutes, il y a de l'anxiété, une anxiété que l'on tente tant bien que mal de transformer en courage et en bonne humeur. Il y a toutefois un fait indéniable. Sur ce radeau de la méduse qu'est une salle de traitement remplie à craquer, dans ce lieu du désespoir humain, percent dans les regards la tendresse et la compassion. Comme si, dans cette noirceur de la maladie, la lumière pouvait mieux se donner à voir. À l'hôpital, on apprend à regarder au-delà des apparences.

Je me souviens d'un cas particulier. Une jeune femme prend place dans un lit à quelques mètres du fauteuil où je reçois ma chimiothérapie. Son amoureux l'accompagne. Jamais je n'ai vu un homme aussi prévenant. Il fait littéralement office de chevalier servant. Pourtant, sa jeune princesse pleure sans arrêt. Elle semble inconsolable. L'infirmière de garde ce jour-là profite d'un moment d'absence de son conjoint pour l'approcher. Tout en délicatesse, elle lui demande la raison de tant de peine.

« J'ai trop de deuils à faire. Depuis le début des traitements, je suis confinée à la maison et, maintenant, je dois me déplacer en fauteuil roulant. Je dois même obliger mes visiteurs à porter un masque antibactérien parce que mon système immunitaire est trop faible.

– Je suis étonnée de ce que vous me racontez, dit alors l'infirmière. Votre cas n'exige pas des mesures aussi radicales. Il est certain que vous devez faire attention, mais il n'est pas nécessaire de prendre toutes les indications à la lettre.

– Vous ne comprenez pas. Je suis danseuse et je ne peux même plus aller voir de spectacles. Je n'ai plus de vie ! »

Au contraire, l'infirmière comprend très bien qu'elle est devant une patiente qui ne s'accorde aucune marge. Elle l'invite à dépasser son amour-propre et ses peurs de la contamination pour sortir de la maison, visiter ses amis et aller voir des représentations. Elle l'encourage aussi à avoir recours à son compagnon dans ses sorties, car manifestement il ne demande qu'à l'aider. Bref, elle lui injecte une bonne dose de goût de vivre en l'invitant à poursuivre les activités qui l'intéressent malgré le cancer. Puis, elle vient me voir discrètement.

« Est-ce que j'ai bien fait ça, monsieur Corneau ? me souffle-t-elle à l'oreille.

– Vous auriez dû être psychologue. Je n'aurais su faire mieux. Vous lui avez dit exactement ce qu'il fallait lui dire. Elle doit rester vivante dans son quotidien, pour retrouver son goût de vivre. »

J'aurais tellement voulu parler à cette patiente pour lui dire, en outre, qu'elle a la possibilité d'acquérir une maîtrise importante de ses états intérieurs ; que cette brèche dans sa vie peut lui permettre d'aller voir les spectacles auxquels elle n'a pas le temps d'assister habituellement. Personnellement, lorsque mon taux d'énergie le permet, je saisis l'occasion de me mettre à jour par rapport aux films et aux pièces de théâtre que je n'ai jamais le temps de fréquenter à mon goût.

Des personnes abattues par leur cancer, j'en rencontre plusieurs au cours de ces trois années de fréquentation de l'hôpital. En vérité, toutefois, j'en croise encore plus qui savent faire de cette traversée l'occasion d'un bilan de vie ou celle de la redécouverte de leur créativité, sans parler de ceux et celles qui se préparent à la mort avec dignité. On a beau dire, l'épreuve demeure l'occasion de se révéler à soi-même des ressources que l'on ne se connaissait pas.

L'HOMÉOPATHIE

Mes cheveux tombés, l'échéance obsédante de la première chimio passée, la mammographie et les nombreux scanners faits, ma quête de traitements adjuvants adéquats se poursuit. Je vais d'abord du côté de l'homéopathie. Je téléphone à Ingrid Schutt. Elle m'a traité auparavant et je fais de nouveau appel à ses services en raison de sa compétence. Consciente de ma condition, elle me fait le plaisir de venir à la maison pour les consultations. Elle débarque avec ses questionnaires psychologiques, ses granules, quelques bandes dessinées et sa bonne humeur. Je trouve que l'homéopathie dans ces conditions-là, ça se prend très bien. J'avale mes granules en dégustant le rayon de soleil que cette Québécoise d'origine haïtienne apporte dans mon salon, persuadé que cette sorcière les magnétise d'une façon toute spéciale.

Plusieurs personnes trouvent que l'action de l'homéopathie demeure difficile à expliquer et elles s'en méfient pour cette raison. J'ai eu une conversation éclairante là-dessus avec le Dr Jean-Pierre Muyard, à Paris. Pédopsychiatre et homéopathe, il a travaillé dix ans aux côtés du professeur Henri Laborit dans son laboratoire. La mission particulière que le célèbre chercheur lui avait confiée consistait à tester l'efficacité de certaines médecines alternatives, dont les fameux granules. Il en a conclu que l'homéopathie est une médecine vibratoire, énergétique, si vous préférez. C'est l'information électromagnétique que la longueur d'onde du granule donne à votre organisme — lequel est une masse d'énergie en mouvement — qui le renseigne et l'amène à fabriquer ce qui manque pour réagir de façon appropriée à la maladie.

Un des tests réalisés par le Dr Muyard a consisté à envoyer un tube d'une centaine de granules mélangés les uns aux autres à un chercheur de Montréal en lui demandant d'identifier la nature de chaque grain. Or, rien ne ressemble plus à un granule d'homéopathie qu'un autre granule. Le chercheur montréalais vérifiait les longueurs d'onde de chaque granule et pouvait ainsi en révéler l'identité sans faute. L'information électrique que contient chaque grain est donc l'élément agissant dans un granule. C'est d'ailleurs pour cela que l'on ne peut se suicider avec une poignée d'entre eux, comme a tenté de le faire un animateur de la télévision québécoise dans le but de ridiculiser l'homéopathie. Leur effet n'étant pas cumulatif comme celui des médicaments chimiques, chaque granule se contente de répéter l'information électromagnétique à l'organisme. C'est un peu comme si vous receviez cent courriels vous disant la même chose.

Je lui mentionne la question de l'effet placebo et il me parle alors d'un fait qu'il relate dans son livre *Pourquoi tombons-nous malades?*[7].

« Au Québec, me dit-il, l'homéopathie n'a pas beaucoup d'influence sur la population. Toutefois, les vétérinaires y sont formés et s'en servent. Par exemple, les vaches font souvent des infections. Pour les traiter, on doit leur administrer des antibiotiques, ce qui a pour effet que leur lait ne peut être utilisé pendant une bonne semaine parce qu'il est contaminé par la médication chimique. Or...

– Tu vas me dire que l'on donne des traitements homéopathiques aux vaches ?

– Exactement. Elles guérissent en trois jours de leur infection, au lieu d'une semaine avec les antibiotiques.

– Et les vaches ne sont pas sensibles à l'effet placebo...

– Pas beaucoup aux dernières nouvelles.

– Bref, l'homéopathie leur fait un effet bœuf ! »

Je trouve regrettable le faible niveau d'utilisation de l'homéopathie en Amérique du Nord quand on le compare avec celui de l'Europe. Cela est peut-être dû au fait que, pour être homéopathe en Europe, il faut être médecin ou pharmacien, un élément propre à rassurer la population qui, de ce fait, y a plus souvent recours. Pour ma part, je reste convaincu des effets de l'homéopathie sur notre organisme à toutes sortes de niveaux. Elle limite les dégâts de la chimiothérapie et je n'ai pas besoin de prendre le bataillon de médicaments que l'on m'a prescrit en cas de difficultés pour contrôler diarrhées, constipations, nausées et hoquets. Elle soutient aussi les organes atteints dans leur lutte pour la survie. D'ailleurs, comme je l'ai mentionné plus tôt, ce sont précisément des composés d'extraits de plantes, d'homéopathie et de fleurs de Bach qui m'ont tiré de ma colite.

---

7. Jean-Pierre Muyard, *Pourquoi tombons-nous malades?*, Paris, Fayard, 2009.

LA DIÈTE

Parlant de ma colite, j'ajoute toutefois que je l'ai également maîtrisée au moyen d'un régime alimentaire strict auquel je me suis astreint pendant de nombreuses années. Aussi, mon second réflexe après avoir contacté Ingrid est-il de me remettre à la diète. Légumes en purée, poisson vapeur et filet d'huile d'olive vont composer le menu des prochains mois afin de faciliter le travail de l'estomac. Cela tombe bien puisque les livres des chercheurs en oncologie Richard Béliveau et Denis Gingras[8], qui traitent d'une alimentation visant à prévenir le cancer, font fureur au Québec cette année. Ces ouvrages trônent sur la table de mon salon depuis quelques mois et je les consulte de temps à autre. Pour tout dire, je leur trouvais un grand intérêt tant qu'il s'agissait du cancer des autres. Le jour où j'ai reçu mon diagnostic, j'ai cessé de les consulter. Ils me font peur maintenant. Il faut dire qu'il y a déjà vingt ans que je mange de façon très saine. Cela ne semble pas avoir prévenu la maladie. Je ne dis pas cela pour décourager les partisans d'une alimentation vivante. J'en suis. Une fois passé l'épreuve, je suis revenu à mon alimentation habituelle à tendance végétarienne, biologique, pratiquement sans blé, sans sucre raffiné et avec peu de produits laitiers.

Je me mets donc aux purées assidûment et mon tout nouveau mélangeur culinaire tourne rondement. Sur ces entrefaites, je reçois un appel téléphonique de Marie Lise, qui continue à suivre de près le déroulement des événements.

« Je me demande comment tu t'en tires du côté des repas.

— Mais pourquoi diable te préoccupes-tu de ce que je mange ? lui réponds-je, un peu irrité par ce que je prends pour de l'intrusion.

— C'est que je sais ce dont mon ami Guy est capable. »

---

8. Richard Béliveau et Denis Gingras, *Les aliments contre le cancer* et *Cuisiner avec les aliments contre le cancer*, Montréal, Éditions Trécarré, respectivement 2005, 2007.

Je lui explique la somme des mesures que j'ai mises en place. Elle marque une courte pause au bout du fil et je l'entends dire, comme si elle allait vomir le combiné : « Une diète ? Tu fais une diète ? Tu ne trouves pas que ça va assez mal comme ça ? Que dirais-tu de manger tout ce qui te fait plaisir ? »

Je me mets à rire au bout du fil. Elle a tellement raison ! Je suis un champion de la vie ascétique et cette attitude compte sans doute pour quelque chose dans ma maladie. Son conseil ne tombe pas dans l'oreille d'un sourd. Je décide qu'à partir de maintenant je mangerai un plat de poisson ou de viande chaque jour. Moi qui mange du poisson régulièrement mais qui ne consomme presque plus de viande, je la réintroduis dans mon alimentation. J'ai besoin de protéines rapides pour fabriquer de nouvelles cellules, c'est leur constituant de base. Je ramène aussi les desserts, un élément à déconseiller car le sucre nourrit directement les cellules cancéreuses. Tant qu'à y être, quelques jours plus tard, je me mets au café, un par jour, alors que je n'en ai pratiquement jamais pris. Comme il s'agit d'un breuvage très acidifiant, cela en fait aussi un élément à éviter. Mais il me donne quelques heures de stimulation artificielle qui me permettent de rompre avec l'abattement total lié aux traitements.

La sonnette d'alarme de Marie Lise me fait aussi réaliser que j'ai déjà considérablement maigri. Je pèse 55 kilos pour 1 m 75, ce n'est pas gros. Je sais, grâce à l'expérience de la colite, que la faiblesse physique entraîne souvent de la faiblesse psychologique et des humeurs dépressives chez moi. En fait, comme mon alimentation devient de plus en plus fade — essayez-vous à une semaine complète de purées et vous m'en donnerez des nouvelles —, j'ai de moins en moins faim et je mange de moins en moins. Je veille donc désormais à manger littéralement trois

repas par jour, plus deux repas liquides sous la forme de boissons à base de protéines de soja. Après quelques jours de marche
forcée, l'appétit revient.

Non seulement je reprends mon poids rapidement, mais je
le dépasse en quelques semaines. J'atteins 65 kilos. Je n'ai jamais
été aussi lourd de toute ma vie ! Au point de mériter une
remarque de la part de mon oncologue.

« Vous savez, je ne vois pas souvent mes patients grossir pendant la maladie ! J'imagine que c'est une bonne nouvelle.

– Ah ! Ma mère dit toujours : "Quand l'appétit va, tout va !" »

En réalité, je ne sais pas si c'est une bonne nouvelle, mais je
réalise que je me sens plus fort, et cela en est une. Je m'accroche
à la vie par tous les moyens. À l'évidence, ce nouveau mode
alimentaire n'a pas de sens par rapport à ce que je connais de la
nutrition. Cependant, je constate que revenir à une alimentation aussi large du jour au lendemain a un effet très stimulant
sur mon humeur : le plaisir de vivre revient à la maison. Je
déguste chaque repas avec un enthousiasme qui ne cesse d'étonner mes compagnons et compagnes de table. Celui du midi
devient souvent le moment central de ma journée. Il faut dire
que ma mère était une excellente cuisinière. J'adorais les repas
de fête ou ceux du dimanche midi après lesquels nous flânions
à table. Pour mes parents et leurs quatre enfants, ils étaient
comme des moments de grâce et de paix qui visitaient la mai-
sonnée. Toute ma vie, à travers les différents groupes de travail
que j'ai mis en place, j'ai recréé ces moments d'amitié et de fraternité autour de petits banquets. Manger avec mes amis dans
la chaleur de la convivialité, de la musique et de la poésie
constitue un plaisir dont je ne me lasse jamais. Et puis, combien
en reste-t-il de ces instants précieux ?

LES JUS DE VERDURE

Malgré ces excès somme toute assez sages, je suis suffisamment conscient du rôle de certains nutriments pour en faire bénéficier mon organisme dès le début du jour. Chaque matin, je mélange une demi-botte de persil, un aliment réputé anti-inflammatoire, une grosse poignée de graines germées de tournesol, plus une autre de graines germées de sarrasin, une protéine pratiquement complète, ou encore de jeunes pousses de pois verts. J'ajoute à cela un demi-citron, zeste compris, et un bon morceau de gingembre frais. J'emploie le plus possible d'aliments biologiques. Je mélange tout cela dans plus d'un demi-litre de jus de raisin blanc ou d'eau additionnée d'une ou deux cuillerées de sirop d'érable. C'est délicieux et ça nourrit l'organisme en profondeur.

En fait, plus un aliment est vivant, plus il donne la vie. Je me dis qu'il n'y a rien au monde de plus puissant que les germinations végétales. Elles contiennent la vitalité de la nature à l'état pur. La force n'est-elle pas dans le germe ? De plus, la chlorophylle contenue dans toute cette verdure aide le sang à s'oxygéner. De même, les graines germées fournissent les enzymes nécessaires à une bonne assimilation digestive. En fait, les processus enzymatiques s'affichent comme la clé de la digestion et de l'intégration des aliments. Sans parler du fait que les graines germées se broient facilement au mélangeur, m'évitant la fastidieuse tâche de laver l'extracteur à jus à chaque utilisation.

Je connais la force des jus et des bouillons de légumes, car j'ai lu sur le sujet des années auparavant. J'ai même fait plusieurs cures de jus, certaines durant plus d'une dizaine de jours, pour reposer mon intestin à travers les crises de colite. L'avantage d'une cure de jus sur un jeûne à l'eau est que les bases alcalines du corps sont nourries et redynamisées et que l'on ne ressent pratiquement pas la faim. Comme la plupart des maladies s'élaborent sur un terrain biologique affaibli par sa teneur en acidité, acidité stimulée notamment par le stress et la « malbouffe », il est essentiel de veiller à renouveler le terrain alcalin de l'organisme. Je ne sais pas si ces litres de jus de verdure, quasiment un par jour en fait, compensent pour le café, la viande et les desserts. En tout cas, ils permettent à mon intestin de demeurer parfaitement fonctionnel malgré l'impact de certains médicaments, notamment celui des capsules de fer que je prends à haute dose pour renforcer mon taux de globules rouges largement déficient.

L'HOLOÉNERGÉTIQUE

En cette fin de mois de mai 2007, je m'adresse également à Jean Ratte qui pratique l'holoénergétique, une technique qui sert à la reprogrammation des cellules. Formé aussi bien à l'acupuncture qu'à l'ostéopathie, Jean Ratte est un chirurgien qui a délaissé peu à peu la médecine allopathique pour se consacrer à l'holoénergétique. Inspirée des travaux du physicien David Bohm, du biologiste Karl Pribram et du physiatre et acupuncteur Paul Nogier, cette approche transdisciplinaire « se situe à l'intersection des sciences biophysiques et des sciences cognitives. Elle a été développée dans la perspective du paradigme hologrammique, selon lequel chaque partie contient l'information du tout[9]. »

Je me retrouve donc étendu sur une table de massage. Jean Ratte est derrière moi et je lui tends mon poignet par-dessus mon épaule alors qu'il passe des filtres lumineux près de mon

---

9. Pour des informations pertinentes, voir le site Internet du Centre holoénergétique Jean Ratte.

oreille. Comme celle-ci constitue un hologramme du corps, ce qu'a découvert l'auriculothérapie utilisée par les ostéopathes, elle réagit par résonance vasculaire à ces stimuli. C'est au niveau du poignet que Jean Ratte palpe cette résonance et interagit avec elle comme si elle était une fréquence radio branchée sur différents programmes cellulaires de l'organisme. Ainsi un travail peut s'accomplir en ce qui concerne les cercles vicieux dans lesquels nous nous enfonçons inconsciemment.

La procédure m'étonne par son aspect presque ésotérique, mais ce que me dit Jean Ratte par rapport à moi et à ma maladie ne l'est pas du tout. Il est vraiment en lien avec ce que je vis intérieurement. À mesure que j'avancerai dans mon travail personnel, il pourra même en témoigner sans que j'aie besoin de lui en parler. Avec le temps, j'ai acquis la conviction que des méthodes aussi sophistiquées que celle-ci représentent le futur de la médecine. Elles utilisent pleinement le fait que nous sommes d'abord et avant tout un ensemble énergétique qui reçoit, émet et transforme de l'énergie. Dans une génération ou deux, ces techniques issues de ce que les Américains appellent les *Weird Sciences* (sciences étranges) nous sembleront aller de soi.

Je ressors de ma séance dans un état plus expansif que j'y suis entré. Cela me semble une très bonne indication des effets de l'holoénergétique. Je verrai Jean Ratte une douzaine de fois dans l'année qui va suivre.

L'INQUIÉTUDE DE MES PROCHES

De la fin mars à la fin mai, il y a plus de deux mois maintenant que je vis au rythme des examens de toutes sortes. Je me vois alors confronté à une dimension tout à fait inattendue de la maladie : l'inquiétude de mes proches.

Ah ! l'inquiétude des proches, ce n'est pas rien... Chaque personne qui traverse la maladie affronte ce problème assez tôt en cours de route, car il faut à la fois informer et rassurer ses intimes. Les rapports que nous entretenons avec les membres de notre famille, notre compagnon ou notre compagne de vie, ainsi qu'avec nos amis et nos connaissances deviennent vite paradoxaux. Si, d'une part, ces personnes apportent le soutien et les interactions dont chaque malade a besoin pour ne pas sombrer dans l'isolement, leurs préoccupations peuvent, d'autre part, devenir vite étouffantes. Alors se pose la question : combien faut-il en dire et combien faut-il en garder ? Pour ma part, comme je suis en train d'élaborer mes nombreuses stratégies d'intervention, je me sens vite à court de munitions. D'autant plus que la chimiothérapie me vide de mes forces vives. D'une semaine à l'autre, je sais de moins en moins quoi raconter. De nature plutôt réservée, j'éprouve de la difficulté à parler autant de moi-même. Ça me fait tout drôle. Je me sens très exposé. Souvent, je me reproche d'avoir trop parlé ou spéculé à voix haute sans me soucier de la façon dont mon interlocuteur pouvait gérer autant d'informations.

En effet, comment raconter que l'on éprouve une inquiétude mortelle en raison des résultats d'un examen sans que le destinataire se sente si mal qu'il faille par la suite veiller sur lui ? Pire, comment expliquer que parfois on va très bien alors qu'officiellement on est à l'article de la mort ? Souvent, je me délecte tant de ces journées passées à ne rien faire que j'en ai presque honte. Pour ne pas être pris au dépourvu, je finis par m'inventer des sortes de bulletins de santé qui mélangent résultats d'examens, épreuves à venir et informations sur mon moral. Ça peut paraître étrange, mais, à partir de ce moment-là, je trouve qu'il est plus facile de parler avec une certaine justesse de ce qui m'arrive. En filtrant une partie de l'information, je me sens moins vulnérable. Je me redonne le droit à une vie privée, tout en me sentant honnête envers mes proches.

Il faut dire qu'après un certain temps, on ne sait plus quoi répondre aux questions du genre : « Comment vas-tu ? » ou encore : « Ça va bien ? » D'ailleurs, si vous accompagnez une personne en difficulté, des questions plus justes seraient : « Comment ça se passe ces jours-ci ? » ou : « Comment s'est déroulée ta journée, ta nuit, ta semaine ? » Il s'agit d'interrogations neutres qui n'obligent pas la personne malade à « aller bien » ni « à aller mal ». Cela lui laisse la liberté d'en raconter autant ou aussi peu qu'elle le désire. Ne pas avoir de projet pour la personne que l'on essaie de soutenir demeure un conseil des plus judicieux pour un accompagnant naturel. Car lorsque l'on est atteint et que l'on est livré aux multiples intrusions des procédures médicales, en dire aussi peu ou autant que l'on veut, et parfois même se taire ou faire à sa tête malgré l'avis de ses proches, cela demeure les seules plages de liberté qui restent.

Le plus lourd pour moi consiste à vivre constamment avec plusieurs appels auxquels je n'ai pas répondu parce que je suis fatigué de raconter mon histoire ou que je n'ai tout simplement plus assez d'énergie pour parler à quelqu'un. À cet égard, le courriel s'avère même pire, car, pour peu que j'aie trouvé la force d'écrire, il y a toutes les chances qu'une réponse me revienne dans la journée même. Le courriel invite au dialogue instantané que le courrier écrit ne permet pas. Très rapidement, je me sens submergé et je ne sais plus quoi faire pour répondre aux attentions de mon entourage. J'envisage la solution qui consisterait à envoyer une sorte de *newsletter* à tous mes contacts en même temps, mais je n'arrive pas à me résoudre à une telle alternative. Qui suis-je pour les déranger avec de l'information qu'ils n'ont pas sollicitée ? Finalement, je juge que c'est sans issue et je ne tente plus de répondre à tous et chacun. Une fois que j'ai passé une à deux heures de ma journée à parler du cancer, je refuse de continuer parce que cela me maintient dans une identité de cancéreux alors que les autres parties de moi existent encore.

Aujourd'hui, mon conseil à un malade serait d'adopter la solution de la *newsletter* si elle lui sied, car on ne sait pas à l'avance combien de temps on sera plongé au cœur de l'épreuve. Elle serait aussi de dire à ceux qui écrivent ou téléphonent à un malade pour prendre de ses nouvelles, de mentionner explicitement qu'ils ne s'attendent pas nécessairement à une réponse dans l'immédiat, car ils comprennent qu'une telle réponse n'est pas toujours possible, peu importe la raison. Je ne connais pas de malade qui n'ait pas été aux prises avec cette question, ayant peur de froisser ses proches s'il négligeait de répondre.

Une grosse partie du problème vient du fait que la réalité du cancer est tellement angoissante qu'elle nous vole notre espace vital. Lorsque l'on y est sans cesse ramené par les questions de nos proches, on devient de plus en plus malade. On n'*a* plus le cancer, on *est* le cancer. On oublie, et nos proches aussi, que d'autres dimensions de nous-mêmes restent vivantes. On demeure un amoureux, par exemple, un père ou une mère de famille, quelqu'un qui aime la musique ou un amant de la nature. À force de raconter son histoire, on y croit de plus en plus. Elle se solidifie. On épouse l'identité de malade, nos aides prennent celle du sauveur, et tout le monde manque d'air. On n'a plus de temps pour vivre, c'est-à-dire de goûter au plaisir de ne rien faire et de n'être rien. Finalement, je fais un pacte avec ceux et celles qui passent le plus de temps avec moi : « Ne me parlez plus du cancer. Si quelque chose que vous devriez savoir arrive, je vous assure que je vous le dirai. »

Je sais que ce n'est pas facile pour ceux et celles qui nous aiment de nous accompagner à travers de telles épreuves. Ils éprouvent beaucoup d'impuissance, souvent plus que s'ils étaient atteints eux-mêmes. Car, lorsque l'on est atteint, on a quelque chose à faire, des protocoles à suivre, des médicaments à prendre, un combat à mener. Si bien que celui qui est là, à côté, souhaite presque être malade à la place du malade. La pensée me traverse même l'esprit à plusieurs reprises qu'il serait plus facile pour certains de mes proches de me trouver alité plutôt que frais lavé et habillé dans mon salon. En effet, à part le vendredi où je me permets de rester au lit jusqu'au milieu de l'après-midi, je fais salon comme les nobles des siècles passés. Je m'applique à mettre en pratique une chose que mon père m'a souvent dite : « On se sent moins malade lorsque l'on est habillé ! »

Je pense que cela est tout à fait vrai. Toutefois, une telle attitude entraîne sa part de malentendu. Constatant ma bonne humeur manifeste, un ami m'a demandé un jour : « Es-tu sûr que tu as le cancer ? »

Me rendant compte de l'impuissance de certains, je me mets à leur donner de petites tâches : m'accompagner pour un soin, faire des courses avec moi, me préparer une soupe ou un repas, venir méditer au parc, n'importe quoi, en fait. Je pense que lorsque l'on se sent d'une certaine utilité, on éprouve moins de désarroi. Cette attitude fait en sorte que je mangerai très bien pendant toute ma maladie. Je suis piètre cuisinier, mais j'ai la chance d'avoir des amis qui sont d'excellents chefs. Je leur dis que mon plus grand plaisir serait qu'ils apportent à la maison de quoi faire une bonne bouffe. Ainsi ils me régalent tour à tour alors que d'autres achètent ce qu'il faut pour me réjouir le palais chez les bons traiteurs de Montréal. Dans les semaines et les mois qui s'annoncent, ces repas au bord de l'abîme me serviront à raviver des amitiés souvent mises à mal par mes nombreux voyages et mes absences fréquentes du Québec. Ils deviendront l'occasion d'échanger bien des confidences et de s'assurer d'une affection mutuelle. L'amitié nourrit l'être de façon essentielle et se déguste souvent autour d'un bon régal.

LE RAPPORT AVEC LA NATURE — *les fleurs*

Heureusement, il y a un remède contre l'inquiétude, celle de mes proches et la mienne : la nature. De temps à autre, Marie-Ginette, la femme avec qui j'ai partagé la plus longue période de ma vie, m'emmène à ma maison de campagne. Le trajet me fatigue. Néanmoins, m'y retrouver est une bénédiction. Car la nature ne nous demande rien. Elle nous accueille sans poser de questions. Elle est, tout simplement. Vraie, franche, sans calcul, elle est si vivante qu'elle me remet en contact avec la vie. Maintenant que je suis si faible, je redécouvre sa force et je m'en nourris abondamment. Elle me permet d'être, sans plus, sans attente et sans jugement.

Je tiens cet amour de la nature de mon père. Il entretenait un rapport étonnant avec elle. À 6 h du matin, en entrant dans la forêt, il me disait immanquablement :

« Guy, nous entrons au paradis !

– Tu veux dire au paradis des moustiques !

– Non, au paradis sur la Terre… »

Sa présence vibrante au milieu des pierres et des arbres était un hommage vivant à la beauté de l'univers. Il ne cessait de s'extasier et de s'émerveiller de la moindre racine et de la moindre feuille. Même âgé, tant qu'il était en forêt, il ne fatiguait pas. Quand nous allions à la pêche, je déclarais forfait deux bonnes heures avant lui. Je l'implorais alors de rentrer à la maison, sans grand succès. Il voulait voir la brunante sur le lac et attraper une dernière truite. Sa présence était amoureuse et il était prêt à tout pour nous faire partager sa passion. Lorsque je suis dans la forêt, je le retrouve au détour de chaque plante et de chaque fleur. La grâce du chant d'un oiseau, la saveur des petits fruits me parlent de lui. J'éprouve parfois le besoin de toucher à tous les végétaux et de leur offrir mon amour tout comme mon père le faisait en silence, parfois même en ramassant les déchets que d'autres promeneurs avaient laissés derrière eux.

Le spectacle de la nature se renouvelle sans cesse et il renouvelle mes énergies en même temps. Il suffit que je consente à m'ouvrir et je me retrouve instantanément à son diapason, le diapason des choses tranquilles. L'état de faiblesse que la maladie entraîne me donne rendez-vous avec ce calme-là. Je ne crois d'ailleurs pas que l'on puisse revenir à l'équilibre sans goûter à la paix intérieure, une paix que la tranquillité de la nature réveille en nous. Avec la chimiothérapie, la visualisation, l'homéopathie, l'holoénergétique et les jus de verdure, la fréquentation de la nature représente un autre élément qui fait partie de mon approche globale de retour à la santé. Elle s'avère pour moi une partie essentielle des aspects complémentaires qu'il convient d'intégrer en cas de maladie. Lorsque cela n'est pas possible, il est bon de recréer ce contact vibrant avec un élément naturel en utilisant notre imagination. À certains moments, alors que je ne peux pas me déplacer, le simple contact avec un pétale de fleur suffit pour me rappeler que la vie existe encore, forte, puissante, universelle.

corneau

Chapitre trois

La part oubliée

L'ASPECT PSYCHOSOMATIQUE D'UNE MALADIE

Juin. Mes proches sont avisés. Mes traitements ont commencé. Je veux maintenant connaître le sens de ce qui m'arrive. Que voulez-vous, on ne devient pas psychanalyste pour rien ! J'ai besoin de parler avec moi-même et j'en ai le temps plus que jamais à travers ces longues journées de maladie. Je décide donc d'entreprendre un bilan psychologique profond. Je veux savoir comment j'ai prêté le flanc à la maladie. Mon récit va donc changer de rythme. Je vais passer à celui, plus intime, de la vie intérieure et de la psychologie.

La psychanalyse s'est toujours intéressée à l'aspect psychologique des troubles physiologiques. Carl Jung disait d'ailleurs : « La maladie est l'effort que fait la nature pour nous guérir. » Très tôt, dans ma propre démarche, j'ai investigué les éléments associés à la colite ulcéreuse. Cette dernière va me permettre de vous donner un exemple de ce que peut être la pensée analytique par rapport à la maladie. Je peux d'autant mieux vous parler de la colite que je n'ai pas eu de crise depuis plus de dix ans, et qu'avec les années j'ai acquis détachement et clarté par rapport à ce sujet. Je me donne donc quelques paragraphes pour vous résumer mes trouvailles avant de reprendre le fil de mon récit. Je ferai ensuite le même genre d'exercice par rapport aux parties qui sont touchées par le cancer.

Au centre d'une maladie, il y a une psychologie liée à l'organe atteint. Dans le cas de la colite, c'est le côlon, aussi appelé gros intestin. Situé au bout de la chaîne alimentaire, cet organe sert principalement à l'élimination des déchets qui ne peuvent être recyclés par l'organisme. Or, la colite produit paradoxalement constipation et diarrhée en alternance. Au pire moment d'une crise, celui où la muqueuse de l'intestin s'est enflammée et s'effrite, la personne malade peut aller aux toilettes une vingtaine de fois par jour, perdant à chaque fois un mucus composé de plasma sanguin et de matière fécale.

Sur le plan psychologique, on constate fréquemment que la personne souffrant de colite a subi des atteintes psychiques durant son enfance à l'occasion de situations qu'elle a trouvées injustes. Elle en a éprouvé humiliation et dévalorisation. Elle n'a pas compris ces situations, elle les a rejetées et celles-ci ont provoqué chez elle une révolte qu'elle s'est efforcée de contenir le mieux possible. Ainsi, tel individu n'a jamais pu exprimer ni éliminer ce qui l'affectait véritablement. Cela est resté bloqué dans le système et c'est précisément ce que le côlon reflète : une alternance entre un effort constant pour se contenir et des moments de relâchement total quand l'inflammation s'en mêle et qu'il y a aggravation du malheur intime.

En gros, des déchets intérieurs n'ont pu être ni assimilés ni éliminés, parce que le sujet a trouvé certaines expériences indigestes et que celles-ci l'ont « emmerdé », si vous me permettez l'expression. Il n'a pas pu exprimer non plus les réactions de rage et de colère que ces expériences ont fait naître en lui, parce qu'il craignait de perdre l'affection de ses proches en les manifestant haut et fort. De fait, ces puissants mouvements intérieurs liés à la rage et à la colère provoquent honte et culpabilité chez la personne. Cela l'angoisse parce qu'elle craint que les gens devinent son état intérieur. Elle tente alors de cacher le tout et de se faire pardonner à l'avance en devenant très performante. Elle cherche ainsi à gagner l'estime et l'affection des autres malgré ses troubles internes. Mais la performance l'épuise et la place éventuellement en situation d'échec. Une crise de colite se déclenche alors pour lui permettre de sauver la face vis-à-vis de ses proches et avoir du temps afin de penser à ce qui se passe en elle. Nos intimes réagissent en effet mieux à la maladie qu'à l'étalement brut de nos rages enfouies.

La personne aux prises avec une inflammation de l'intestin vit donc un conflit inconscient qui pourrait se résumer ainsi : je dois exprimer ma colère et ma rage pour me guérir, mais si je parle, je vais perdre l'estime des gens qui m'aiment. À la limite, il s'agit d'une sorte d'offrande sacrificielle par laquelle l'individu affirme inconsciemment : « Voyez, je fais tout en mon possible pour être bon et répondre à vos demandes. Je ne peux pas faire plus, j'en suis à donner mon sang. » Du point de vue de la psychanalyse freudienne, la maladie révèle le conflit en même temps qu'elle le cache. Elle nous permet d'ennuyer nos proches avec nos besoins — c'est l'aspect rage et colère — et de recevoir malgré tout leur attention et leurs soins parce que nous sommes malades — c'est l'aspect reconnaissance et estime. La maladie apparaît ainsi comme une véritable solution de compromis, mais qui invite à changer de stratégie si l'on ne veut pas que les crises se répètent de plus en plus gravement.

Je vous donne cet exemple pour mettre en valeur le sens psychologique d'une maladie pourtant physique. J'ajoute tout de suite que la prise de conscience de ce qui est en jeu sur le plan psychologique ne suffit pas toujours à modifier le plan physiologique. La raison principale est qu'une habitude d'évacuation du stress par des voies organiques a été prise et qu'il est difficile de la renverser. Néanmoins, le bilan psychologique revêt une importance capitale à mes yeux. On ne saurait faire l'impasse sur l'observation intérieure, car, à long terme, l'examen psychique permet un assainissement du terrain global et encourage la transformation de certaines attitudes d'évitement ou de déni du conflit. Cette action sur les évitements et les dénis s'avère nécessaire si l'on veut éviter les crises à répétition.

Il y a d'ailleurs psychothérapie et psychothérapie. La plupart d'entre elles favorisent l'établissement d'un moi fort et confiant devant la vie, ce qui est absolument nécessaire au bon fonctionnement d'une personne dans la réalité. Ce moi occupe en somme le centre du champ de la conscience. La psychanalyse aborde cependant la question de façon différente. Elle invite le moi à se mettre à l'écoute de l'inconscient, ce partenaire caché en nous et qui entoure la conscience de toutes parts. Ainsi, lorsque l'on est malade, il est très important d'écouter les productions autonomes de la psyché, comme les rêves, les impressions, les intuitions, voire les obsessions, car elles nous révèlent la présence d'un autre point de vue en nous. La maladie met en échec le fonctionnement habituel du moi pour permettre cette écoute profonde. Il ne faut pas manquer cette opportunité de s'entendre en profondeur et se faire aider par un thérapeute si l'on est peu habile ou peu enclin à ce genre d'exercice.

Je désire également ajouter un mot de prévention par rapport au sens d'un symptôme : cette recherche peut devenir tyrannique. Il m'a fallu des années pour comprendre ce que je viens de vous expliquer en quelques pages. Le sens constitue donc quelque chose qui émerge peu à peu de l'intérieur, à force d'attention bienveillante. Il ne sert à rien de l'imposer de l'extérieur de façon idéologique. La souffrance peut avoir un sens et ce sens aide à vivre assurément. Toutefois, il y a des souffrances difficiles à expliquer, la souffrance des enfants est de celles-là. Elle oblige à un élargissement extrême du cadre de réflexion. On doit parfois se consoler en constatant simplement combien cette souffrance transforme les proches aidants en profondeur dans leur cœur. Elle nous invite sans cesse à lutter pour une humanité plus respectueuse de la vie. Sur cette route, on en arrive même à penser à des âmes missionnaires venues, au fond, nous faire évoluer.

UNE VISITE OPPORTUNE

Revenons à notre récit. Le téléphone arabe fonctionne à plein depuis quelques semaines et de plus en plus de personnes sont au courant de ma situation. Je reçois un appel téléphonique de Claude Sabbah. Il est de passage au Québec pour une formation et il propose de venir me visiter le soir même pour me donner un coup de main. Le Dr Claude Sabbah est le chantre d'une discipline qu'il a nommée la *biologie totale*, mieux connue sous le nom de *décodage biologique*. Elle s'inspire des travaux du neurobiologiste Henri Laborit et de ceux du médecin allemand Ryke Geerd Hamer, le fondateur de la *nouvelle médecine germanique*.

J'ai entendu Claude Sabbah à quelques reprises en conférence et en séminaire et j'ai apprécié son enseignement. Je l'ai entendu décrire avec passion l'intelligence des symptômes, débusquant leur sens dans les moindres manifestations d'un dérèglement, nous faisant comprendre qu'une maladie est véritablement *une solution parfaite de survie déclenchée par le cerveau*. Car, contrairement à ce que l'on pourrait penser, on meurt moins vite d'un cancer que d'un stress qui s'est transformé en détresse, ou d'une situation intenable à laquelle on ne trouve pas de solution viable.

Les propositions de la biologie totale prennent place à côté des démarches proposées par la médecine psychosomatique, la psychanalyse, l'ostéopathie ou encore la médecine chinoise. Toutes se basent sur une psychologie qui met un organe en relation avec une émotion et un conflit émotionnel la plupart du temps inconscient. Au moment où j'écris ces lignes, par exemple, mon acupunctrice remarque que le dessous de ma langue est strié. Elle observe en même temps un manque de vigueur de mon foie et une « stase sanguine », c'est-à-dire un ralentissement du rythme de la circulation de mon sang. Elle me demande le plus simplement du monde s'il y a des contrariétés importantes dans ma vie. Elle vise juste, il y en a amplement. Pour elle, les irritations et les frustrations se reflètent directement dans le comportement du fluide sanguin et du foie. Si on se fait de la bile, cela finit par provoquer l'accumulation de toxines qui affaiblissent le foie et ralentissent la circulation du sang.

Claude Sabbah arrive à la maison. D'entrée de jeu, il me demande de préciser la nature du cancer qui m'affecte. Je lui explique qu'il s'agit d'un lymphome dont le foyer principal est l'estomac.

« Cet organe est l'un des premiers organes de préhension du monde pour le nouveau-né, qui a tendance à tout mettre dans sa bouche, m'explique-t-il. L'estomac nous met ainsi sur la piste de nourritures affectives qui, dès le premier âge, ont été difficiles à assimiler par l'enfant. En général, il s'agit d'humiliations et de dévalorisations.

– Je te suis bien.

– Puisque ta tumeur affecte la partie supérieure de l'estomac, le pylore, on peut regarder du côté du père », ajoute-t-il.

Là, je suis étonné de ce qu'il me raconte. Bien que j'aie écrit *Père manquant, fils manqué*[10], ce qui a fait dire à mon paternel avec humour que j'avais fait de lui « le père manquant officiel du Québec », je n'ai jamais pensé que notre relation se situait dans une dynamique de dévalorisation. Je partage mon étonnement avec Claude qui trouve que je résiste à l'interprétation. Je ne peux pas nier que j'aie la résistance facile. Quand je n'ai pas le droit de résister ou de réfléchir, je ne m'y retrouve pas. Je réagis mal lorsque j'ai l'impression que l'on tente de m'imposer quoi que ce soit. Je me sens mieux devant une invitation à considérer les choses sous un angle différent. J'ai toujours eu besoin d'un certain flou artistique, car il me permet de penser par moi-même. Il est vrai que nous n'avons qu'une soirée et Claude veut sans doute m'aider le plus efficacement possible en me faisant gagner du temps. Toutefois, devant un patient aussi « psychologisé » que moi, il vaut mieux y aller doucement. Je me dis même qu'il ne doit pas y avoir de client plus difficile que Guy Corneau, car il proteste sans cesse. Mais je ne peux pas m'en empêcher. Mes vieux complexes resurgissent devant l'autorité.

« Le mot "mort" revient souvent dans ton langage, me fait-il également remarquer. Selon moi, tu ne devrais même pas te permettre d'y penser.

– Mais, Claude, je sais que si je ne peux pas envisager mon décès possible, je ne pourrai pas revenir à la santé. Il en a toujours

---

10. Guy Corneau, *Père manquant, fils manqué. Que sont les hommes devenus ?*, Montréal, Les Éditions de l'Homme, 1989, 2003/Paris, J'ai Lu, 2009.

été ainsi dans mon existence. Je ne suis pas le seul. J'ai un ami qui a déjà fait ériger sa pierre tombale. Il va la visiter chaque semaine au cimetière pour se rappeler de jouir de la vie pendant qu'il en est encore temps. Pour ma part, j'estime que, si l'on se promène au bord d'un précipice, il vaut mieux en connaître les contours.

– Oui, mais c'est aussi comme ça que l'on risque de s'abîmer dans une spirale de pensées morbides qui conduisent au fond du ravin. »

Je comprends bien de quoi il veut me prévenir. Il trouverait regrettable que ces pensées négatives tissent peu à peu la voie à suivre à mon devenir. Toutefois, il me semble que ce n'est pas le cas. La pensée de l'issue fatale me donne la force d'entreprendre ce qu'il y a à entreprendre, notamment sur le plan psychologique. En fait, je ne rejette pas ce qu'il me dit. Je trouve simplement que ça ne colle pas tout à fait à mon expérience et qu'il me faut du temps pour y penser. Puis il m'aide à réfléchir sur ce qui touche la rate et les poumons. D'accord ou non, la visite de Claude a le mérite de m'offrir d'autres pistes pour plonger à fond dans mon bilan psychologique.

UN APARTÉ

En lisant ces lignes, mes éditeurs m'ont souligné que la biologie totale de Claude Sabbah et la nouvelle médecine germanique du Dr Hamer sont devenues des sujets fort décriés. Je me permets donc un aparté. Je veux faire valoir que nous nous trouvons devant un corpus d'informations très intéressantes sur les liens possibles entre le corps et l'esprit. En ce sens, même si l'on juge sévèrement les personnes qui défendent ces théories, il me semble qu'il ne faut pas commettre l'erreur de jeter le bébé avec l'eau du bain. Sans détenir la vérité absolue sur la maladie, ces propositions ont le mérite de guider la recherche psychologique dans un champ bien déterminé en relation avec des organes ou des parties du corps donnés. Pour tout dire, le décodage biologique offre un outil diagnostic intéressant. Les pistes psychologiques qu'il présente peuvent être fertiles et elles ont leur place dans une approche globale à côté d'autres outils.

Néanmoins, peu importe la théorie, la rigueur scientifique exige que l'on garde à l'esprit qu'il s'agit d'hypothèses et de pistes de réflexion, pas de dogmes. On ne peut pas penser qu'une personne va guérir si l'on se contente de nommer la relation jusque-là inconsciente entre son état psychologique et l'un de ses organes. C'est de la pensée magique. L'essentiel réside dans le fait que ces hypothèses soient porteuses de sens pour la personne qui les reçoit de la part d'un intervenant. Le problème survient lorsque des praticiens imposent des propositions de travail comme des vérités que l'on ne peut pas remettre en question, ce qui semble arriver beaucoup trop souvent, tant du côté des médecines alternatives que de la médecine conventionnelle, d'ailleurs. On passe alors de la science à la croyance. L'individu se trouve évacué et la théorie affaiblie.

Un autre problème posé par la nouvelle médecine germanique et la biologie totale vient de ce que l'on y reste collé à un modèle médical où l'on utilise les affirmations psychologiques comme des médicaments : au lieu de traiter un virus avec un remède, on traite un symptôme avec une interprétation. Le modèle devient stéréotypé. Il s'avère dès lors difficile de l'adapter au patient qui consulte, alors qu'en psychothérapie tout l'art consiste justement à suivre la personne dans l'intégration d'une nouvelle donnée. Il importe de se rappeler que le sens d'une expérience peut varier d'une personne à une autre puisque nous sommes tous distincts. Une hypothèse prend en fait tout son sens lorsqu'elle provoque une adhésion de l'individu, adhésion qui modifie la façon dont ce dernier se situe par rapport à lui-même et à ce qui l'affecte. Sinon, la théorie peut être juste mais elle n'a pas d'efficacité psychique.

Il est vrai qu'à l'occasion l'effet revitalisant d'une prise de conscience permet un renversement réel des processus de dégénérescence. Le psychologue et humoriste québécois Pierre Légaré, aux prises avec un cancer qui l'a entraîné au seuil de la mort, a senti la situation s'inverser en 24 heures à mesure qu'il lisait un livre traitant des théories du Dr Hamer sur le sens de sa maladie. Il est revenu à la santé en quelques mois alors qu'il était condamné. Cette révélation a agi instantanément et efficacement sur ses processus d'autoguérison[11]. Il n'en va toutefois pas de même pour tous et pour toutes.

Le psychiatre et psychanalyste Jean-Charles Crombez a un point de vue rafraîchissant sur tout cela. Il invite à relativiser toute méthode qui prétendrait détenir la vérité sur le sens des maladies. Ce médecin spécialisé en intervention psychosomatique pense que la justesse de l'interprétation n'a pas une importance capitale, quelle que soit l'approche dont elle émane. Ce qui compte, selon lui, c'est que la théorie à laquelle nous nous référons permette de se décoller de la fixité que le diagnostic de maladie provoque en nous pour transformer celle-ci en un objet intérieur avec lequel nous pouvons jouer plus librement. Il est en cela fidèle aux idées de la psychanalyse qui conçoit les interprétations comme des moteurs psychiques, leur but étant de provoquer un nouveau mouvement, une circulation des contenus.

---

11. Pierre Légaré s'en est ouvert à l'émission du Dr Georges Lévesque, *Une pilule, une petite granule*, diffusée sur les ondes de Télé-Québec, le 26 février 2009.

« Ainsi, si tu penses que ton cancer est lié à une situation d'impasse, il n'est pas grave que ce soit vrai ou plus ou moins vrai, m'explique Jean-Charles en déjeunant.

– Ah bon ! Comment ça ?

– Ce qui importe est que tu aies le sentiment d'avoir une prise nouvelle sur ton problème. Cela permet une reprise de puissance au niveau subjectif. Tu existes à nouveau en tant que personne. Tu n'es plus une maladie, tu as une maladie que tu peux traiter. »

La méthode ECHO[12], développée par le Dr Crombez lui-même, ou d'autres techniques qui permettent de symboliser la maladie par des images intérieures ou des objets extérieurs offrent de tels leviers. Par exemple, si je vois ma tumeur comme une fourmilière, cela me donne une métaphore avec laquelle je peux jouer plus facilement qu'avec le seul diagnostic de cancer. Je gagne ainsi une distance qui me permet un dialogue avec la maladie. Alors un sens peut jaillir et venir éclairer mon chemin de guérison. Bref, la méthode d'interprétation que l'on utilise n'a pas une importance absolue, n'en déplaise aux tenants de telle ou telle discipline. L'important est de se mettre en mouvement, à la recherche d'un sens vivant qui se transforme en chemin et qui nous transforme également.

CE QUE DIT MON ESTOMAC

Je vous invite maintenant à une plongée très personnelle dans mon passé. Comme je l'ai dit au début de ce livre, ce récit ne

12. Psychiatre et psychanalyste, attaché à l'Hôpital Notre-Dame de Montréal et professeur à l'Université de Montréal, Jean-Charles Crombez est l'inventeur de la méthode ECHO, une méthode d'intervention multidisciplinaire pour les personnes en choc de vie. Voir Jean-Charles Crombez, *La personne en ECHO. Cheminer dans la guérison*, Montréal, Les Éditions de l'Homme, 2006.

correspond pas à un besoin exhibitionniste de « confession » ; il est destiné à suggérer, à partir de l'exemple que je connais le mieux, moi-même, un itinéraire personnel d'ouverture sur soi et de guérison. Il correspond à ce que je découvre des sources psychologiques de mon cancer dans le mois qui suit la visite de Claude Sabbah. Je réalise toutefois en vous livrant ces pages qu'elles impliquent d'autres personnes que moi, mon père et ma mère notamment. Je mesure combien cela est affaire délicate, d'autant plus que je me rends compte, avec les années, combien mes parents se sont dévoués pour leurs enfants et nous ont aimés de tout leur cœur. Ma mère a lu les lignes qui suivent. Je voulais avoir son avis avant de les publier. Elle m'a dit : « Laisse cela comme c'est. Nous avons donné le meilleur de nous-mêmes, ayant à cœur votre éducation et votre instruction. Nous n'avons pas ménagé nos efforts et nous avons dit notre amour par notre travail et notre présence. » Sa réponse m'a ému. Ces paroles généreuses l'honorent.

Pour me lancer dans mon exploration psychologique, je commence par voir Claude Vallières à quelques reprises. Ce dernier est un formateur en programmation neurolinguistique (PNL). Il accompagnait d'ailleurs Claude Sabbah le soir de sa visite. Dès le départ, il a un excellent réflexe. Lorsqu'il constate que je suis très mentalisé et que cela peut nuire à une descente en profondeur, il me propose de m'étendre sur le divan pour les séances. C'est un peu le jeu de l'arroseur arrosé, car c'est exactement ce que nous faisons en tant que psychanalystes pour permettre à nos patients de laisser quelques-unes de leurs résistances au vestiaire.

Il me guide alors vers un état de détente puis m'invite à laisser monter du matériel de l'inconscient. J'aime bien me faire guider ainsi à travers la relaxation, ce que je n'ai jamais fait comme psychanalyste à l'égard d'un patient. En deux ou trois séances, nous allons explorer l'estomac, la rate et les poumons. Certaines des interprétations proposées me parlent, d'autres moins.

En fait, je ne veux pas me contenter d'appliquer une méthode, je désire entendre la parole de mon inconscient. Que me suggère chaque organe lorsque je me mets à son écoute ? Il ne s'agit pas ici d'imposer un sens à l'organisme à partir d'une théorie, mais bien de laisser parler mon être profond pour entrer en dialogue avec lui. Mon thérapeute n'est pas dogmatique. Il me suit dans mon processus, un processus orienté vers l'organe atteint comme le propose la biologie totale, mais suivant une trajectoire modifiée, en quelque sorte. J'aime bien me déplacer ainsi, dans un parcours balisé. J'ai une direction et c'est ce que j'apprécie le plus de ce travail : on ne cherche pas n'importe où.

Bien que j'y croie peu, je commence par explorer les dévalorisations du côté du père. Mon père était un homme bon et doux. Je le vois mal dans le rôle du tyran qui écrase et humilie. Il y a tout de même une anecdote qui me revient. Bien que j'aie complété une formation de psychanalyste jungien, l'équivalent de dix années d'études universitaires, il ne cesse de me demander quand j'enseignerai à l'université. J'ai beau lui expliquer qu'avec mes conférences et mes séminaires, c'est un peu comme si je le faisais, rien à faire. Son fantasme est que j'enseigne dans une institution universitaire. Il voit la carrière de professeur comme l'accomplissement suprême d'une vie vouée à l'intellect. Après tout, ce n'est pas pour rien qu'il a épousé une institutrice. Comme ce jeu dure depuis plus d'une trentaine d'années, je dois un jour faire mon deuil : mon père ne pourra jamais reconnaître mes accomplissements. Je ne serai jamais à la hauteur de son fantasme.

Deux ans avant sa mort il me dit pourtant : « Au fond, ce que tu fais, c'est un peu comme enseigner à l'université.

– Bingo ! Je n'en reviens pas, tu as fini par comprendre ! »

Même que notre dernière conversation a pour sujet le séminaire que je m'apprête à donner pendant l'été 2001. Je me prépare alors à quitter sa chambre d'hôpital, mais il ne me laisse pas partir.

« C'est un séminaire que tu vas donner ?

– Oui, à Tadoussac, sur les bords du Saint-Laurent.

– Ça s'appelle comment ?

– « Rencontre avec les baleines », ça mélange le kayak, l'écoute de la nature et l'écoute de soi.

– Je pense que j'aimerais ça.

– J'en suis sûr.

– Mais tu es certain que tu dois y aller tout de suite ?

– Ils m'attendent déjà.

– Tu vas revenir me voir après ? »

Les questions se bousculent, m'empêchant de refermer la porte de sa chambre. Ni lui ni moi ne savons à ce moment-là qu'il n'y aura pas d'après. Ce sera notre dernier entretien. Néanmoins, il doit le pressentir, car deux jours plus tard il sera mort alors que rien ne le laissait présager. Il a peut-être voulu, dans cette ultime rencontre au seuil de l'au-delà, me dire combien il m'aimait et racheter toutes ces années à vouloir autre chose pour moi.

C'est tout ce que je trouve par rapport à mon père. Puis, peu à peu, le drame de cette relation émerge, un drame qui a marqué ma vie et que j'ai réussi à occulter tant bien que mal, sans doute pour protéger le meilleur de notre rapport. Lorsque j'étais jeune, mes parents partageaient une valeur commune : l'instruction. Ils savent tous les deux qu'elle offre des choix que l'on n'a pas autrement. Tout leur dévouement se mesure à cet étalon. De plus, ils ont tous les deux une grande sensibilité artistique. Mon père possède un véritable talent manuel. Il aime la peinture, et après sa retraite, il s'adonnera avec ferveur à la sculpture sur bois, domaine dans lequel il excellera. Ma mère, de son côté, a des souches irlandaises, et elle adore la musique.

Aussi, en plus de nous envoyer à l'école, mes parents veillent à ce que nous ayons une éducation aux arts d'expression. J'apprends le piano et je prends des cours de diction. Très tôt, j'excelle dans la production de piécettes qui réjouissent mon entourage. À dix ans, je participe à mon premier spectacle théâtral à la salle paroissiale. Puis, entré au pensionnat, ce sont la chorale, la philharmonie, les concours oratoires et le groupe théâtral qui m'occupent. La scène m'enchante. La chaleur des éclairages, l'odeur des maquillages, la présence des filles qui viennent jouer du Labiche ou du Feydeau dans un pensionnat de garçons, tout cela nourrit en moi une ferveur remplie de rêves fantaisistes.

De production en production naît l'idée de consacrer ma vie au théâtre. C'est là mon vœu le plus cher. La rencontre des auteurs québécois et français fait éclater mes frontières. La poésie de Rimbaud me donne des ailes. Mes parents approuvent tout cela timidement. À 17 ans, je participe activement à deux troupes de théâtre de création, dont une que je dirige.

La fin des études collégiales approchant, la plupart de mes amis se dirigent vers des écoles de formation théâtrale. Ils préparent leurs auditions et je m'apprête à faire de même. Pourtant, il y a un hic : j'ai besoin de la signature de mes parents pour m'inscrire dans une telle école. Je sais que cela n'ira pas sans heurt. Mon père souffre de son manque d'instruction et il est pratiquement intolérable pour lui que son premier fils n'aille pas à l'université alors qu'il en a l'occasion.

Un jour, je laisse le fameux formulaire, que mes parents doivent signer, sur la table de la cuisine en partant pour le collège.

Quelques jours plus tard, leur refus m'est exprimé. Leur verdict est sans recours : « Nous n'avons pas fait autant de, sacrifices pour te voir devenir artiste, mon garçon. Nous voulons le meilleur pour toi et de toute évidence tu as l'intelligence nécessaire pour continuer tes études. »

Je ne comprends pas. Je ne veux pas comprendre. Les artistes ne sont donc pas « intelligents » ? Moi, je les juge au contraire comme les êtres les plus intelligents et les plus sensibles de la Terre ! Mes parents qui aiment tant les arts, qui encouragent même ma sœur à faire les Beaux-Arts, pourquoi refusent-ils que je devienne acteur ? Ma mère qui voue une admiration sans bornes aux chansonniers et aux poètes québécois, mon père qui joue de l'harmonica tout en tapant du pied pour nous faire danser, comment se fait-il que ces deux-là feignent de ne pas comprendre mon aspiration la plus chère ? Je suis sans voix, touché comme un oiseau en plein vol.

J'opte pour un compromis somme toute honorable mais qui introduit un dilemme bizarre dans ma vie. Je m'inscris au programme de Communication Arts du collège Loyola. On y forme des praticiens en cinéma et en télévision. Ce programme a l'avantage d'appartenir au réseau universitaire. Ainsi, je donne à mon père le diplôme dont il a tant rêvé pour lui-même et je ne dérive pas trop de ma trajectoire artistique. Toutefois, le ver est dans la pomme. À la fin de mon premier cycle universitaire, je ne sais plus si mon avenir se situe devant ou derrière la caméra.

La décision de mes parents laisse des traces dans notre relation. J'en rends ma mère responsable puisque c'est par elle qu'elle est venue. Je tire à bout portant sur la messagère toutes les fois que j'en ai l'occasion. Jusqu'à ce que, excédée, elle laisse échapper : « Mais c'est ton père qui a décidé cela ! »

Je suis consterné. La trahison vient de mon père qui semble toujours si conciliant. Je n'ai pas les moyens psychologiques pour le confronter directement, mais je suis traumatisé par la révélation. À peine mon diplôme obtenu, je retourne au travail théâtral. Mes parents désapprouvent ma démarche.

« Tant qu'à faire du théâtre, tu ferais mieux de me rejoindre au commerce, me dit mon père.

— Mais tu sais bien que le commerce, ça ne m'intéresse pas beaucoup. »

Je me sens coupable de lui tourner ainsi le dos. Je fais même des cauchemars où il tente de me jeter en bas d'une falaise. Mais je veux poursuivre mon rêve. Toutefois, je ressens cruellement le poids de la désapprobation familiale. Je cherche une voie de sortie et la trouve du côté de la psychanalyse jungienne. Je reprends le chemin de l'université pour compléter un diplôme de deuxième cycle en sciences de l'éducation à l'Université de Montréal. Puis j'entreprends mon doctorat. Je travaille au sein du Laboratoire de recherches sur la télévision et l'enfant. On m'y laisse faire des recherches du côté de la psychologie jungienne. Je prépare mon admission à l'Institut C. G. Jung de Zurich. J'y entre en octobre 1977.

Mon idée est que la profession de psychanalyste m'offrira l'argent nécessaire pour continuer à pratiquer mon métier d'homme de théâtre sans soucis financiers. Je comprends que je dois protéger ma création pour pouvoir l'exercer librement. Je vois le théâtre comme une vocation, je ne le vois pas comme un moyen de gagner beaucoup d'argent. Cependant, ce qui m'est arrivé avec le théâtre m'arrive avec la psychanalyse jungienne : la connaissance du psychisme humain me fascine — mon théâtre vient de changer de scène !

CE QU'AVAIT DIT MON INTESTIN TRENTE ANS PLUS TÔT

Neuf mois après mon entrée à l'Institut C. G. Jung, je commence à souffrir de douleurs abdominales très fortes, comme si on me donnait des coups de poing dans le ventre. Je plie en deux sous l'impact des élancements. On finit par diagnostiquer une colite ulcéreuse. J'entends bien le commentaire de mon inconscient par rapport à ma nouvelle orientation : quelque chose ne va pas du tout, m'indique-t-il, je renforce mon monde mental alors qu'il faudrait plutôt que j'ouvre la porte à ma spontanéité créatrice.

Il se passe alors quelque chose de cocasse. Le médecin qui me traite à l'Hôpital universitaire de Zurich me demande si j'accepte d'être interviewé par rapport à ma colite devant des étudiants en médecine. Je dois me présenter à son cours à dix heures du matin. Je me retrouve quelques jours plus tard à déambuler à travers un labyrinthe de corridors dans les sous-sols du centre hospitalier. Une chatte y aurait perdu son chat. Passant à travers la buanderie, je me dis que je me suis définitivement égaré lorsque je découvre le numéro de porte où je suis convié. Une petite chaise y est placée : c'est là que je dois attendre que l'on vienne me chercher. Mon environnement ne paie tellement pas de mine que je me dis que je vais entrer dans un cours donné à de rares étudiants dans le fin fond de nulle part.

Surprise ! Lorsque la porte s'ouvre, je me retrouve directement sur scène, dans un auditorium *high tech* aux lumières tamisées, devant plusieurs centaines d'étudiants. Le professeur me présente à son immense classe et, tout en me posant des questions, il projette des photographies de mon intestin malade sur un écran géant derrière nous. Je suis dans un état second sous les projecteurs. Tout en désapprouvant cet abus de confiance de la part de l'enseignant, je ne peux que rire en mon for intérieur : puisque j'ai refusé le théâtre, c'est mon intestin perturbé qui me rendra célèbre !

À partir de ce moment-là la colite se met à faire partie de ma vie. Les crises surgissent sur une base régulière en fonction des stress de mon existence. Moi qui n'ai jamais été malade, je découvre ce que cela veut dire au quotidien. Je découvre aussi la dépendance aux médicaments anti-inflammatoires. Si la maladie m'use, en même temps elle m'humanise. Je termine mon diplôme de psychanalyste jungien en novembre 1981. Je rentre au Québec en janvier 1982, mais sans ma compagne de l'époque. L'année d'avant, elle m'a laissé pour un jeune freluquet. Ironie du sort, il est acteur !

Ma pratique d'analyste s'établit rapidement à Montréal. À un point tel que je ne termine pas l'écriture de ma thèse de doctorat. Je dois beaucoup d'argent et il faut que je travaille. De plus, je crains que l'obtention de ce diplôme ne m'enchaîne définitivement à une profession intellectuelle, sans ajouter qu'elle ouvrirait la voie à la réalisation du fantasme de mon père.

Au détour d'une conversation avec ma sœur Joanne, j'apprends que mon père lui a confié que, lorsqu'il était jeune, il avait pensé ouvrir un atelier de jouets en bois avec l'un de ses frères. Ils sont très habiles manuellement tous les deux et ils ont de bonnes idées. Finalement, il a pris le chemin du commerce et délaissé celui de l'artisanat. Avec le recul toutefois, il juge qu'il a manqué de courage et qu'il aurait dû suivre son élan. Je n'en reviens pas. Mon père m'a imposé le même sort qu'il s'était imposé à lui-même, tout en faisant semblant de ne pas comprendre mon aspiration.

C'en est trop pour moi. Je ne comprends pas cette lâcheté envers son fils. Je ravale ma colère difficilement. Nous n'en parlerons jamais ouvertement. Cela motive sans doute l'écriture de *Père manquant, fils manqué,* mon premier essai de psychologie. En réalité, mon père n'a jamais été manquant physiquement, et je ne me suis jamais considéré comme un fils manqué en tant que tel. Mais il y a un ratage dans notre histoire.

Ce ratage aura une conséquence amère. Il m'amènera à négliger une partie très importante de moi-même liée à la création artistique. Je ne juge pas pour autant que l'enseignement, qui occupera la plus large portion de ma vie à travers conférences, livres, séminaires et émissions de télévision, ne possède pas sa légitimité. Le problème vient plutôt du fait que cet enseignement me conduit à me réfugier dans la partie la plus conservatrice de mon être, celle qui rassure tout le monde, moi y compris. Cette profession aurait pu tout aussi bien servir à soutenir mon geste créateur comme je l'avais envisagé au départ. Mais l'esprit de sérieux l'emporte.

Pour sûr, pour que je souffre d'une colite et par la suite d'un cancer, il faut qu'il se soit passé quelque chose de grave en moi. Je crois maintenant que ce quelque chose est de l'ordre d'une dissociation profonde. Je pèse bien mes mots. La dissociation signifie qu'une part de soi a été séparée du reste. En général, c'est l'esprit qui se sépare du corps. L'unité naturelle est perdue. On pourrait comparer cet état psychique à une amputation. Pour survivre, j'ai dû, comme certains animaux pris au piège, sacrifier un membre. Les parties abolies continuent toutefois à vivre en nous. Elles mènent une existence fantôme, et leur seule façon de s'exprimer est la maladie ou les dépendances. Cette dissociation a amoindri mon rapport avec mes sensations corporelles. Je me suis réfugié dans ma tête et j'ai toujours eu de la difficulté à être vraiment dans mon corps. Une telle division intérieure complique le rapport avec soi : on a peine à se reconnaître et à agir selon ses élans. Je crois que j'ai eu besoin de la turbulence provoquée par le cancer pour me guérir de cette dissociation.

Je trouve aussi que la colite témoignait particulièrement bien de cela, car cette maladie est réputée pour être auto-immune. Ce terme signifie que le système immunitaire se met à combattre des cellules saines de l'organisme comme s'il s'agissait de virus étrangers. La muqueuse de l'intestin se trouve donc éliminée par les cellules tueuses associées à l'immunité. Cela représente bien au niveau symbolique ce que je m'étais fait pendant toutes ces années : meurtrir une partie de moi-même qui était en bonne santé. D'ailleurs le Dr Alfred Ziegler, un psychiatre psychosomaticien de Zurich que j'ai consulté dès l'apparition de ma colite, ne s'y était pas trompé. Il me déclara derechef après cinquante minutes d'entretien : « Votre maladie est la partie la plus saine de votre personnalité ! »

On peut s'étonner qu'une histoire si ancienne ait encore autant d'importance dans ma vie. C'est un deuil que je ne suis pas arrivé à faire. La médecine chinoise dit que l'énergie vitale se situe dans les reins. Elle appelle l'énergie de cet organe le *vouloir vivre*. Quand cette énergie est bloquée, la volonté de vivre en souffre en premier lieu — tout comme si on nous cassait les reins. On se sent alors coupable de ne pas obéir à ce vouloir vivre. Une collègue qui travaille sur le cancer m'a ainsi dit s'étonner de constater que la formule du repentir chrétien, « *Mea culpa, mea culpa, mea maxima culpa* », s'accompagne d'un geste qui touche l'estomac. Pour elle, le cancer de cet organe est en effet lié à la culpabilité inconsciente. D'après elle, cette culpabilité est de trois ordres. Le premier type de culpabilité concerne celle que nous ressentons à l'égard des autres en raison des fautes que nous avons commises à leur endroit. Le deuxième type concerne celle que nous éprouvons lorsque nous ne nous sentons pas à la hauteur ou, au contraire, lorsque nous nous sentons au-dessus de tout le monde dans une sorte d'orgueil excessif. Le troisième est celui qui nous occupe ici. Il s'agit d'une culpabilité intrapsychique qui ne se rapporte pas aux autres. Elle est liée au fait d'avoir perdu le contact avec le sens de soi-même, avec son essence créatrice.

DANS LES CATACOMBES

Au cœur de ces souvenirs et de ces prises de conscience, je fais le rêve le plus marquant de toute cette traversée.

Je suis avec une femme qui reste énigmatique tout au long du rêve. Nous devons nous rendre dans les catacombes de Montréal pour aller assister à un exploit scientifique. En effet, des savants ont réussi à isoler un cœur qui bat depuis trente ans sans aucun support technique et sans être connecté à aucun organe vivant. Cela relève du miracle. Avec mon amie, nous nous présentons donc devant la porte du souterrain. Il s'agit d'une énorme porte en pierre blanchie à la chaux. Une minuscule serrure doit être activée pour que nous puissions entrer. Je fouille dans mes poches et, à ma grande surprise, j'y trouve la clé. Elle a une forme spéciale, petite et carrée. La porte s'ouvre et nous nous retrouvons dans une pièce qui n'a pas été visitée depuis trente ans. Je m'attends à y trouver un cœur dans un bocal, mais rien de la sorte. Il y a plutôt deux consoles installées de façon très sommaire sur des boîtes de carton. Elles servent à faire du montage de musiques ou de films, à l'ancienne, avec de grosses bobines. Pour sûr, cette installation date d'avant le numérique.

Par contre, la pièce où nous sommes est high-tech. Elle ressemble à une soucoupe volante qui serait complètement vitrée. Mon amie s'approche de l'une des fenêtres. Celle-ci donne sur un débarcadère de ciment qui s'enfonce dans le fleuve Saint-Laurent. Je m'approche et je vois le spectacle suivant : une femme est en train d'accoucher d'un enfant, étendue à même la dalle. Elle a de l'eau jusqu'aux hanches. Elle veut noyer son nouveau-né en l'abandonnant au fleuve. Nous nous précipitons dehors. Je pénètre dans l'eau pour y récolter un beau bébé tout rose pendant que mon amie aide la mère à se relever de son accouchement. Je lui apporte le bébé et le mets dans ses bras. Nous l'encourageons à garder son enfant et lui promettons de l'aider. En me penchant sur elle, je reconnais avec surprise l'actrice Céline Bonnier.

Ce rêve m'époustoufle. D'abord, il y a des catacombes à Rome et à Paris, mais il n'y en a pas à Montréal. Symboliquement, il semble parler de choses enfouies dans mon passé lointain, dans mes catacombes personnelles. Je suis même surpris de lire dans le dictionnaire que les catacombes se réfèrent à un vaste souterrain ayant servi de sépulture ou d'ossuaire. Le songe parle donc de choses mortes en moi, mais, dans mon cimetière intérieur, un organe aussi central que le cœur est resté vivant. L'exploit scientifique « du cœur battant depuis trente ans sans soutien technique ou organique » me ramène à quelque chose qui m'a fait battre le cœur trente ans plus tôt mais à quoi je n'ai pas donné suite : en 1977, voilà exactement trente ans !, j'ai fait mon entrée à l'Institut Carl Gustav Jung de Zurich, délaissant une carrière au théâtre ainsi que mon intérêt pour la musique et le cinéma.

Les consoles de montage appuyées sommairement sur des boîtes de carton me rappellent mes années d'étudiant en communication, au cours desquelles, peu fortuné, je me servais de tout ce qui me tombait sous la main pour en faire une tablette ou un article de rangement. Cette pièce de création est restée totalement intacte. La porte blanchie à la chaux me renvoie à l'illustration de la pierre qui fermait le tombeau du Christ dans *Le petit catéchisme* québécois, et que l'on a trouvée ouverte après sa résurrection. Elle évoque la renaissance. J'ai longtemps cherché où j'avais pu voir la petite clé carrée qui m'a servi à l'ouvrir dans le rêve. Je connaissais cette clé. Un jour, je la vois simplement attachée à la poignée de mon vieux boîtier de guitare. La clé des catacombes est donc directement reliée à l'expression artistique. Par contraste, le climat *high-tech* et « soucoupe volante » de la pièce me renvoie à la série *Star Trek* qui se déroule à bord du vaisseau *Enterprise*. Il y a du renouveau dans l'air…

L'action centrale du rêve, sa partie la plus émouvante, est sans conteste le sauvetage de cet enfant que sa mère veut abandonner à une noyade certaine. Le bébé est tout rose. Lui aussi parle de renouveau. Mais il est moins une. Il allait vers une mort certaine lorsque je l'ai récupéré. Et pour moi aussi, il est moins une. Il faut que je me récupère. Céline Bonnier est une actrice que j'admire pour son talent et sa créativité. Je me dis qu'elle représente mon *anima* théâtrale et que celle-ci veut maintenant donner la mort plutôt que donner la vie, sans doute en raison de la négligence dont elle a été l'objet. Le fait que nous nous engagions, mon amie et moi, à lui venir en aide, me semble de très bon augure.

Ce rêve représente un point tournant par rapport à ma sur-vie. Il me semble que tout s'est décidé là. Il est moins une, mais l'enfant de la création est sauvé. Bien que fréquentant mes rêves depuis des décennies, j'en ai rarement vu un aussi clair et aussi direct. Presque trop clair. D'une lueur aveuglante. Tous mes soupçons sont confirmés. L'abandon de mon expression artistique s'est fait au détriment de ma santé. Je le sais depuis trente ans, mais je ne veux pas le savoir. Je me raconte des histoires. Je fais de la psychologie avec moi-même. Je rationalise au lieu de suivre le message de mes tripes.

En vérité, toutes ces découvertes ne cessent de m'étonner. Je constate avec humilité combien l'écriture d'une chanson, d'un poème ou d'une pièce de théâtre donne du sens à ma vie et me fait vibrer de plaisir. Certaines choses en nous ne se discutent pas. Elles doivent être accueillies et suivies parce qu'elles nous mènent à nous-mêmes, parce qu'elles nous amènent à la joie d'exister.

Je pense sincèrement qu'il en va de même pour chacun et chacune. Chacun de nous a des talents, des dons, des qualités qui lui sont inhérents. Pour certains, il s'agit d'enseigner, pour d'autres de faire de l'art, pour d'autres encore de construire des maisons, de fonder des sociétés, de soigner les autres ou de les accueillir chaleureusement. Les élans créateurs sont multiples et leur mise en œuvre nous rapproche du bonheur et de la santé. J'ai suffisamment payé avec des douleurs et des souffrances pour avoir le droit de vous dire qu'il n'est pas bon d'aller contre ses élans vitaux. Il ne s'agit pas de changer de profession, il s'agit de consacrer une partie de son temps, de son argent et de son énergie à ce qui favorise la vie en nous. Quant à moi, je me porte mieux lorsque le ménestrel m'accompagne au fil de mes jours. Ainsi, au cœur de l'épreuve, je me remets à la poésie et à la chanson. La pratique d'un art d'expression contribue réellement à la santé. Dans la Chine traditionnelle, une telle pratique faisait partie de toute éducation.

CE QUE DIT MA RATE

La rate ! Au moment où je l'aborde, je ne sais même pas où elle se trouve dans l'organisme. Je l'apprends. Je ne sais pas non plus quel est son rôle. Elle a pour fonction de produire les globules rouges et blancs ainsi que les plaquettes du sang. Elle filtre aussi ce dernier en captant les germes et en éliminant les globules inutiles ou dégénérés. Elle joue donc un rôle central dans l'immunité, un élément qui va fort mal chez moi. Je ne sais rien sur cet organe, mais je connais une anecdote que m'a racontée une femme qui pratique le massage. Elle trouve que j'ai une grande rate et que cela est le fait des gens courageux ; en effet, les Chinois disent des guerriers redoutables que ce sont de « grandes rates ». Je me vois très bien dans la peau d'un guerrier très déterminé. À cela près que, pour le moment, je ne jouis pas de l'ivresse du combat, je suis plutôt ivre de fatigue. Je me vois debout sur le champ de Mars, revenant de bataille exténué, essuyant mon épée souillée de sang et de terre.

Selon Hamer et la biologie totale, la rate agit comme une espèce de gros ganglion un peu spécial. Dans un cas de conflit, la solution envisagée par le cerveau organique consiste à commander qu'elle se développe. Elle produit ainsi une énorme poche de sang dont le but est de fournir une réserve « prête à être utilisée en cas de manque, ce qui dans la nature se produit en cas de blessure accidentelle ou au combat[13] ». Une atteinte à la rate symbolise justement une inaptitude à combattre dans la conjoncture d'une plaie saignante, or j'en ai une à l'estomac.

---

13. Claude Sabbah (éd.) et Isabelle de Laminne, *Le décodage biologique*, tome III, Villeneuve-lès-Maguelone (France), 2002, p. 530. Le livre n'est pas offert dans le commerce. Voir aussi le site : www.biologie-totale.org

« Une atteinte à la rate indique en plus une problématique au niveau des devoirs et des responsabilités, car leur poids finit par engendrer une perte de joie de vivre. Comme la rate a pour fonction de produire les globules, cela correspond à se faire du "mauvais sang". Est-ce que ça te parle, me demande Claude Vallières ?

– Il est vrai que l'accumulation des batailles à livrer a fait en sorte qu'au lieu de ressentir la propulsion liée à mes activités, j'ai fini par éprouver surtout de la fatigue. Au lieu d'être joyeux en faisant des choses que j'aimais, j'ai été submergé par la peur de ne pas y arriver et de ne pas être à la hauteur.

– Et tu as commencé à te dévaloriser au lieu d'apprécier ce que tu faisais. »

Comme je l'ai dit précédemment, les mois qui ont précédé mon cancer se succédaient sans se ressembler, mais à quel prix ! Un mois d'écriture, puis un mois de tournage à Montréal pour animer *Guy Corneau en atelier*[14], mon émission de télévision, suivi d'un mois de tournées de conférences au Québec et à l'étranger — le stress était roi. Je passais d'une activité à l'autre sans trop de souci, mais avec la peur de flancher. Je restais concentré sans plage de décontraction. Je crois sincèrement que c'est cela qui m'a nui le plus : donner, mais sans veiller à me ressourcer. C'est comme si, en respirant, on ne faisait qu'expirer. À un point donné, il n'y a plus d'air. Forcément, on manque d'inspiration et on se rapproche de l'expiration réelle, si vous me permettez ce mauvais jeu de mots. J'ai tiré sur toutes les ficelles et, au bout du compte, je n'avais plus de réserves. Je tenais le cap

---

14. *Le meilleur de soi. Guy Corneau en atelier*. Treize documentaires d'une heure réalisés par les Productions Point de mire à partir d'ateliers animés par Guy Corneau et diffusés sur la chaîne Canal Vie, Montréal, Point de mire, Canal Vie et Les Éditions de l'Homme, 2008. Ce coffret de trois DVD comprend la dernière saison de l'émission. Pour le moment, il est offert au Québec uniquement.

d'une émission de télé qui employait seize personnes. Je pilotais mes tournées. Et mon écriture souffrait dans de telles conditions. Mon livre était affreusement en retard par rapport à la date limite et je paniquais. Je menais trois vies de front et il y en avait au moins une de trop. Heureusement, je n'étais pas seul. On me soutenait à tous les niveaux, tant du côté de mes producteurs à Point de mire, que de mes organisateurs de tournées et de mon assistante personnelle.

N'est-il pas étrange que l'accumulation de travaux qui vous passionnent et pour lesquels vous n'avez pas vraiment l'impression de travailler finisse tout de même par vous faire perdre l'élan qui vous a amené à les exécuter ? En quelques années, j'étais passé de la ferveur enthousiaste à la limite de l'épuisement. L'intérêt y était toujours, mais l'énergie faisait défaut. Et, bientôt, les tournées de conférences et de promotion de mon nouveau livre allaient débuter. À peine sorti de mes mains, le nouveau-né commencerait sa carrière publique. Je n'étais pas prêt et c'était pourtant mon livre le plus achevé, le plus maîtrisé, celui dont j'étais le plus fier. D'ailleurs, à ce jour, il continue à être une référence importante pour moi. Je le conseille souvent à des gens qui ne l'ont pas lu pour stimuler leur créativité et comprendre la place de celle-ci au sein de la psychologie et de la spiritualité.

De son côté, la médecine chinoise dit que les soucis vident la rate. Le travail intellectuel excessif, les préoccupations quotidiennes et toutes les pensées négatives finissent par nouer l'énergie et affaiblir le système digestif.

Sans aucun doute, l'une des réponses les plus appropriées que je pouvais donner à ma rate et à mon système immunitaire était d'arrêter le combat. C'est dans ce contexte que j'ai annulé ma tournée de conférences européenne et que je me suis mis en congé sabbatique. Il s'agit là d'un élément central dans ma trajectoire de guérison. Je pouvais arrêter de travailler pendant une année ou deux sans éprouver de difficultés financières. Ce n'est pas le cas de tout le monde. Par exemple, Yanna, qui était photographe, ne pouvait pas se permettre une telle chose. Elle continuait de faire fonctionner son studio malgré sa maladie. Cela ne lui permettait pas un ressourcement total. Il faut dire qu'elle avait encore deux enfants à charge. Pour ma part, du jour au lendemain, je me suis retrouvé avec pratiquement rien d'autre à faire que respirer ! C'était étrange et magnifique à la fois. J'étais comme Alice au Pays des merveilles. Je ne me rappelais même pas la dernière fois où j'avais pris de vraies vacances. Je jugeais que je n'en avais pas besoin puisque je n'avais pas l'impression de travailler.

Un tel arrêt de travail est si salutaire que je le prescrirais volontiers à tout un chacun, malade ou en bonne santé. La vie nous apparaît alors dans sa plénitude, généreuse de lumière, d'air et d'eau, d'amitié et de toutes sortes de choses que l'on a le temps de déguster. On se rend surtout compte que l'on peut exister sans avoir un devoir à remplir ou une bataille à mener. C'était tout nouveau et rafraîchissant pour moi. D'ailleurs, un jour, Radio-Canada a eu l'idée de me jumeler avec David Servan-Schreiber pour un entretien portant sur la maladie et les voies de guérison. Nous avançons dans l'entretien et David, à deux reprises, répond à mes commentaires en disant : « Oui, mais tu as arrêté de travailler ! » Il veut me faire réaliser combien cet espace de liberté sans souci et sans responsabilité a fait toute la différence.

Depuis, j'ai eu l'occasion de parler à plusieurs personnes qui ont dû cesser leur activité professionnelle en raison d'une épreuve de santé. Toutes sont unanimes pour dire que ce fut salutaire. La semaine dernière encore, un médecin, qu'une épaule fracassée a obligé à un arrêt de trois mois, me racontait comment cela lui a permis de redécouvrir la vie, la nature, les amitiés et l'amour de sa femme. Surtout, on a le temps de s'accueillir, de se comprendre, de renouer avec soi-même. Ce bien s'avère des plus précieux, car, je prends la peine de le redire, il est l'élément essentiel de la guérison intérieure.

Les deux ou trois semaines de vacances statutaires en Amérique du Nord n'offrent pas vraiment l'opportunité de reprendre le fil de l'intimité avec soi. Par contre, dès qu'un arrêt dure un peu, on a l'occasion de se détendre et d'oublier en partie le temps qui passe. La vie nous apparaît alors bien différemment. On se rend compte que l'on n'est pas sur Terre pour travailler. La dégustation d'instant en instant du cours de l'existence nous permet d'échapper au fil des jours. On se rattache au grand courant de fond de l'existence et la pure joie d'exister sans mission et sans mandat vient nous prendre pour nous apaiser et nous guérir.

Il faut sans doute avoir une certaine dose de sécurité pour s'abandonner ainsi à l'intemporel. À certaines personnes, cela semble même intolérable. Elles doivent continuer à travailler, car le sens de leur propre valeur leur vient essentiellement de leur activité professionnelle. Elles y trouvent la confirmation qu'elles existent. Et puis, il faut pouvoir se le permettre financièrement. Je dirai tout de même que toutes les fois où cela semble possible, il faut tenter de cesser toute activité pour se consacrer à des retrouvailles avec la vie. Cet arrêt des activités pour renouer avec ce qui est vivant en soi et autour de soi peut d'ailleurs se faire à l'occasion d'une période de méditation quotidienne. J'en parlerai plus loin. Car c'est la vie et sa beauté qui nous interpellent à travers la maladie, ce n'est pas la mort. Et c'est le goût de vivre qui influence notre guérison.

CE QUE DISENT MES POUMONS

Au niveau des poumons, à ce jour, on note encore une cinquantaine de lésions microscopiques que l'on croyait et que l'on croit toujours de nature métastatique, c'est-à-dire liée au cancer, car leur nature réelle n'a pas pu être élucidée. Elles ont été présentes tout au long de la traversée, ont peu répondu à la chimiothérapie, n'ont pas disparu, n'ont pas proliféré, ont manifesté un peu d'inflammation à quelques reprises et le font encore. Bref, elles demeurent une énigme médicale. À plusieurs reprises, au cours des trois dernières années, j'ai entendu mon oncologue dire :

« Je donnerais cher pour avoir une radiographie de ces poumons-là avant le cancer !

– Moi aussi, car je voudrais bien que les examens de contrôle cessent. »

Au tout début des traitements, la biopsie n'a rien révélé, car le médecin a raté ces cibles microscopiques, créant un pneumothorax au passage. Cette introduction d'air dans la plèvre du poumon est des plus douloureuses et prend du temps à guérir. J'avais l'impression que l'on avait coulé du béton dans l'un de mes organes de respiration. Si bien qu'en accord avec mon médecin traitant, nous avons décidé que nous irions à nouveau prélever du tissu de la muqueuse pulmonaire, sous forme de chirurgie cette fois, uniquement s'il y avait inflammation majeure.

À l'été 2009, soit deux ans après le diagnostic, j'ai pu faire analyser tous les scanners pris depuis le début par les Drs Pascal Lacombe et Sophie Chagnon du service de radiologie de l'Hôpital Ambroise-Paré à Paris. Ils m'ont reçu avec une extrême gentillesse et ont conclu sous toute réserve à un lymphome de bas grade, mal organisé, donc un cancer. Il est cependant permis d'en douter raisonnablement. Il se peut qu'il s'agisse de cicatrices d'une maladie antérieure qui serait passée inaperçue. Pour ma part, je penche de plus en plus pour cette version des choses puisque mes poumons vont bien. Cependant, la présence de ces intrigantes lésions empêche le Dr Yelle d'écrire « rémission complète » dans mon dossier et me ramène tous les deux mois sous l'œil des scanners, sans parler des procédures médicales qui y sont reliées.

Cette incertitude a peut-être à voir avec le fait que je ne me reconnais pas dans les suggestions de Claude Vallières en ce qui concerne les poumons.

« Ceux-ci sont le siège du premier et du dernier souffle, ils ont à voir avec la peur de vivre et de mourir. Il se produit souvent une sorte de prolifération de lésions sous le coup du diagnostic, car il fait monter une angoisse de mort d'un seul coup, me dit-il.

– Je ne dirais pas que cette bouffée d'angoisse m'a été évitée. Toutefois, la peur de mourir n'est pas ce qui m'effraie le plus dans l'existence. Vieillir me fait beaucoup plus peur ! »

Je suis déjà passé près de la mort. Je me suis rendu si près du seuil du départ que j'en suis revenu avec l'assurance d'une vie au-delà de la vie. Je suis entré dans de tels états d'union sans pour autant perdre la sensation de ma propre individualité que j'en ai conclu que l'âme et l'esprit survivent au-delà de la perte du corps physique. Ce n'est qu'un avis basé sur une expérience personnelle. Toutefois, l'impression qu'elle a laissée en moi demeure assez forte pour me sécuriser encore vingt ans plus tard. Je ne suis pas en train de dire que la pensée de l'issue fatale ne me fait pas frémir, mais à la limite je dirais que j'ai plus peur de vivre que de mourir. Remarquez que pour vivre véritablement, il faut accepter de mourir au connu à chaque instant. C'est sans équivoque ce que le cancer m'a appris à faire. Il est indéniable que je m'engage dans les différentes sphères de mon existence plus complètement qu'auparavant.

Pour tenter d'expliquer ce qui oppresse mes poumons, car cancéreuses ou non, il y a des lésions, je porte alors mon regard du côté de la médecine chinoise. Celle-ci relie les poumons à la tristesse. Chagrin, mélancolie et regret épuisent les poumons en dissipant l'énergie. Ces émotions font partie de la vie et ne causent pas de problème si elles sont acceptées et reconnues. Mais si, à l'inverse, le chagrin est retenu et que la situation qui le cause se prolonge, l'énergie sera perdue, menant fort souvent à des pneumonies, des bronchites ou des maladies respiratoires telles que l'asthme. Il est vrai que je suis sujet aux bronchites et que la tristesse habite mon souffle depuis ma plus tendre enfance. Plus jeune, je devenais facilement mélancolique. Comme me l'ont fait remarquer mes amis, même en entonnant des chansons exprimant une joie profonde, je garde souvent un air nostalgique. Le poète Aragon, mis en chanson par Jean Ferrat, ne dit-il pas : « Qui parle de bonheur a souvent les yeux tristes/N'est-ce pas un sanglot que la déconvenue ? » Chez moi, cette désillusion a plusieurs causes. L'aspect difficile de ma propre existence et de l'existence humaine en général me touche depuis toujours. Derrière l'effervescence que l'on reconnaît en moi, il y a aussi celui qui est las d'exister.

Assez tôt, il me semble que j'ai perdu contact avec l'enfant rieur. Même si j'avais travaillé toute ma vie au théâtre, j'aurais parlé de cela. La recherche passionnée du sens de la souffrance humaine est une quête fort importante pour moi. La maladie a permis à deux reprises déjà que je lève une partie du voile. À chaque fois, mes conceptions de l'existence se sont élargies. Il n'en reste pas moins que je conçois comme un devoir quotidien la prise de contact avec l'enfant joyeux que je porte et qui demande à naître et renaître encore et encore. Une troisième vie m'est donnée, pour ainsi dire, et j'entends bien que son souffle soit plus léger et réjoui que tout ce qui a précédé.

QUELQUES SUGGESTIONS

Quatre séances bien nourries avec Claude Sabbah et Claude Vallières m'ont suffi pour me lancer et faire un grand bout de chemin par moi-même. Toutefois, je suis un patient très averti, pour ainsi dire. Si je devais vous conseiller par rapport à une démarche psychothérapeutique, je vous dirais de trouver un thérapeute en qui vous avez confiance et qui s'intéresse à la psychosomatique, c'est-à-dire aux liens entre les blocages émotifs et leur manifestation dans le corps. Qu'il connaisse ou non le décodage biologique ne me semble pas être le point central. Vous ouvrir aux messages des différentes parties de votre corps et vous mettre en mouvement sur le plan des révélations psychologiques l'est. Bien que l'angoisse puisse vous couper de vous-même et vous jeter à la merci de thérapeutes et de guides de toutes sortes, tentez de résister aux promesses spectaculaires et de garder un point de vue critique. Au contraire, acceptez ce qui résonne en vous et ce qui a du sens pour vous. Ne vous souciez pas du reste. Ce n'est pas que ce n'est pas juste, c'est que ce n'est pas juste maintenant pour vous. Les lectures peuvent aussi vous servir adéquatement. Je cite quelques livres en cours de route qui sont susceptibles de vous aider. Il y a aussi une bibliographie thématique à la fin.

Rappelez-vous qu'il n'y a pas de sauveur ni de formule magique. La guérison émergera de votre propre compréhension des choses, stimulée bien entendu par tout l'environnement aidant que vous aurez su mettre en place. Vous sentirez cette compréhension. Elle ne se limitera pas à une simple pensée mentale. Je veux dire qu'elle changera votre sensation de vous-même et qu'elle sera accompagnée d'émotions. Voilà le genre de déclic que vous souhaitez. Plus la révélation sera profonde et transformatrice, plus elle apportera libération et légèreté. Gardez en tête également que la personne ou la technique qui a si bien fonctionné pour un ou une amie ne fonctionnera pas nécessairement de la même façon pour vous. Si votre thérapeute s'affiche comme étant très dogmatique, vous déconseillant ou vous interdisant la chimiothérapie ou l'accès à d'autres formes de médecine, n'hésitez pas à changer. Ces décisions vous appartiennent. Il peut vous conseiller. Il ne peut en aucun cas décider à votre place. Son rôle est de vous accompagner dans votre démarche et de permettre l'intégration des révélations psychologiques à un rythme qui vous convient. Autrement dit, demeurez le maître ou la maîtresse du jeu. Après tout, c'est de votre vie qu'il s'agit et c'est vous qui payez.

N'oubliez surtout pas de parler avec votre esprit, de converser avec vos organes, de leur demander de vous renseigner sur votre être véritable. Demeurez à l'écoute des intuitions et des rêves qui ne manqueront pas de venir, souvent dans des moments inattendus. L'enjeu principal demeure l'établissement d'un dialogue fécond avec celui ou celle que vous êtes, avec vos goûts et vos talents, peu importe ce que vous avez ou non déjà accompli dans votre vie. Ce que vous croyez être sera nécessairement remis en question. Il ne peut en être autrement. Sinon, vous n'auriez pas le cancer, vous auriez un rhume… Acceptez de vous détacher le plus rapidement possible de ce que vous prétendez être. Tout cela vous nuit sur votre trajectoire de renaissance.

L'écart entre soi et soi-même

LE CANCER ET SON CONTEXTE

Je viens de livrer une bonne partie de ce que j'avais à dire sur les racines psychologiques de mon cancer. Avant de poursuivre du côté de différents modes d'intervention énergétique, je désire marquer une pause au cœur de mon livre et vous entraîner du côté de réflexions générales sur le sens de la maladie et des blessures qui marquent une vie. Cette pause nous servira de transition entre deux mondes et deux vocabulaires, entre le psychologique et l'énergétique. Je cède donc la place au pédagogue pour quelques pages en espérant que ces idées ne vous apparaîtront pas superflues.

Commençons par quelques réflexions générales sur le cancer. Je dirai d'abord que cette maladie m'apparaît comme une *atteinte liée à plusieurs facteurs*. Certains de ces facteurs sont de nature collective, d'autres de nature individuelle. Ainsi, sur le plan collectif, la toxicité de l'air, de l'eau et des aliments que nous mangeons ajoute au risque et contribue à la multiplication des cas de cancer. Le fait que les gens vivent plus vieux y est pour quelque chose aussi puisque, à mesure que nous vieillissons, les cellules sont plus fatiguées et produisent de nombreuses mutations, dont des mutations pathogènes. Ajoutez à cela ce qu'en dit un spécialiste comme le Dr David Servan-Schreiber : pour lui, comme je l'ai mentionné d'emblée, le cancer est une *maladie du style de vie* que nous avons adopté en tant que société. En raison du stress, de la consommation de sucre et de la mauvaise alimentation, nous avons multiplié nos risques de tomber malade[15].

Venons-en au plan familial et génétique. Le cancer dont je souffre est de nature immunitaire. Un *lymphome non hodgkinien* est « un cancer qui prend naissance dans les lymphocytes, c'est-à-dire les cellules du système lymphatique. Ce système agit de concert avec d'autres parties du système immunitaire pour aider l'organisme à se défendre contre les infections et les maladies. Il est constitué d'un réseau de vaisseaux lymphatiques (qu'on pourrait comparer au réseau veineux), de ganglions lymphatiques et d'organes lymphatiques (comme la rate, le thymus, les amygdales et la moelle osseuse). La lymphe est le liquide clair et jaunâtre qui contient les lymphocytes. Ces derniers sont un type particulier de globules blancs qui aident à combattre les infections[16]. »

Or, il existe des déficiences du système immunitaire dans mes deux lignées familiales ; plusieurs membres de ma famille souffrent de colite ulcéreuse, tout comme moi, et la colite ulcéreuse est une maladie auto-immune liée à un dérèglement de l'immunité impliquant également les lymphocytes. Ma grand-

---

15. David Servan-Schreiber, *Anticancer*, *op. cit.*
16. Voir à ce sujet l'article publié en ligne par la Société canadienne du cancer sur le lymphome cancéreux. Site : http://www.cancer.ca/canada-wide/about cancer/types of cancer/what is non-hodgkin lymphoma.aspx?

mère paternelle en a souffert ainsi qu'une sœur de ma mère. Comme je vous l'ai expliqué plus tôt, ma sœur Line a contracté la bactérie *Clostridium difficile* qui l'a tenue dans un combat contre la mort pendant une soixantaine de semaines. Elle a survécu grâce à un traitement d'immunoglobulines qui ont renforcé les lymphocytes de son système immunitaire. Selon le médecin qui lui a sauvé la vie, il existe une faiblesse génétique du système immunitaire dans notre famille. Il y a également plusieurs cas de cancer dans nos lignées. Mon père et ma mère en ont souffert. Mon âge et mon parcours médical aidant, il y avait plus de probabilité que le cancer fasse son apparition chez moi que chez la moyenne des gens.

Les facteurs psychologiques dont nous avons parlé interviennent ici même. Ils nous rendent plus vulnérables à une atteinte, car ils permettent aux éléments pathogènes de prendre avantage d'une prédisposition génétique pour se développer. En effet, une prédisposition à quoi que ce soit exprime une fragilité du terrain, elle n'est pas la maladie. Un impact fort ou soutenu dans le temps, un impact qui est souvent de nature émotionnelle et psychologique, ou un traumatisme, doit exercer son influence sur la personne pour que la maladie se déclenche en raison de la faiblesse de l'organisme. Il y a alors inflammation et maladie. Dans mon propre cas, je suis convaincu que le stress aigu lié à une vie passionnante mais exigeante a agi comme facteur déclenchant.

CULPABILITÉ OU RESPONSABILITÉ ?

Cela m'amène à aborder un autre élément de nature psychologique dont je désire vous entretenir : la culpabilité par rapport au fait d'être malade. On m'a souvent demandé si je me sentais coupable du fait d'avoir souffert d'un cancer puisque je l'associe en partie au stress de ma vie. Ça peut sembler une drôle de question de prime abord. Le fait que l'on puisse associer un contexte psychologique et émotionnel à la maladie conduit toutefois de nombreuses personnes à se sentir responsables de leur maladie et à en éprouver de la culpabilité. Cela est explicite dans une expression comme : « Je me suis fait un cancer. » À chaque fois, je réponds que je ne me sens pas coupable du mauvais fonctionnement de mon organisme et que le cancer me semble avoir plusieurs origines. Ce type de culpabilité ne sert à rien d'autre qu'à alourdir le fardeau que représente déjà la maladie. En passant par papa, maman et toute l'aventure de l'espèce humaine, chacun de nous possède de multiples raisons d'être devenu ce qu'il est.

Pour être honnête, toutefois, je dois avouer qu'après avoir écrit *Le meilleur de soi*, j'ai vécu comme une humiliation terrible l'annonce de mon cancer. Au début, j'en éprouvais une honte mêlée d'une grande tristesse. J'avais peur des questions que l'on me poserait. Avec le temps, je me suis rendu compte que cette position n'est pas juste. La prise de conscience des causes d'une maladie tant au niveau psychologique qu'au niveau physiologique demande simplicité et modestie. L'examen d'un écueil exige qu'une vertu, au sens ancien du terme, se tienne à la porte du cœur : l'humilité. Tant que l'on est dans l'humiliation, on reste d'une certaine façon dans l'orgueil. Bref, l'humilité n'a rien à voir avec l'humiliation.

Il s'agit plutôt d'avoir la sagesse d'apprendre quelque chose de ses déboires en se présentant face à soi-même de façon authentique. Il s'agit de s'observer avec bienveillance mais sans complaisance, un exercice de discernement fort délicat. Et puis, il faut rester fidèle, fidèle à soi, car une maladie s'installe dans l'écart qui existe entre soi et soi-même. Une faille se crée en soi sous le coup des blessures, des rejets, des trahisons et des incompréhensions vécues. Ces diverses expériences de non-reconnaissance amènent un être à conclure qu'il ne peut pas vivre en étant lui-même. Le sens profond de la maladie est là, presque toujours là. Le trouble est le messager des parties négligées de l'être. Il sera donc important de se livrer à une introspection afin de vérifier si notre réalité s'est éloignée de ce que nous sommes réellement.

Il est vrai qu'un dérangement organique ou psychique appelle à une responsabilité par rapport à ce qui se passe en soi. Toutefois, je qualifierais celle-ci de *responsabilité créatrice*, tout à fait à l'opposé d'un type de responsabilité qui entraîne honte et culpabilité. Quand elle nous en laisse les moyens, bien entendu, la crise provoquée par la maladie nous invite à une véritable recréation de nous-mêmes ainsi qu'à la découverte de ressources insoupçonnées. Ça me semble une perspective plus réjouissante que celle de la culpabilité angoissante. Je vois donc chaque crise comme une occasion d'apprendre quelque chose que j'ignorais sur moi et sur le maintien de ma santé globale, une santé qui inclut le corps, l'âme et l'esprit.

D'ailleurs la langue chinoise ne nous apprend-elle pas que l'étymologie du mot *crise* prend racine dans les mots *opportunité* et *danger* ? Ainsi donc, une épreuve est à la fois un *danger opportun* qui va nous abattre ou une *opportunité dangereuse* d'évoluer. Bref, je ne doute pas que des conditionnements inconscients m'ont mené jusqu'au cancer, mais, précisément, ils étaient inconscients et je ne saurais me charger de culpabilité par rapport à eux sur le plan conscient. Je vois la maladie comme le temps qui m'est offert pour comprendre la nature du déséquilibre et participer à mon propre rétablissement.

MALADIE ET PULSION D'UNION

Je crois que la maladie est intimement liée à la pulsion d'union qui nous habite et qui guide nos vies. Elle en est la mandataire, pour ainsi dire. Pour la psychanalyse, une pulsion est une force qui s'exerce au plus profond d'une personne et qui la pousse à accomplir une action visant à réduire une tension. Que l'on pense à la pulsion sexuelle, par exemple, qui représente une des expressions possibles de la pulsion d'union. Ainsi chacun de nous aspire à connaître des moments d'unité avec son entourage et avec son environnement parce qu'il sait qu'il y a une solution de ce côté. Quand nous nous éloignons trop de ce programme central de notre organisme tant physique que psychique, la maladie vient exprimer cette division intérieure. Elle vient révéler la fracture interne qui se cache derrière la belle surface polie et sans aspérités que nous présentons aux autres. Si bien que nous pouvons dire que le retour d'un être à la santé après une épreuve de taille s'associe presque toujours aux retrouvailles avec l'unité fondamentale. Une nouvelle harmonie entre la pensée, ce qui est ressenti et l'action, entre la volonté, le cœur et la conscience vient au jour.

À force de côtoyer des dérèglements chez moi et chez les autres, j'ai acquis la conviction qu'un mécanisme parfait gouverne la vie, un mécanisme qui sert la pulsion d'union à merveille. La perfection de ce mécanisme transpire à travers les symptômes qui nous affectent et qui s'accompagnent immanquablement d'émotions. Ces dernières agissent comme des signaux d'alarme qui indiquent le mal-être. Les réactions émotives elles-mêmes prennent leur source dans des blessures fondamentales liées à des expériences comme le rejet, la trahison, l'incompréhension, la non-reconnaissance ou l'humiliation.

Ces heurts importants qui parcourent nos vies ont entraîné la formation d'attitudes défensives qui se sont mises en place pour éviter que nous soyons heurtés de nouveau. Ainsi, la personne qui s'est sentie rejetée peut démontrer une fidélité à toute épreuve vis-à-vis de personnes qui ne lui correspondent pas dans le simple but de ressentir qu'elle appartient à un milieu donné.

Les attitudes défensives que nous mettons en place composent ce que nous pourrions appeler notre personnalité ou notre personnage. Ce personnage est une sorte d'armure psychique vivante qui nous protège de façon que nous ne soyons pas perturbés sans cesse par nos blessures fondamentales et les angoisses qu'elles cachent. Ce mécanisme protecteur se compose d'un ensemble de façons de penser, de sentir et d'agir qui nous possède à notre insu. Nous croyons que ce personnage nous définit et nous résume. Mais cela n'est pas vrai. Il représente essentiellement une mesure d'adaptation.

Dans un premier temps, cette carapace protectrice à laquelle nous nous identifions inconsciemment nous permet de survivre aux heurts et aux blessures; dans un second temps, toutefois, elle nous étouffe. Le problème vient du fait qu'une telle carapace affaiblit nos capacités perceptives et sensitives, si bien que la saveur même de la vie s'en trouve diluée. De la même manière, un vêtement épais nous sépare de notre environnement tout en nous protégeant. Notre personnage protecteur s'oppose notamment à notre *individualité créatrice* qui veut s'ouvrir au mouvement de la vie et à sa constante nouveauté. Toutefois, la peur nous empêche de donner plus de place à nos élans créateurs. Il devient alors primordial de comprendre les blessures de fond qui ont motivé la mise en place d'une telle armure psychique pour que nos défenses se dissolvent et que nous puissions jouir de l'énergie qui se libère à cette occasion. Voilà ce que l'on appelle *le travail de guérison* et *le retour à l'état d'union*.

Pour être juste, je tiens cependant à signaler qu'un choc particulier précède tous les autres dans nos vies. À lui seul, le choc de la naissance provoque en nous une forte impression de division d'avec le tout universel. Il est d'ailleurs à noter que nos parents ne sont pas responsables de ce choc et de l'impact qu'il a sur nous. Il est un fait de nature. C'est une réalité existentielle. Il s'ancre en nous lors de notre venue au monde. Il n'en reste pas moins que, par la suite, la terreur d'être séparés nous met pratiquement parlant à la merci de ceux qui nous entourent, au point que bientôt nous quêtons appartenance et reconnaissance dans leurs yeux comme si nous étions des êtres démunis et sans valeur.

Nous leur demandons inconsciemment de confirmer sans cesse notre importance pour être rassurés par rapport au fait que nous existons bel et bien. Car le besoin d'être reconnu par les autres combat l'angoisse du vide et du néant qui nous touche tous et toutes en réaction au choc de l'incarnation. Nous finissons par épouser une conception de nous-mêmes qui se situe exactement à l'opposé de celui ou celle que nous sommes réellement. Étant mal situés par rapport à notre véritable nature, ayant oublié que nous sommes des créateurs de vie qui appartiennent au tout et qui n'en ont jamais été séparés, nous souffrons d'une existence qui devient de plus en plus difficile à vivre intérieurement et extérieurement. Nous appelons ainsi le malheur à notre insu et la maladie intervient pour nous indiquer où le bât blesse.

Lorsque j'ai pris conscience de cette perfection même de la vie, voilà quelques années, elle est devenue pour moi un sujet d'émerveillement et la base d'une nouvelle confiance. C'était comme un joyau que je ne me lassais pas de contempler. Mes propres symptômes prenaient sens et je réalisais l'intelligence de l'organisme à travers eux. Les épreuves et les maladies nous convient en fait à un renversement de perspective. Dans une telle conception, il n'y a d'ailleurs plus de séparation marquée entre le corps et l'esprit, entre le matériel et le subtil. Ainsi, une atteinte physique peut exprimer jusqu'à quel point nous pouvons être éloignés concrètement d'une position juste et centrée par rapport à ce que nous sommes psychologiquement parlant. Le dérèglement du fonctionnement des organes et des cellules devient alors le représentant du *soi* ou de l'âme, selon le terme que l'on préfère. Il s'adresse directement à la conscience. Ne pas prendre de temps pour écouter ce fracas intime équivaut à refuser le message vivant qui émerge des profondeurs. C'est comme ne pas ouvrir une lettre importante livrée par le facteur.

NOUS SOMMES MALADES EN RAISON DE NOTRE FUTUR

À cet effet, il importe de noter que Jung ne voyait pas seulement des *causes* à une maladie. Il disait que nous étions aussi malades parce que nous n'étions pas ce que nous étions appelés à être. Le dérèglement psychique ou physique porte *un sens orienté vers le futur*. En somme, nous sommes malades parce que nous ne répondons pas au potentiel créateur que notre inconscient abrite. Nous bloquons l'actualisation consciente de ce potentiel dans notre vie concrète. Aujourd'hui, j'entends cela comme le fait de ne pas exprimer ou manifester son essence individuelle, celle qui correspond aux élans naturels qui nous habitent et que nous avons le goût de manifester sur le plan de l'amour ou de la création. En tout cas, il me semble qu'une telle conception complète bien la vision causale. Pour sûr, il y a des causes à nos maux, toutefois, nous souffrons aussi parce que nous ne sommes pas en train de vivre ce qui nous rendrait plus heureux. Il s'agit d'accepter que notre organisme, grâce à l'intelligence qui lui est propre, nous le manifeste spontanément.

Cela étant dit, il n'y a pas d'intérêt à voir dans ces messages des commandes ou des ordres, il est plus juste de les concevoir comme des rappels de notre nature globale. Il y a un déséquilibre et notre être entier l'exprime par la maladie, simplement, directement, sans fard. Notre rôle est d'écouter ces messages, de tenter de les interpréter et d'entreprendre de changer d'attitude ou de comportement.

Le but d'une telle entreprise consiste à satisfaire la pulsion d'union en retrouvant la fluidité du mouvement vital et la jouissance liée à cette fluidité. Pourquoi ? Parce que la force repose sur la fluidité. Par exemple, la puissance d'un muscle vient du fait qu'il peut à la fois se contracter et se détendre. Il est faible et vulnérable s'il reste sans cesse tendu. Comme l'explique si bien la médecine chinoise, nous sommes mouvement et par conséquent la santé est mouvement. Le sens de la vie se trouve dans ces retrouvailles avec le mouvement vital. Se mouvoir en créant à partir de notre essence, de nos talents et de nos goûts profonds, et jouir de la sensation intense d'exister en créant, n'est-ce pas là notre aspiration profonde ?

Tout se passe en somme comme si nous étions une parcelle d'énergie pure associée à une essence individuelle. Cette essence individuelle permet la conscience subjective. Elle permet de dire *Je*. Elle prend racine dans des élans créateurs qui viennent nous enraciner sur la Terre et nous particulariser aux yeux des autres individus. Que nous soyons artiste, enseignant, constructeur, entrepreneur ou soignant, que nous aimions la cuisine, la coiffure ou le bricolage, nous nous incarnons pour nous déployer et pour participer avec notre essence au mouvement du monde et à sa création.

Ce que nous sommes venus exprimer ici n'est pas l'ampleur d'un désastre, mais la perfection même qui nous anime de l'intérieur. Nous vivons pour exprimer la beauté de l'univers que nous portons et qui nous entoure. Tel le bourgeon qui contient déjà la feuille repliée en son sein, nous venons du dedans. Nous avons la vie et nous venons créer de la vie en participant au monde. Nous venons animer cette création collective par nos élans. Voilà pourquoi il est important d'écouter les messages de la maladie et de faire de la place à nos tendances créatrices : c'est que la matière même de notre bonheur réside dans leur expression.

LA BLESSURE FONDAMENTALE

Lorsque je considère ce que je viens de dire, je me demande si, au niveau psychologique, le cancer ne serait pas le résultat de milliers de renoncements à soi-même. Peut-être que les milliards de cellules atteintes confessent le nombre de fois où l'on a dit « non » à nos élans créateurs et à la vie en soi. Dans mon cas, je ne dirais pas peut-être, je dirais : « Oui, assurément ! » Je le sens comme cela et c'est à partir d'une idée comme celle-ci que je continue à me soigner. Très vite, j'ai compris que mon corps jouait un rôle de messager. Il venait me dire que mon âme souffrait, que je n'étais pas en adéquation avec ce que je devais vivre, avec ce qui était juste pour moi. Bref, je n'incarnais pas celui que j'étais appelé à devenir. Ma vie n'exprimait pas la totalité de mon potentiel et de mes élans créateurs.

Malgré les accomplissements, je devais m'avouer que de la déception existait en moi. Je ne vibrais pas aussi intensément que je le souhaitais.

Bien sûr, les circonstances de mon passé ont contribué pour une large part à ce que je suis devenu, la maladie témoigne toutefois de milliers de choix faits au jour le jour, au présent également. Je constate maintenant avec consternation que ces choix ont principalement servi à me protéger et à établir une image publique dont la stature me met pour une large part à l'abri des revers financiers et des risques d'abandon de la part du public. Je me suis assuré, en écrivant des livres utiles, une reconnaissance solide qui met en échec ma peur profonde de rester incompris. En effet, si pour certaines personnes le rejet, l'abandon, l'humiliation, la trahison et l'abus constituent les blessures fondamentales, pour moi il s'agit du sentiment d'incompréhension. La peur d'être incompris a guidé ma vie à mon insu. C'est sans doute comme cela que j'ai créé un personnage qui est devenu pour beaucoup de gens celui qui pouvait les comprendre et leur expliquer leur vie psychique. Je me suis plu et je me plais encore à jouer ce rôle public, car il me permet d'exercer des talents d'enseignant.

Au début de mon cancer, je ne sais pas de quelle nature est ma blessure fondamentale. Pourtant, à mesure que mon esprit s'éclaircit, la peur d'être incompris apparaît toute nue sur mon écran psychique, et elle n'a rien de sexy! C'est tellement logique au fond. Ceux qui ont peur d'être rejetés passent des vies à tenter de plaire à tout le monde, développant les habiletés et multipliant les façons de plaire et de séduire dans le seul but de ne pas se sentir mis à l'écart. Pour moi, qui passe ma vie à tout expliquer, cela coule de source que ma peur fondamentale, le point sensible de mon organisme psychique, le talon d'Achille de ma stature, se résume à la peur de l'incompréhension. J'ai dû être brûlé sur une place publique dans un lointain passé, on dirait que je sens encore les flammes me lécher le derrière ! Alors, je fais tout pour que ça ne se reproduise pas. La peur d'être incompris, c'est l'éléphant dans le magasin de porcelaine, l'éléphant que je ne veux pas voir. Maintenant que toute la vaisselle qu'il y avait à casser l'a été, il me reste l'éléphant et je lui fais face puisqu'il n'y a plus que lui à regarder !

Assurément, mes parents ont mal évalué l'importance de mes goûts artistiques ; toutefois, leur réaction ne constitue pour ainsi dire que le rez-de-chaussée de la maison de l'incompréhension. Celle-ci possède aussi une fondation. Je veux dire qu'il y a eu bien d'autres difficultés avant celle-là. Mon enfance en a été fortement marquée.

À quatre ans, à sept ans, à dix ans, et finalement chaque année de cette enfance, je me suis senti incompris et j'ai eu l'impression que je n'avais ni les moyens de comprendre ce qui m'arrivait, ni ceux de me faire comprendre. Il y avait beaucoup de perturbations en moi. Des réactions émotives fortes et hargneuses m'agitaient. J'écrivais en cachette un petit roman où je concoctais le crime parfait. Je l'avais intitulé *Rouge*. Finalement, ce malheur que je ressentais a implosé faute de pouvoir s'exprimer ouvertement. Pour échapper à tout cela, je me suis mis à rêver. Je suis devenu un enfant plaisant, bien adapté, mais qui faisait des crises de nerfs qui l'ont mené à des coups pendables au pensionnat…

Puis le théâtre est venu canaliser tout cela et me rendre l'espoir. Je pouvais y jouer tous les personnages qui m'habitaient. J'avais le droit d'être entier au théâtre. Les caractères y ont de la grâce, mais ils sont aussi veules et animés de motifs cachés. Ils ont droit à tout. En le quittant, je ne savais pas que je me séparais de ma santé. Je divorçais de l'unité qu'il m'offrait. Cela dit, je ne pense pas que j'ai été malade parce que je ne suis pas devenu acteur. Je crois que j'ai été touché par la maladie parce que, en quittant le monde du théâtre et des interactions intenses que la scène me permettait d'avoir avec les autres, je me suis trouvé à divorcer d'avec l'unité psychique qu'il me procurait. À l'époque, toutefois, ni mes parents ni moi ne pouvions savoir une telle chose. Nous n'aurions pu imaginer que le tribut à payer serait si lourd.

LE SOI DE SURVIE

Sans vouloir aller plus loin dans le dévoilement de ma propre intimité, je dirai pour résumer mon propos que, d'un point de vue clinique, le cancer m'apparaît aujourd'hui lié à la séparation d'avec soi-même, c'est-à-dire la séparation d'avec ses propres élans créateurs et d'avec l'unité fondamentale et universelle. Chaque fois qu'une personne s'interdit ou n'a pas la possibilité d'exprimer l'effet que les chocs, les traumatismes, les abus ou les accidents ont sur elle, cela contribue à la formation de ce que j'appellerais un *soi de survie*. Ce soi de survie est une formation psychique qui s'installe entre le moi conscient, qui est le centre du champ de la conscience, et le soi véritable, qui agit comme le centre de la personne prise dans sa globalité.

Qu'il s'agisse d'événements pénibles de l'enfance ou de ceux qui bousculent le parcours d'une vie — des deuils inacceptables par exemple —, ceci a pour effet d'amener un être à développer un tel soi de remplacement. Ce soi de survie se compose d'une bonne dose d'adaptation et même de suradaptation à l'extérieur ainsi que d'une bonne portion de mise en échec et de négation de ses propres élans, désirs, sensations et volontés. Tout simplement parce que l'expression directe et spontanée de ces éléments semble mettre en danger la survie de la personne, engageant des mauvais traitements ou des désapprobations trop graves de l'extérieur. Ce soi de survie devient donc le gardien du *statu quo* et inhibe à l'avance les manifestations authentiques de l'individu, le précipitant dans des angoisses proprement archaïques s'il ose franchir les limites permises[17].

À la longue, le refoulement et la suppression des sensations et des impressions qui ordinairement guident une existence finissent par provoquer une désorientation de l'être. Ne se reconnaissant pas, ne pouvant s'aimer véritablement, constamment à la recherche de son authenticité en même temps qu'il la sabote pour survivre, il dresse ainsi la table de la maladie, de l'accident, ou de l'événement grave. Ces catastrophes personnelles engagent alors un bouleversement suffisant de l'organisation psychique pour permettre une réorganisation si l'on est à même d'entendre le message des profondeurs. En cela ces cataclysmes physiques et psychologiques représentent véritablement *l'effort de la nature pour nous guérir*, selon l'expression de Jung, ou *la solution parfaite de survie déclenchée par le cerveau*, selon une expression chère au décodage biologique. Ce qui sera rencontré au sein de ce bouleversement correspond alors, transposé au niveau intérieur, au portrait que nous offrent les grandes catastrophes humanitaires avec leur lot de désespoir, d'impuissance, de peur, de terreur, de dépression, mais aussi d'espoir.

---

17. À l'intention de mes collègues cliniciens, j'ajouterai que le concept de *soi de survie* que je propose ici m'apparaît différent du *surmoi* freudien. Il se rapproche plutôt du *faux-soi* des narcissiques mais sans en porter la bannière négative. Mon appellation fait plutôt ressortir le fait que cette organisation psychique se met en place pour permettre la survie de l'individu aux cataclysmes personnels.

Les parties reniées, écrasées et humiliées mènent une existence de sans-abri à l'intérieur de soi. Bientôt, elles agissent comme des zones d'inflammation qui bloquent le fonctionnement habituel. Elles forcent une déstructuration pour une restructuration de la personne. Pensez par exemple à un abcès qui se développe sous une couronne dentaire et qui forcera le démantèlement de la superstructure imposée à la dent pour pouvoir être soigné. Le cancer agit comme un abcès qui un jour ou l'autre va obliger une remise en question de l'équilibre global de la personne. Plus vous êtes à même de favoriser cette remise en question, plus vous favoriserez les mécanismes d'autorégulation.

Alors comme dans un séisme collectif qui attire la compassion et favorise la naissance d'une nouvelle fraternité humaine, le séisme personnel rendra possible une nouvelle unification des forces de l'individu et une réorganisation de sa vie, faisant éclater le soi de survie. La personne a alors l'impression de se libérer d'un poids énorme. Elle peut enfin respirer et s'exprimer à l'aise.

Il n'est pas nécessaire de connaître tous les éléments d'une enfance ou d'une vie qui ont contribué au naufrage, toutefois la reconnaissance de l'unité perdue et la mise en place de nouvelles attitudes et de nouveaux comportements en réponse à cette prise de conscience sont nécessaires au retour à l'équilibre. La maladie offre la possibilité d'une simplification salutaire de la vie d'un individu au niveau psychique. Il cesse de se saboter lui-même et devient plus apte à se reconnaître et à s'aimer parce qu'il a retrouvé le lien direct avec ce qu'il ressent véritablement.

Pour sûr, il s'agit ici d'une hypothèse de nature psychologique concernant un mal physique. Elle n'est sans doute pas généralisable à tous les cas de cancer. Toutefois, au risque de me répéter, je trouve qu'il est toujours avantageux de se poser des questions psychologiques par rapport à n'importe quelle atteinte physique, ne serait-ce qu'une grippe. Si ces découvertes n'engagent pas toujours une guérison physique, car parfois le corps est trop fragilisé pour revenir à la santé, elles ne peuvent que favoriser un retour à l'équilibre psychique et une précieuse sensation d'unité retrouvée. Cette dernière stimule de toute façon les mécanismes d'autoguérison et procure la délicieuse sensation de se retrouver et de revivre. Bref, pour employer une expression du Dr Matthew A. Budd, fondateur et directeur du F. Holland Day Center for Healing and Creativity, un centre de retraite pour les cancéreux situé près de Boston, « le cancer représente une trop belle occasion d'évoluer pour la laisser passer. »

LA RESPONSABILITÉ DES PARENTS

Je dirais aujourd'hui que mon père et ma mère ont simplement contribué à l'éveil de la sensation d'incompréhension fondamentale dans ma vie. Ils n'en sont pas responsables. Elle était en moi. Ce n'est pas eux qui l'ont créée. Tout comme ils n'ont pas créé les talents avec lesquels je suis venu au monde. À cet effet, la psychanalyste Françoise Dolto disait que les enfants choisissent leurs parents. Il me semble, avec le recul des années, et en dehors de tout contexte religieux, que l'âme doit en effet choisir son lieu d'incarnation. Je dis « choisir » au sens d'être attiré, comme on choisit un partenaire amoureux. L'âme est attirée par un milieu où ses goûts vont pouvoir se développer. Ainsi, les talents et les qualités qui ont prévalu dans certaines lignées familiales agissent comme des aimants. Je me suis donc incarné dans des lignées de gens intéressés par l'expression artistique et l'enseignement. Ma grand-mère maternelle enseignait tout comme ma mère. Quant à mon père, il a pris sa revanche sur son passé en finissant sa vie comme sculpteur sur bois. L'art et l'enseignement sont devenus les deux grandes passions de ma vie.

Vraisemblablement, nous partageons aussi avec nos lignées d'ancêtres les difficultés inhérentes à notre parcours. Ainsi, nous mettons en scène certains obstacles afin de les dépasser, de les transformer, de les transcender en quelque sorte. Aujourd'hui, j'imagine facilement que nous choisissons aussi des parents pour leur incompréhension, leurs difficultés, voire leurs abus. Ils vont alors nous provoquer au point de nous amener à comprendre les peurs qui nous enferment et ainsi nous propulser dans la voie d'une libération totale.

Cela me fait penser à ce que j'ai appris au cours de ma formation en psychodrame. Un protagoniste y est invité à rejouer avec l'aide d'autres membres du groupe une circonstance difficile de sa vie. Cette mise en scène l'aide à prendre conscience des véritables enjeux qui sont présents dans cette situation et des choix qui s'offrent à lui. Il peut même, s'il le désire, changer le cours de son histoire en disant ce qu'il n'a pas pu dire dans la circonstance réelle. Cette recréation, somme toute imaginaire, possède la force de remettre la personne au centre de ce qu'elle a vécu.

Je pense qu'il se passe quelque chose de similaire dans la vie : nous choisissons des circonstances familiales à l'occasion desquelles des bonheurs et des manques nous aident à remettre en scène un drame qui nous est personnel et que nous traînons peut-être depuis plusieurs existences — qui sait ? Nos lignées familiales et nos parents sont nos compagnons de jeu dans cette tragicomédie. Nous leur servons aussi à remettre en scène des problématiques et à les dépasser. Tout cela nous invite à une responsabilisation croissante par rapport à ce que nous sommes et à ce qui nous arrive. Jusqu'à ce que nous découvrions que nous créons notre vie à un degré infiniment plus grand que ce que nous avons toujours cru.

Aujourd'hui, j'en arrive même à penser qu'il y a des contrats qui se font d'âme à âme. À un niveau très profond, mes parents ont sans doute accepté de rejouer ce drame avec moi et pour moi. Lorsque j'aborde les choses dans une telle perspective, je peux les délivrer de tous les démons que j'ai projetés sur eux. Ce qui est arrivé devait arriver pour que je puisse découvrir ce qui me liait sur le plan inconscient et dont je devais me délivrer. Ces dimensions m'appartiennent et les incompréhensions de mes parents m'ont permis de découvrir ce qui vibrait en moi à mon insu. Comprendre cela m'autorise aujourd'hui à m'en libérer. Je n'ai plus à concevoir ma mère ou mon père comme responsable de ce drame. J'en accepte l'entière responsabilité. Peu importe le passé, il revient à chacun de le comprendre et de s'en libérer.

Pour voir les choses ainsi, il faut accepter de laisser basculer nos conceptions. La psychanalyse a avancé l'idée d'un tel renversement depuis longtemps. Ainsi, parlant des criminels, Freud conclut que *la culpabilité précède l'acte.* Comme si l'état psychique cherchait à se concrétiser dans une action, à se matérialiser, pour ainsi dire[18]. Il est intéressant d'appliquer un tel raisonnement à la maladie, car il nous aide à pénétrer dans le domaine psychosomatique de façon simple. Abordée sous l'angle d'un tel changement de perspective, la question à poser devant un malaise organique devient : qu'est-ce que telle ou telle atteinte permet de mettre en scène du désordre intérieur de la personne ? Voilà pourquoi, dès les premiers paragraphes de mon texte, j'ai résumé ma trajectoire en demandant : pourquoi avais-je besoin

---

18. Nicole Aknin et Jacques Schecroun, *Et si la vie voulait le meilleur pour nous ? Petit traité de bientraitance*, Paris, Presses de la Renaissance, 2010, p. 94.

du cancer dans ma vie ? Car on peut voir la maladie comme un théâtre intime qui vient exprimer une vieille tristesse, un conflit non résolu, ou encore une blessure psychique qui n'est pas guérie. Cette mise en scène a l'avantage de *donner à voir* à la personne ce qui l'affecte et à quoi elle n'a pas su porter suffisamment d'attention. Nos états intérieurs possèdent ainsi une sorte de pouvoir attractif. Ils attirent les circonstances qui leur permettront de se manifester pour que nous puissions les observer et nous en délivrer.

Lorsque je contemple ma propre histoire, j'y lis, certes, l'influence de mes parents et de leurs propres difficultés. Toutefois, je vois aussi la mise en scène qu'ils m'ont permis de faire de mes propres enjeux. Tous ces moments où je n'ai pas osé faire des choix différents, des choix qui m'auraient affranchi du passé, défilent devant mes yeux, et mes parents n'ont rien à voir là-dedans. Certes, une trace vivante était présente en moi. Elle empêchait des choix justes. D'une certaine façon, cette trace m'a obligé à devenir moi-même malgré moi. John Lennon, des Beatles, a dit que « la vie est ce qui nous arrive pendant que l'on est occupé à faire d'autres plans ». Pendant que l'on fait autre chose, une vie se vit, un destin se compose, une partition s'écrit. Les enjeux s'éclaircissent et l'on peut réajuster le tir tant que la capacité nous en est donnée. De toute façon, à partir d'une perspective agrandie, ce n'est pas si grave : notre voyage est éternel et le temps n'est pas compté.

L'ÉNERGÉTIQUE PSYCHIQUE

La chimiothérapie permet de combattre la dégénérescence des cellules. La psychothérapie facilite la compréhension des causes plus subtiles d'un déséquilibre. Toutefois, ni l'une ni l'autre intervention ne permet de créer le nouveau style de vie dont nous avons besoin pour retrouver la santé. Nous allons donc aborder une partie très importante de ce livre : l'aspect énergétique proprement dit. Je le place d'emblée à l'enseigne de la création, car, ici, il s'agit de participer directement à l'effort de guérison ou d'autorégulation en stimulant en soi des états expansifs. En effet, le but de ce livre est de vous encourager à participer pleinement à votre chemin de guérison en agissant sur votre taux d'énergie.

Carl Gustav Jung, le premier, s'est attaché à jeter les bases d'une psychologie fondée sur l'énergie en parlant de l'*énergétique psychique*, un thème auquel il a consacré un livre entier[19]. Le mot « énergétique », employé habituellement comme un adjectif, signifie « relatif à l'énergie, aux différentes sources d'énergie et à la mesure de cette énergie ». L'énergie psychique dont Jung parle équivaut au terme de *libido* chez Freud tout en dépassant la seule dimension sexuelle. Cette énergie est celle de nos désirs, de nos fantasmes, de nos volontés, de nos idéaux et de nos complexes. Il est important de se concevoir comme un ensemble énergétique, car cela permet de comprendre comment des types d'exercices comme la méditation ou la visualisation peuvent favoriser la santé personnelle.

Pour se rendre compte de la présence et de l'efficacité de l'énergie psychique, il suffit de penser à soi lorsque l'on est sous le coup d'une émotion intense, la colère par exemple. Un événement ou une parole nous touche et nous voici submergés par l'émotion. Cette submersion émotionnelle est le signe qu'un complexe s'est activé en nous et qu'il décharge son énergie. Car

---

19. Carl Gustav Jung, *L'énergétique psychique*, 5ᵉ édition, Paris, Georg éditeur, Le Livre de poche, 1993.

les complexes sont des centres d'énergie vitale qui contiennent notre potentiel énergétique. Nous pouvions être fatigués cinq minutes plus tôt, maintenant que la colère nous envahit de l'intérieur, nous ne le sommes plus et nous aurions même de la difficulté à dormir.

Pour le psychiatre suisse, le flux énergétique qui circule en nous découle d'une paire d'opposés qui créent une tension dans l'être : la nature d'un côté, l'esprit de l'autre. Par son observation du monde primitif, Jung conclut en effet qu'une force s'oppose à l'énergie de l'instinct et tend à la transformer ou à la détourner, il s'agit de la puissance de l'esprit. Nous retrouvons ces idées principalement à travers les mythologies religieuses. Un concept comme celui du *salut* chez les chrétiens, ou celui de la *libération* chez les bouddhistes, invite à une action directe sur le monde instinctuel et s'y oppose parfois.

La spiritualité entrevoit l'être comme une entité spirituelle, c'est-à-dire *une âme dotée d'un esprit qui a pris corps,* qui s'est incarnée si vous préférez. L'âme correspond au cœur, à l'amour. Elle nous anime. Elle nous meut. Elle représente l'énergie fondamentale de l'univers et elle nous met en relation subtile avec celui-ci. Grâce à l'âme, nous avons parfois l'impression de pouvoir communiquer avec les arbres ou avec les étoiles. Nous avons alors le sentiment d'être en communion avec le monde. L'esprit, de son côté, nous permet d'être conscients et de devenir témoins de notre existence. Ses lumières orientent nos pensées et nos actions. Les hindous disent que son siège se situe au milieu du front, à un endroit qu'ils appellent le troisième œil. Le ventre, lui, accueille la pulsion de vie, la volonté de s'incarner. Il s'associe aux pulsions sexuelles et créatrices qui enracinent l'énergie de l'âme et la lumière de l'esprit au centre du corps. Le corps devient ainsi le véhicule de chair du duo âme-esprit. Il permet de s'exprimer dans la matière et le résultat en est la joie d'exister.

Pour moi, l'aspect le plus précieux de ce pôle spirituel réside dans le fait qu'il invite une personne à dépasser ses motifs égocentriques pour cultiver des états d'expansion comme l'amour, la compassion, la paix, la joie. Ces états expansifs sont de plus en plus reconnus par la science comme favorisant la santé. Or, ils sont difficiles à enraciner en nous parce que, paradoxalement, nous les appelons et nous nous en défendons en même temps. Ces états d'ouverture nous font peur car nous craignons d'y perdre notre identité. Notre personnalité, notre personnage, connaît en effet les blessures et la peur et fait en sorte que nous restions fermés sur nous-mêmes pour nous protéger. Ces mesures de protection finissent cependant par nous étouffer. Il y a ainsi une lutte constante en nous entre la partie de nous qui veut le meilleur et celle qui reste close sur elle-même parce que cela la rassure.

Dans ses écrits, le psychiatre suisse associe l'énergie psychique à une discussion générale sur la nature de l'énergie qui anime l'univers. Il existe une formule algébrique, $e=mc^2$, pour décrire cette force, mais nous ne savons pas exactement ce qu'est l'énergie. Nous ne pouvons que constater la réalité de son existence à travers ses effets. Une force existe qui se meut, qui se transforme, qui travaille et qui crée. En montrant que les complexes agissent essentiellement comme des valeurs énergétiques, Jung a lié la psychologie au champ général de la physique, nous offrant ainsi un pont avec le monde moderne. D'ailleurs, ces idées lui sont venues en discutant avec des physiciens comme Albert Einstein et Wolfgang Pauli, tous les deux Prix Nobel.

LES CHAMPS D'ÉNERGIE

Depuis Jung, la pratique énergétique comme telle s'est largement affranchie de la psychologie. Si le monde psychologique se lit en termes de complexes, d'inconscient et de libido, l'univers énergétique se conjugue avec des mots comme ondes, fréquences et vibrations[20]. Par exemple, notre Terre est entourée d'une atmosphère qui se compose de différentes couches qui vont de la troposphère à l'exosphère en passant par la stratosphère. De même, notre corps physique est entouré de corps subtils qui, au lieu d'être composés de cellules organiques, sont composés de cellules photoélectriques assurant un contact plus fin avec les autres humains et avec les règnes animal et végétal. Le plus important est de se rendre compte que ces enveloppes corporelles constituent autant de champs électromagnétiques. Ces derniers agissent comme nos antennes de communication avec le monde et ils nous mettent en interrelation avec des phénomènes qui reflètent ce qui se passe en nous, que cela soit conscient ou non.

La médecine ayurvédique, la plus ancienne médecine connue, traite depuis fort longtemps ces différents corps énergétiques, et elle les décrit. D'ailleurs, la racine *ayur* signifie *élan vital*, et *véda* signifie *connaissance*. Cette médecine se base donc sur une connaissance de l'élan vital[21]. Les hindous appellent *auras* ces enveloppes de plus en plus larges et fines qui entourent le corps physique. Ils distinguent d'abord le *corps éthérique*, pratiquement collé au corps physique et qui en est le double au niveau plus subtil. Vient ensuite le *corps émotionnel* dans lequel

---

20. J'ai consacré un chapitre entier à ces questions dans *Le meilleur de soi, op. cit.*, p. 147.
21. Deepak Chopra, *Santé parfaite. Guérir, rajeunir et vivre heureux avec la médecine indienne*, Paris, J'ai lu, 2005, p. 7.

circulent les émotions et les sensations qui affectent la personne. Puis il y a le *corps mental* où se meuvent les pensées, les inspirations, les intuitions. Il existe encore d'autres couches de plus en plus subtiles et de plus en plus étendues qui vont jusqu'au *corps atmique*, siège de l'*atman*, qui est l'âme dans la littérature védique. Ce dernier corps nous relie à notre dimension universelle que d'autres traditions appellent le « Je suis véritable » et que Jung a approché à sa façon en la nommant le *soi*, terme qu'il a d'ailleurs emprunté à la littérature hindoue.

Notre premier mode de communication est énergétique. Ce sont nos vibrations qui s'inscrivent initialement dans notre environnement à travers nos corps subtils. C'est l'ambiance d'un être, ce qui émane de lui, ses ondes, que nous saisissons tout d'abord. C'est aussi ce que les autres saisissent de nous. De même, lorsque nous entrons dans une pièce, nous en percevons avant tout l'atmosphère avec nos canaux affinés de perception. Ces canaux de perception subtile se développent facilement. Il suffit souvent de prendre la peine d'y être attentif. En entrant dans un lieu, par exemple, on peut volontairement porter attention à ce qui se dégage de son atmosphère en observant les impressions, les sensations, les sentiments et peut-être même les images qui nous traversent.

De même, en prenant contact avec quelqu'un, nous pouvons nous demander ce qui résonne en nous.

« Quelle réaction cette personne stimule-t-elle en moi ? » constitue le genre de questions à se poser. L'atmosphère intérieure que quelqu'un fait naître en nous parle en partie de ce qui se passe à l'intérieur de cet être et de ce qui en émane à travers ses champs magnétiques. Bien entendu, ce que nous éprouvons d'une personne à travers ce qui se dégage d'elle ne constitue pas une perception objective de l'autre. Toutefois, à travers le pont de communication que les ondes créent, nous pouvons sentir ce qui vibre chez l'autre en étant attentifs à ce qui vibre en nous.

Une telle façon d'aborder les choses renverse pour sûr notre vision habituelle, car pour nous, tout se résume au corps physique, le seul que nous puissions voir. Dans les faits, personne n'a jamais pu voir une émotion ou une sensation. Pourtant, nous en constatons sans cesse les effets sur nos attitudes et nos comportements. De même, l'état psychique d'un individu agit sur son entourage. Si vous êtes triste ou en contact avec une personne dépressive, cela changera votre état et celui des autres. Or, comme je l'ai dit auparavant, nos états psychiques sont pratiquement les seuls éléments sur lesquels nous pouvons exercer un certain pouvoir et ainsi influencer notre destin, car ils agissent comme des aimants dont les vibrations attirent des personnes et des situations.

Lorsque vous êtes contracté, aux prises avec vos blessures et vos peurs, soumis à votre personnage, éprouvant une tristesse qui déborde de vous, les gens n'ont pas le goût de vous approcher. Ils éprouvent de la bienveillance, et certains tenteront de briser votre bulle de chagrin par compassion. Mais personne n'en a vraiment envie, sauf ceux qui s'identifient à vous parce qu'ils éprouvent, de façon cachée ou apparente, une peine similaire à la vôtre. Si, par ailleurs, quittant votre bulle de mélancolie, vous faites l'effort de vous mettre en contact avec les aspects lumineux de votre être, et que vous vibrez de joie en mettant un sourire dans votre cœur et sur votre visage, les autres vous souriront en retour et auront le goût de s'approcher.

Nous tendons à nous lier à ceux qui irradient le bonheur et l'amour. Nous allons nourrir et stimuler auprès d'eux notre propre flamme de vie. Le choix de nos états d'âme ne change pas seulement notre humeur intérieure, il transforme aussi notre parcours de vie. À l'évidence, je ne parle pas d'une simple opération cosmétique qui consiste à camoufler ses larmes derrière un sourire. Bien sûr, cela produira quelque chose de positif, et des gens vous souriront. Toutefois, le reste des questions non réglées continuera de vibrer en vous et d'émaner de vous vers l'extérieur, attirant des êtres et des situations qui risquent d'être douloureuses ; celles-ci ont toutefois de bonnes chances de permettre un dégagement, à la longue.

À l'inverse, si vous prenez la peine, dans un premier temps, d'essayer de comprendre vos états intérieurs et si, dans un second temps, vous tentez de les transformer en vous identifiant à la partie lumineuse de votre être, vous avez de bonnes chances d'augmenter la force de votre champ magnétique. Autrement dit, la fusion avec le personnage contracté produit un état intérieur qui n'est pas attirant pour les autres. Il affaiblit votre champ d'attraction. Il vous déracine. La communion avec le meilleur de vous-même, avec vos aspects plus légers et joyeux, renforce au contraire votre champ magnétique. Les personnes les plus attirantes sont celles qui ont réglé leurs problèmes pour cultiver librement des états d'amour et de joie.

Plus vous goûtez à votre capacité de produire des états expansifs de joie, de paix et d'amour, plus vous appréciez ces états porteurs d'harmonie et d'inspiration. De toute façon, il ne sert pratiquement à rien de discuter de tout cela. Je vous invite plutôt à en faire l'expérience par vous-même. Identifiez-vous à la partie lumineuse de votre être, à l'être d'amour, enracinez-vous dans cette vibration et devenez le témoin de ce que cela attire dans votre vie. Un autre moyen très efficace de renforcer votre champ vibratoire consiste à projeter autour de vous des rayons de conscience et d'amour pour veiller tant sur le bien-être de vos proches que sur les gens en difficulté que vous croisez. La méditation et la contemplation pacifient également votre champ d'énergie et le renforcent. Comme je l'expliquerai plus loin, les états que ces pratiques engendrent en nous stimulent les mécanismes d'autorégulation.

MON AMI PIERRE

Je veux maintenant vous présenter quelqu'un de très important pour moi et qui a favorisé amplement mon retour à la santé. J'ai appris auprès de lui bon nombre des exercices que je vais décrire dans les prochains chapitres. Il s'agit de Pierre Lessard. Pierre est un enseignant spirituel qui agit souvent en état de transe médiumnique[22]. Même si j'ai vu Pierre des dizaines de fois en état second, ce n'est pas le mode de transmission qui m'importe mais la qualité du message et surtout sa force de résonance en moi.

J'ai rencontré Pierre Lessard au printemps 1995. J'avais pris rendez-vous avec lui sur les conseils insistants d'un ami.

« Écoute, j'ai rencontré quelqu'un qui a une énergie si belle et si pure, j'aurais pu la déguster, me dit ce dernier.

– Je n'ai jamais pris rendez-vous avec un médium.

– Tu devrais y aller. Je crois qu'il pourrait te dire des choses sur ton intestin. »

---

22. Dans l'avant-propos d'un livre intitulé *Le Maître en soi*, Pierre Lessard relate le périple qui l'a amené à canaliser le Maître Saint-Germain. Voir Pierre Lessard et France Gauthier, *Le Maître en soi*, Montréal, Éditions La Semaine, 2006.

Deux semaines plus tard, je me retrouve en face d'un individu de belle stature et d'une grande gentillesse. Il m'explique ce que nous allons faire : « Je vais entrer en transe et l'entretien durera pendant une bonne heure.

— Je pourrai poser des questions personnelles ?

— Tout à fait. À un point donné les énergies diront : "On vous écoute". Et à ce moment-là, on peut poser des questions. Le tout sera enregistré et tu pourras partir avec la cassette. »

Nous allons nous asseoir simplement par terre sur des coussins qui balisent l'espace des rencontres. La pièce est jolie, sans prétention, et il y règne une douce pénombre en cette chaude journée. N'étant pas mêlé au monde de la psychologie, Pierre Lessard a seulement une très vague idée de qui je suis.

Dès qu'il est en contact avec les énergies qui l'inspirent et qui se présentent sous le nom de Saint-Germain, celles-ci me disent : « Enseignez n'importe quoi, mais enseignez ! » Cela me fait sourire. Je me reconnais immédiatement dans ces paroles, car je sais combien je deviens vivant en donnant des conférences ou en écrivant. D'ailleurs, je viens tout juste de fermer mon cabinet de consultation individuelle pour me consacrer aux conférences et aux séminaires ainsi qu'aux chroniques radiophoniques et télévisées. Cela me met en confiance.

Je ressens un tel respect de l'être et de la vie de la part des énergies qui me parlent que je ressors de cet entretien profondément apaisé, conscient des écueils que j'ai à affronter mais confiant dans mes ressources. Ces énergies ne semblent avoir aucune propension à nous faire éviter les pièges inévitables d'une vie, en choisissant à notre place, par exemple. Au contraire, elles cherchent plutôt à les éclairer de façon telle qu'une possibilité de choix se dégage. J'y sens une réelle invitation à l'autonomie et un respect sans compromis de la liberté de chaque individu par rapport à une destinée qui, loin d'être tracée à l'avance, se décide à tout moment[23].

On m'explique aussi que je suis le créateur de mes bonheurs comme de mes malheurs beaucoup plus qu'il n'y paraît, que j'en sois conscient ou non. Cela me plaît énormément, car j'ai une sainte horreur des prises d'autorité d'un être sur un autre. En formant des thérapeutes au sein de l'Association des psychanalystes jungiens du Québec, je n'ai d'ailleurs pas cessé de veiller sur ce point, trop conscient que là où il y a un effort de compassion se profile nécessairement son ombre, le pouvoir. L'idée d'un destin qui serait prédictible va contre mes convictions les plus intimes.

À la fin de l'entretien, nous avons quelques minutes pour faire connaissance et c'est le début d'une amitié qui dure encore aujourd'hui. Je découvre au fil du temps que cet homme a de l'inspiration, de l'énergie et du savoir-faire à plusieurs niveaux. C'est ainsi qu'il devient l'un de mes principaux collaborateurs au sein des Productions Cœur.com, une compagnie que j'ai fondée en 1997. Elle réunit une quarantaine d'artistes et de thérapeutes répartis entre l'Europe francophone et le Québec. Pierre y agit à titre d'organisateur des voyages thématiques, de concepteur et d'animateur d'ateliers.

Après quelques années, il se met à partager la tâche d'enseignement avec moi, couvrant l'aspect énergétique alors que je couvre l'aspect psychologique. Tout ce travail se fait à la condition expresse que les transes médiumniques ne fassent pas partie du décor de mes séminaires. Non que je n'aie pas confiance dans l'intégrité de Pierre, mais je ne veux pas nuire à Cœur.com qui œuvre auprès d'un large public. Je ne trouve pas souhaitable

23. Il s'agit là du thème central d'un livre récent de Pierre Lessard : Pierre Lessard et France Gauthier, *Tout se joue à chaque instant. Entretiens avec le Maître Saint-Germain*, Montréal, Éditions La Semaine, 2010.

que cette organisation soit confrontée aux réactions de peur, de fascination ou d'incompréhension que la médiumnité suscite encore de nos jours.

Ces dix ans à se côtoyer dans l'action tissent des liens solides entre Pierre et moi, et celui-ci a un autre projet en tête. Comme je l'ai mentionné plus tôt, j'habite en grande partie à la campagne. Il s'agit d'un bout de forêt que nous avons acheté entre amis pour y établir un lieu de vie. À flanc d'un cap d'arbres et de roches, nous avons fait construire une route d'un kilomètre et fait ériger quelques résidences. Notre but est de vivre avec des gens qui partagent le même goût pour la méditation et la *spiritualité*, si l'on peut entendre ce terme d'une façon ouverte, c'est-à-dire *non religieuse* et *non dogmatique*. En y commençant la construction d'une maison à l'automne 2006, je ne sais toutefois pas que ce lieu deviendra un atout majeur dans mon retour à la santé, tant par la nature qui l'entoure que par la présence de la cellule de vie qui l'habite. En effet, si je peux donner du sens à ce qui m'arrive, je le dois beaucoup au travail qui se fait ici vers l'autonomie réelle et dans la solidarité des uns avec les autres. En effet, plusieurs personnes de ce petit hameau m'ont été d'un secours réel à travers l'épreuve.

L'idée de cette cellule de vie tire son origine d'un rêve de Pierre : créer un lieu qui agirait pour ses hôtes comme une sorte d'école initiatique, c'est-à-dire un endroit où nous trouverions l'accompagnement nécessaire pour initier un véritable chemin vers la maîtrise de soi. Cette notion de maîtrise peut s'entendre comme un dévoilement de l'être profond, joyeux et lumineux au-delà des voiles du personnage auquel nous nous identifions d'ordinaire.

Alors, de la même façon qu'il a dit oui à Cœur.com dix années plus tôt et qu'il m'a accompagné depuis lors fidèlement, j'acquiesce à mon tour à son projet. Avec la création de ce lieu, en 2006, je m'offre ce que j'ai voulu trouver en Inde, à l'ashram d'Aurobindo, et en Suisse, à l'Institut Carl Gustav Jung. Je retrouve aussi ce que j'ai connu au fil d'une bonne dizaine d'années de thérapie personnelle : le plaisir et, ma foi, le tourment d'être guidé et accompagné dans un travail sur soi au quotidien.

Non seulement je reconnais la nécessité d'un tel labeur dans ma vie, mais je le vois comme un privilège. Tant d'existences se vivent sans qu'une possibilité de transformation consciente ne se présente, je ne veux pas passer à côté de cette opportunité. Par le travail psychospirituel qu'elle propose, cette école particulière nous initie aux aspects lumineux de nos êtres autrement plus négligés et ignorés que les aspects sombres auxquels la psychanalyse m'a habitué.

UN SECOND APARTÉ

Un mot de prévention est nécessaire par rapport à un sujet aussi délicat et sensible que la médiumnité. Je ne me sens nul besoin de justifier une telle pratique ou même de vous inciter à fréquenter des médiums. Je vous décourage même de courir de l'un à l'autre à la recherche de nouvelles sensations spirituelles. Il s'agit là d'une sorte de tourisme qui nuit à l'engagement profond dans son propre processus de transformation.

En ce qui me concerne, je dirais que la vie a mis sur mon chemin de guérison quelques êtres d'une grande intégrité. Je me suis ouvert à leur message nonobstant leur mode de transmission, car, comme je l'ai dit précédemment, un premier passage près de la mort, en 1989, a déclenché en moi des phénomènes tels que j'ai mis dix bonnes années à me les expliquer[24]. Lorsqu'on se retrouve en dehors de son corps à quelques reprises et que l'on revient à la santé à un rythme qui stupéfait les médecins, l'expérience est à la fois malaisée à nier et difficile à intégrer. En tout cas, elle a sûrement contribué à mon acceptation de modes d'enseignement moins habituels. D'ailleurs, pour chacun de nous, cela fait partie du chemin vers la guérison authentique que de s'ouvrir à d'autres types de connaissances.

Je suis cependant un consommateur averti, si l'on peut dire. Lors de mes études à l'Institut Jung, j'ai lu les récits des cérémonies décrites par des anthropologues et des historiens des religions comme Claude Lévi-Strauss ou Mircea Eliade. Cela m'a informé de ces possibilités de l'être humain puisque leurs écrits sont truffés de descriptions de rituels guérisseurs qui mettent à profit un *medecine man* en transe. Jung lui-même a consacré sa thèse de doctorat en psychiatrie à l'étude de sa cousine qui avait des talents médiumniques. Il essayait de comprendre ce qui se passait chez elle. Son étude aboutit à la théorie des *complexes*, universellement reconnue en psychologie. Elle lui fournit également les bases de sa conception des archétypes de l'inconscient collectif. J'avais donc des idées sur la réalité psychologique que peut représenter la canalisation.

De plus, plusieurs techniques modernes de psychothérapie utilisent des états seconds comme moyens d'autorégulation. Je pense par exemple à l'*hypnose ericksonienne* issue de la pratique du psychothérapeute Milton Erickson. Un article de Wikipédia résume ainsi sa pensée :

---

24. Je relate ce passage en détail dans l'avant-propos de mon livre *La guérison du cœur*, *op. cit.*

« *L'inconscient est profondément bon et puissant. Il se révèle une puissance bienveillante avec laquelle l'état hypnotique doit permettre de coopérer. L'inconscient est capable de mobiliser des ressources intérieures, des potentialités susceptibles de conduire aux changements désirés. L'hypnose ericksonienne a pour but d'amener conscient et inconscient à travailler ensemble pour déclencher les changements utiles à la résolution du problème[25].* »

Nous pouvons citer également la technique du Eye Movement Desensitization and Reprocessing (EMDR), qui utilise le mouvement alterné des yeux du patient pour induire un état second. Ce type d'intervention à visée psychothérapeutique, mis au point par la psychologue Francine Shapiro en 1987, permet une désensibilisation et un retraitement de l'information enregistrée lors d'un traumatisme[26].

Il y a également la *respiration holotropique* développée par le psychiatre Stanislav Grof. Celui-ci utilise le travail du souffle et la musique rythmée pour modifier l'état de conscience du patient et faire surgir des images enfouies au plus profond de l'inconscient. Selon lui, en état de conscience modifiée, les défenses mentales sont neutralisées et la psyché en profite alors pour entrer dans un processus d'autoguérison.

Or, certaines personnes ont accès à volonté à ces états de conscience modifiée, et elles peuvent aider les autres à se guérir en utilisant leurs pouvoirs de vision et de compréhension. On les appelle des médiums. Ces derniers agissent littéralement à titre de canaux de transmission des énergies universelles. Ces

---

25. Source : Wikipédia, *Hypnose ericksonienne*, article en ligne.
26. Dans son livre, *Guérir le stress, l'anxiété et la dépression sans médicaments ni psychanalyse*, Paris, Éditions Robert Laffont, Coll. Réponses, 2003, David Servan-Schreiber consacre un chapitre entier à cette technique.

types de transmission sont d'ailleurs à la source des grands cultes religieux. Que l'on pense par exemple aux Tables de la Loi que Moïse a reçues directement de Dieu sur le mont Sinaï, à l'ange qui a visité la Vierge Marie pour lui annoncer qu'elle allait enfanter du Messie ou encore aux médiums tibétains qui déterminent le prochain dalaï-lama. Dans chaque cas, je crois que l'on fait référence à de hautes inspirations reçues en état de transe.

Il ne faut cependant pas être naïf. Il faut fuir à toutes jambes quiconque vous demande d'aliéner votre autonomie indivi-duelle — et une bonne partie de votre porte-monnaie ! — au profit d'un groupe ou d'une croyance quelconque. Il faut savoir résister à la fascination exercée par certains guides. Ils attirent la projection du soi profond et c'est pour cette raison qu'ils ont ce pouvoir. Dites-vous que la canalisation ne revêt pas d'impor-tance particulière en soi. Tant mieux si elle permet un message plus vibrant. Mais ce n'est pas toujours le cas. La personnalité d'un médium qui n'a pas suffisamment travaillé psychologique-ment sur lui-même se mêle souvent au message. Ce médium utilise alors son magnétisme à des fins égocentriques.

Encore une fois, ce qui compte est la qualité de l'enseigne-ment et la résonance qu'il a en vous. Ce que l'on vous dit vous parle-t-il réellement ? Y retrouvez-vous des éléments que vous ressentiez déjà ? Les propositions d'exercices vous aident-elles à progresser intérieurement ? Les réflexions que vous entendez respectent-elles les autres approches et les êtres humains en général, ou s'affichent-elles comme la voie unique du salut ? Les réponses à ces questions sont très importantes. Si vous vous trouvez devant un enseignement dogmatique qui vous fait tiquer, vous n'êtes sans doute pas à la bonne place. Encore moins si votre groupe est mené par un gourou paranoïaque qui se dit en contact direct avec Dieu et qui affirme que la fin du monde s'en vient ou que lui seul a le pouvoir de vous guider hors de ce marasme.

Dites-vous bien qu'aucune pratique et aucun enseignement n'ont d'effet magique. Ce n'est pas parce qu'on les utilise que l'on va se sauver de quoi que ce soit. En dernière analyse, tout repose sur le degré de votre engagement envers vous-même et votre processus d'évolution. Votre capacité de générer l'intensité nécessaire à la stimulation de vos propres processus d'autorégulation fera la différence.

Tout maître, tout médium ou tout psychothérapeute qui ne soutient pas activement l'autonomie de l'être dans son enseignement me semble tenir une position fallacieuse parce qu'il encourage la dépendance. Les formes de fascination doivent être dépassées. On doit apprendre à compter de plus en plus sur ses propres forces; on se rend alors compte que l'on a plus de maîtrise que l'on croyait sur ses processus internes. L'inspiration du médium doit vous servir de guide pour éveiller vos propres capacités de création. Rappelez-vous qu'il ne s'agit pas d'être disciple de quelqu'un, il s'agit de *devenir maître et disciple de soi-même*. Un enseignement authentique mène à cela et nulle part ailleurs.

Ces mises en garde étant faites, je peux dire que le travail énergétique a apporté de grands changements dans ma vie, et il en apporte encore. Ces changements m'amènent de plus à m'engager dans un processus d'ouverture psychologique et spirituelle. Dans les chapitres qui suivent, je mentionne plusieurs exercices que j'ai appris auprès de Pierre. La structure de ces exercices lui appartient. La seule chose qui me revient est la façon dont je les ai vécus, ressentis et interprétés. On peut trouver leur version intégrale dans un livre intitulé *Manifester ses pouvoirs spirituels*[27]. En cours de route, je renvoie également à d'autres ouvrages qui font état d'exercices similaires si jamais vous n'étiez pas à l'aise avec ce mode d'enseignement. Maintenant, revenons à notre récit.

---

27. Pierre Lessard, Maître Saint-Germain, *Manifester ses pouvoirs spirituels. Vivre en équilibre dans un monde en mutation*, tome premier, Montréal, Éditions Ariane, 2009.

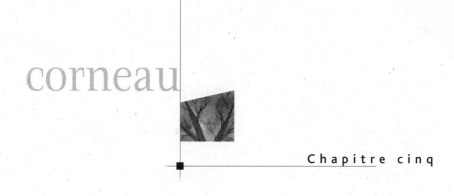

Chapitre cinq

Un pont vers la lumière

LE DIALOGUE AVEC LES CELLULES

Juillet. Depuis le départ, Pierre est troublé par ma maladie. Il m'a téléphoné chaque jour durant les premières semaines. Maintenant, il m'offre des soins énergétiques chaque fois que je me retrouve à la campagne. La procédure dure de 20 à 30 minutes. Je m'étends devant lui qui est assis en tailleur et, pendant que je me détends le plus possible, il entre dans un état méditatif. Il se concentre sur les enveloppes subtiles de mon corps, celles qui concernent la pensée et les émotions, pour les harmoniser et les redynamiser, principalement en faisant circuler de l'énergie à travers ses mains, utilisant une procédure pouvant ressembler à la technique du *reiki*. L'opération se déroule en silence.

En effet, comme je viens de l'expliquer, bien que nous conceptualisions les états d'âme et les pensées comme présents à l'intérieur du corps physique, il est intéressant de renverser la et de les voir comme des enveloppes subtiles, remplies d'énergie, qui se déploient autour de notre corps physique. Ainsi la maladie d'un individu donné témoigne-t-elle de ce qui le contraint au niveau émotionnel, intellectuel et spirituel. Les nœuds de ces différents corps se matérialisent pour ainsi dire sur le plan physique, ils s'y cristallisent. Pour cette raison, on peut agir au niveau subtil afin de favoriser un dénouement à un niveau concret. Un intervenant se met dans un état d'harmonie pour aider un être dont le système énergétique est déséquilibré. C'est l'essence du travail énergétique.

En promenant ses mains remplies d'énergie à travers mes différentes couches corporelles, Pierre les éveille et les invite à se rééquilibrer. Un tel soin repose pour beaucoup sur la qualité de l'état intérieur et sur la présence bienveillante de celui ou celle qui le donne. Un jour, Pierre offre de m'apprendre un processus de dialogue avec mes cellules que je pourrai utiliser par moi-même. Cela m'intéresse d'autant plus que j'acquiers ainsi plus d'autonomie. La procédure commence comme d'habitude. Étendu devant lui, j'entre dans une détente profonde, ensuite il me guide lentement pendant une bonne demi-heure.

Étape 1 : Tout d'abord, porte ton attention au niveau du cœur, puis, à partir de là, convoque la cellule maîtresse de ton corps, me dit-il. Imagine ce noyau d'énergie pure de forme carrée (en effet, si on observe une goutte de sang au microscope électronique, il est étonnant de voir que les globules ne sont pas toujours ronds, par exemple les globules blancs et les plaquettes sont de forme carrée). Invite maintenant cette cellule maîtresse à rejoindre l'un des organes atteints.

Étape 2 : *Approche-toi du site de l'estomac. Mets-toi à l'écoute de ce que les cellules cancéreuses ont à te dire. Laisse venir tout ce qui vient, qu'il s'agisse de pensées, de souvenirs ou d'émotions. Remercie maintenant les cellules dégénérées et dis-leur que leur mandat est terminé puisque tu as entendu le message de la maladie. Dis-leur qu'elles peuvent mourir.*

Étape 3 : *Par la suite, invite la cellule maîtresse à convoquer les cellules souches de l'estomac et demande-leur de fabriquer de nouvelles cellules à profusion. Imagines-en une quantité telle qu'elles commencent à se frotter entre elles, produisant chaleur et lumière. Visualise ainsi ton organe de plus en plus joyeux et lumineux. Imagine-le dansant et vibrant de la santé retrouvée. Dirige-toi maintenant vers ta rate... Et ainsi de suite jusqu'à ce que tu aies visité les trois organes atteints.*

Étape 4 : *Pour finir, ressens tout ton être en parfaite santé et repose-toi dans une telle vision.*

Voici la procédure de dialogue avec les cellules que me transmet Pierre ce soir-là. Vous pourrez trouver sur mon site Internet une version audio de l'exercice. J'y guide une à une toutes les étapes en duo avec Pierre Lessard[28]. Dans la visualisation qu'il me propose, la partie qui m'impressionne particulièrement est celle où, après avoir écouté mes cellules en difficulté, je leur dis qu'elles peuvent mourir puisque j'ai entendu le message de l'âme à travers elles. Une telle attitude cadre on

---

28. Site : www.guycorneau.com

ne peut mieux avec la compréhension de l'intelligence de notre organisme. Les cellules dégénérées y ont pour rôle de traduire les messages du soi profond qui éprouve des difficultés à se manifester. Elles deviennent ainsi des mandataires de la perfection même de la vie. L'injonction qui les invite à mourir prend tout son sens lorsqu'on sait que le problème des cellules cancéreuses vient du fait qu'elles refusent de mourir alors que la vie d'une cellule ne dure normalement que 110 jours.

L'idée de dialoguer avec vos cellules vous semble peut-être bizarre. Quant à moi, l'idée de parler avec elles ne m'était jamais venue et ne me serait jamais venue par moi-même. J'en avais une connaissance livresque à travers le yoga de Sri Aurobindo, un sage indien, et de sa compagne mystique, Mère, qui, dans ses journaux personnels, parle de son travail constant avec les cellules pour inviter à leur transformation. Mère s'adresse ainsi au mental de chaque cellule pour éveiller son entendement. Elle affirme même que les cellules lui semblent très dociles[29].

Dans la même veine, un autre élément qui m'interpelle dans la procédure du dialogue avec les cellules réside dans le recours aux cellules souches. Sur le plan scientifique, elles apparaissent de plus en plus comme porteuses des plus grands espoirs. Le neurophysiologiste Christian Drapeau décrit leur rôle dans un ouvrage de vulgarisation scientifique intitulé *Le pouvoir insoupçonné des cellules souches*. Il y explique comment elles constituent le système naturel de régénération du corps humain. Dans un chapitre où il décrit les meilleurs moyens de soutenir l'action des cellules souches, il parle de l'exercice physique, de l'alimentation et de la visualisation :

---

29. Mère Satprem, *Le matérialisme divin*, Paris, Éditions Robert Laffont, 1999.

« Il serait dès lors possible, grâce à la visualisation, de stimuler les terminaisons nerveuses de certaines zones du corps, lesquelles favoriseraient du coup la migration des cellules souches vers les tissus ayant besoin de réparation[30]. »

Pour ma part, je reçois la suggestion de Pierre avec gratitude et je me mets au dialogue avec mes cellules une fois par jour, une vingtaine de minutes chaque fois, souvent l'après-midi. Mon avantage, si l'on peut parler ainsi, est que l'urgence de ma situation fait en sorte que je n'ai plus le luxe de « chipoter dans mon assiette » par rapport à ce que l'on me propose. Chipoter dans son assiette est une expression qu'aimait employer l'auteur Christiane Singer, elle-même morte du cancer il y a quelques années[31]. Elle signifie rechigner sur tout, s'arrêter à des détails. Je n'ai plus ce genre de loisir. Je suis attentif à tout ce que la vie met sur mon chemin en termes de santé.

J'ai introduit moi-même quelques personnes à l'utilisation de cette technique pour découvrir que certaines ont une sorte de talent inné pour de tels exercices. Elles possèdent un pouvoir imaginatif hors du commun. En arrivant au moment où il s'agit de créer de nouvelles cellules dansantes, l'une d'elles voyait des armées de danseurs se déchaîner sur la piste et même se déplacer vers d'autres parties de son corps en difficulté pour les faire entrer dans le mouvement. À chaque fois, ses images changeaient de façon étonnante. Pas de doute, la vie était bel et bien là.

---

30. Christian Drapeau, *Le pouvoir insoupçonné des cellules souches*, Montréal, Les Éditions de l'Homme, 2010, P. 174
31. Christiane Singer a laissé derrière elle un bouleversant journal de bord de sa descente dans l'abîme. Sa joie et son amour de la vie y triomphent. Christiane Singer, *Derniers fragments d'un long voyage*, Paris, Albin Michel, 2007.

LA REPROGRAMMATION DES CELLULES

Pourquoi s'attarder à de telles procédures ? Parce qu'elles permettent de réveiller les processus d'autorégulation, d'autoconservation et de régénérescence de chaque organe en lui offrant une nouvelle direction. Je m'explique. Une cellule cancéreuse est une cellule qui souffre d'une dysfonction par rapport au programme central qui en gère la production. Cependant, elle n'est pas simplement « folle », même si elle a perdu sa direction originelle. Elle est déprogrammée par rapport à l'influx de base, mais un autre programme la gère. Elle est restée intelligente. Elle continue à s'organiser et à se nourrir. Elle produit de la masse ou creuse des tissus. Les traitements chimiques servent à détrôner cette reprogrammation erronée par rapport à un programme qui cherche l'équilibre.

Une question se pose cependant : qu'est-ce qui va « reprogrammer » les nouvelles cellules ? Qu'est-ce qui va leur donner sens et direction ? L'imagination. La chimio sert à abattre le programme déficient. La visualisation sert à reprogrammer les nouvelles cellules pour la santé.

C'est d'ailleurs là l'essentiel de la découverte du Dr Carl Simonton qui a fondé l'institut qui porte son nom, le Simonton Cancer Center, aux États-Unis. Dans le milieu scientifique, ce cancérologue américain de renommée internationale est reconnu comme ayant conçu et popularisé, au début des années 1970, des techniques de *visualisation créative* à des fins thérapeutiques. Son expérience le mena à constater que, malgré un diagnostic identique, certains des malades mouraient alors que d'autres s'en sortaient guéris. Dès lors, il se questionna sur le rôle de l'esprit dans le processus de guérison et s'intéressa à l'histoire médicale de ses patients.

Ses recherches lui permirent de constater que ses patients qui guérissaient étaient des battants, des gens qui refusaient de mourir, des sujets profondément convaincus qu'ils pouvaient guérir et se voyaient le faire. Il observa également que le médecin qui croyait profondément à la guérison et au retour à la santé d'un patient, et qui le lui transmettait, obtenait de meilleurs résultats que celui qui n'y croyait pas et qui baissait les bras. « Puisque les malades qui ont guéri sont des guerriers persuadés qu'ils vont s'en sortir, mon travail est donc de transformer mes patients en guerriers », se disait-il. Il a commencé à montrer à ses patients comment visualiser les armées de cellules du système immunitaire luttant victorieusement contre les cellules cancéreuses. Il utilisait la métaphore du combat contre la mort[32].

Aujourd'hui, nous pouvons nuancer son approche en tenant compte de l'intelligence toujours vivante de l'organisme produisant des cellules déficientes. Les symptômes portent un message, comme je le disais plus tôt, et ils doivent être entendus. Après, on peut les inviter à céder la place aux nouvelles cellules ou à se régénérer en orientant ces dernières à l'aide de fortes images de santé, des images qui nous font vibrer intensément, et qui montrent à l'organisme ce que l'on va créer avec cette santé. Plus on s'engage pleinement dans de tels processus et plus les résultats risquent de se faire sentir.

Il n'y a pas de garantie, bien entendu, et bien des points d'explication nous échappent. Toutefois, si vous pouvez provoquer en vous un état de stimulation sexuelle en utilisant votre imagination, si vous êtes capable de consentir à des efforts importants en imaginant les bons résultats susceptibles d'en

---

32. Voir le site du Dr Carl Simonton consacré à la visualisation créative : http://www. visualisation-creative.com/dr_carl_simonton.php.

résulter, si vous êtes capable de nuire à votre sommeil en vous souciant des conséquences d'une parole ou d'une action, pourquoi est-ce que ça ne fonctionnerait pas quand vous prenez la peine d'imaginer votre santé ?

La technique de la cohérence cardiaque ne procède pas autrement lorsqu'elle invite un individu à se remémorer des scènes heureuses de son passé pour pacifier le rythme du cœur et de la respiration. Le cerveau ne fait pas la différence entre des états imaginaires ou des faits réels. On réagit avec les mêmes érections, que l'on stimule des images fantasmatiques ou que l'on fasse l'amour avec quelqu'un. Tout simplement parce que la réalité commence dans l'imagination. De fortes scènes intérieures constituent un événement au même titre qu'une situation extérieure. En fait, tout passe par votre représentation des événements et votre interprétation de ceux-ci.

Par ailleurs, l'idée d'intensifier le mouvement des cellules jusqu'à ce qu'il produise chaleur et lumière repose sur le fait que les cellules dégénérées sont par définition plus lentes. Comme elles boitent, si l'on peut s'exprimer ainsi, elles ne peuvent suivre l'accélération du mouvement et elles se disqualifient elles-mêmes en se dissolvant. Il s'agit en tout cas d'une façon d'interpréter ce qui se passe au niveau cellulaire et d'expliquer que les états de bonheur ont un effet positif sur la santé.

Un être humain correspond à la rencontre entre un esprit individuel et une matière organique codifiée génétiquement par des parents. Cette conscientisation de l'embryon se fait dans les trois ou quatre premiers mois de la vie d'un fœtus. Le processus de visualisation correspond ni plus ni moins à la répétition de cet événement : de nouveau, on imprègne les cellules fraîchement créées de conscience. On leur donne de l'âme et de l'esprit. On les investit de notre vibration la plus pure et la plus intense. On les reprogramme pour la santé et le bonheur, consciemment cette fois.

Les traumatismes, les chocs, les blessures et les désillusions déprogramment l'empreinte initiale. La reprogrammation des cellules nécessite de recréer en soi l'élan de vie qui fut à l'origine de notre venue au monde. Il faut tenter d'imaginer l'intensité et le bonheur d'une telle fusion avec la matière. Tout comme si notre âme, ou notre soi, ou notre pure cellule d'énergie de base se projetait de nouveau dans la chair pour informer les cellules et les processus organiques. Il s'agit d'un véritable mariage entre trois plans d'existence : le plan de l'âme (l'énergie), le plan de l'esprit (la conscience) et le plan de la matière (l'expression).

Hier encore, alors que j'étais à l'hôpital pour des tests d'allergie, le médecin dans la soixantaine qui consulte mon dossier médical pour la première fois me félicite d'être en si bonne forme trois ans après mon épisode de cancer et me demande à brûle-pourpoint : « Est-ce que vous méditez ?

– Oui, je médite. Mais qu'est-ce qui vous amène à me poser une telle question ?

– Je suis en train de passer par une période difficile et je suis en train de m'y mettre. »

Je comprends à mots couverts qu'il se bat contre le cancer. Il ajoute :

« Je reçois souvent des gens atteints par le cancer pour des questions d'allergie aux médicaments. Dans la plupart des cas, je suis capable de dire dès le premier entretien s'ils vont s'en sortir ou non, peu importe la gravité de leur situation. Je les regarde dans les yeux et je sais. Certaines personnes se complaisent dans la plainte. Le cancer leur sert à exprimer cet état intérieur. Elles ne s'en sortiront pas. Les autres ont du dynamisme dans le regard. Elles ne se laisseront pas abattre par la maladie. C'est la moitié du travail, vous savez !

– Eh si, je le sais ! »

CE QUE DISENT LES RECHERCHES
SUR LE TRAVAIL ÉNERGÉTIQUE

Ce que je raconte a peut-être de quoi vous troubler. Vous pouvez ne pas partager mon point de vue. Vous pouvez le nuancer.
Vous pouvez interpréter les choses différemment. Toutefois, de
plus en plus de recherches montrent que les états qui entraînent
une expansion joyeuse de l'être contribuent fortement à la
santé. Ils accélèrent et intensifient les processus curatifs
internes. Il m'arrive même de penser que la seule véritable
limite est la limite de notre imagination.

Être heureux est bon pour le cœur...

Le 8 février 2010, Karina Davidson, Ph. D., directrice du centre
médical de l'Université Columbia, le plus gros centre de recherches médicales de l'État de New York et l'un des plus importants aux États-Unis, dévoile les résultats d'une étude d'observation qui a duré dix ans sur une population de 1739 adultes en
bonne santé. À la base, au moyen d'un questionnaire précis, la
recherche évalue le degré d'expression des « affects positifs » des
sujets sur une échelle allant de 0 à 5 ; lesdits affects positifs se
réfèrent à la fréquence d'états affectifs comme « la joie, le bonheur, l'enthousiasme, l'excitation et la satisfaction ». Dix ans
plus tard, on note que les états positifs diminuent significative-
ment le risque de souffrir de problèmes cardiaques. Ce qui veut
dire que si vous êtes une personne « positive à l'extrême », selon
les termes de l'étude, vous avez 110 % moins de risques de souffrir d'une maladie cardiaque qu'une personne qui déclare ne pas
connaître du tout de joie ou de satisfaction dans sa vie.

De plus, on observe aussi que la capacité de vivre et d'exprimer des états positifs s'avère une mesure stable, car elle ne

varie pas beaucoup au cours de la vie adulte. Si une « personne positive » peut connaître des passages dépressifs, elle passe moins de temps à « ressasser et revivre » ce qui la stresse. Ce ressassement d'émotions négatives « semble causer des dommages physiologiques », selon la recherche. De même, les personnes positives s'accordent plus de périodes de repos ou de relaxation que les autres. Au final, les chercheurs pensent que les mécanismes par lesquels les humeurs positives protègent de façon durable contre les problèmes cardiaques ont trait à leur possible influence sur la pression artérielle, la variation du pouls, la qualité du sommeil, et la cessation de fumer. Karina Davidson affirme que c'est la première fois, au niveau scientifique, que l'on fait le lien entre les émotions positives et les pathologies cardiaques. Elle conclut :

« Être heureux semble bon pour le cœur et encourager les gens à exprimer des émotions positives les aide à prévenir la maladie[33]. »

---

33. Cette étude est parue pour la première fois dans le journal en ligne de la Société européenne de cardiologie dans le numéro du 17 février 2010 sous le titre *Don't worry, be happy : positive affect and reduced 10-year incident coronary heart disease : The Canadian Nova Scotia Health Survey* (Ne vous en faites pas, soyez heureux : l'affect positif et la réduction de l'incidence de maladie coronarienne sur une période de 10 ans : l'enquête de la Société canadienne de la santé de la Nouvelle-Écosse). Les chercheurs sont Karina W. Davidson, Elizabeth Mostofsky et William Whang. Voir : http://eurheartj.oxfordjournals.org/content/early/2010/02/17/eurheartj.ehp603.full.

Les mots que j'ai mis entre guillemets proviennent d'un communiqué de presse émis par l'université Columbia le 18 février 2010. Il avait pour titre : « *"Happy" or "Positive People" Observed to Have Fewer Heart Attacks, Data Show Positive Emotions May Help Protect Against Heart Disease.* » (On observe que les gens « heureux » ou « positifs » font moins de crises cardiaques. Les études montrent que les émotions positives peuvent aider à se protéger contre les maladies cardiaques.) Voir : http://cumc.columbia.edu/news/press_releases/PositiveHeart.html.

Je dois au thérapeute psychocorporel Ulrich Freitag de m'avoir fait connaître cette recherche.

Comme je l'ai déjà dit au départ, il est bon de se rappeler que, dans un organisme humain, les cellules dégénèrent plus rapidement qu'elles ne se régénèrent. Cela s'appelle le vieillissement. La seule chose que nous pouvons véritablement faire consiste à freiner le rythme de cette dégénérescence. Cela se fait au moyen de ce qui nourrit l'être en profondeur. Ainsi, il est de plus en plus admis que les aliments que nous mangeons favorisent la maladie ou ont le pouvoir de stimuler la santé. Il faut toutefois avoir conscience que nous n'existons pas seulement au niveau du corps. Les nourritures subtiles jouent un rôle également. Les denrées que nous offrons à notre esprit aident au maintien de la santé. Les films que nous voyons, les gens que nous côtoyons, les lieux que nous fréquentons affectent notre vitalité en provoquant en nous des états expansifs ou tristes. Ainsi, plus l'alimentation subtile contribue à satisfaire les aspirations vraies de l'être, plus elle nous réjouit. Elle vient réveiller la joie qui sommeille déjà en nous ; elle la stimule et lui permet de se déployer au sein d'une action créatrice qui apporte encore plus de réjouissances. Ainsi de suite, dans un cercle bénéfique qui est tout le contraire d'un cercle vicieux.

Ainsi donc, il y a déjà de la joie en soi. Notre nature véritable est joyeuse et amoureuse. Nos rencontres, nos activités, nos créations servent à réveiller ce potentiel de joie endormi. Elles l'activent, lui permettant de s'affirmer et de se déployer. Voilà ce qui contribue le plus utilement à la santé au niveau subtil. Sur le plan immunitaire, tout se passe comme si la tristesse, l'impuissance, la frustration et la colère donnaient le message qu'il est ennuyeux de vivre. Ces émotions affaiblissent l'immunité, car le message subtil donné aux cellules est qu'il n'est pas intéressant de continuer. Ainsi, quelqu'un me racontait récemment que son grand-père, pourtant en parfaite santé, est mort à peine un an après le décès de sa compagne de cinquante années. L'équilibre était rompu. La vie n'avait plus de saveur sans elle. Mieux valait faire ses bagages et partir. Son système immunitaire a reçu le message de ne plus combattre la maladie aussi ardemment. À l'inverse, lorsque la vie nous intéresse et que nous avons des activités qui stimulent la joie de vivre en nous, les cellules de l'immunité reçoivent le message de combattre vaillamment et de fabriquer de la santé, car il y a de plus en plus de réjouissances au rendez-vous.

La médecine intégrative de la clinique Mayo

La réputée clinique Mayo, une des cliniques les plus respectées aux États-Unis pour ses traitements à la fine pointe de l'évolution technologique, a publié en 2007 un livre complet dédié à la médecine alternative où il est fait la promotion d'une médecine intégrative des différentes approches que je propose dans le présent livre. On y trouve des évaluations de la plupart des thérapies douces ainsi que l'état de la recherche sur chacune d'elles. Dans l'article qui traite de l'*imagerie mentale dirigée*, le nom donné à la procédure que Pierre me propose, on peut lire ceci :

> « *Des chercheurs qui ont utilisé une caméra à positrons (scanner) ont découvert que les mêmes parties du cerveau sont activées lorsqu'une personne imagine quelque chose et lorsqu'elle le vit. Ainsi, lorsqu'on pense à une image, le cortex optique est activé de la même façon que s'il voyait réellement un paysage magnifique. Une imagerie vive envoie des messages à la partie inférieure du cerveau à partir du cortex cérébral, y compris le système limbique qui est le centre de contrôle du cerveau. Le message est relayé de cet endroit aux systèmes endocrinien et nerveux autonome,*

ce qui touche plusieurs fonctions organiques, y compris le cœur, la respiration et l'hypertension artérielle[34]. »

Ils ajoutent que l'avantage de l'imagerie mentale dirigée ou de la visualisation est qu'elle ne comporte aucun risque et que cela en fait un outil important dans de nombreux problèmes de santé, « notamment pour aider à contrôler le stress, la douleur ou les effets secondaires du cancer ». Dans leur livre qui traite tout autant des suppléments à prendre que des thérapies holistiques, énergétiques, manuelles et autres, un palmarès est établi des dix meilleurs choix dans l'éventail des médecines douces et alternatives. L'imagerie mentale dirigée vient en deuxième place, juste après l'acupuncture. La méditation vient en cinquième dans une liste qui comprend aussi l'hypnose, le massage, la musicothérapie, la spiritualité (la prière), le taï-chi et le yoga.

Deepak Chopra et la santé parfaite

Dans le même ordre d'idée, le Dr Deepak Chopra, un médecin américain d'origine indienne, endocrinologue de formation et auteur de plusieurs best-sellers, a fondé le Chopra Center for Well Being. Les traitements y sont menés dans le respect des principes de la médecine ayurvédique, le système indien de médecine préventive et curative qui remonte à plus de cinq mille ans. La plus ancienne médecine du monde se base entièrement sur le pouvoir de l'esprit sur le corps. Dans un livre intitulé *Santé parfaite*, le Dr Chopra propose des exercices de visualisation et de méditation afin d'accéder à un niveau de conscience supérieur et d'acquérir une perception différente de son corps. Il faut, selon lui, emmener la conscience à prendre en charge la maladie.

---

34. Clinique Mayo, *Médecine alternative*, Ottawa, Broquet Inc., 2007, p. 87.

Il expose des méthodes qui mettent l'esprit en communication effective avec les cellules, les tissus et les organes dont le corps est composé. Les protocoles dont il fait état sont en droite ligne avec ceux dont je parle dans ce chapitre. Il écrit :

« Pour avoir une santé parfaite et pour la préserver, il est en effet essentiel d'apprendre à exercer une influence sur ce qu'il est convenu d'appeler le "système neurovégétatif" de notre organisme[35]. »

Selon lui, on peut se libérer de la maladie et de la souffrance en faisant appel à sa propre conscience, en la ramenant à un état d'équilibre, afin de transmettre cet état au corps. Cet état de conscience équilibrée sera à l'origine d'une santé sans faille. Autrement dit, il faut agir sur nos états d'esprit et faire en sorte de les harmoniser pour influencer le corps. Et le meilleur moyen pour apaiser l'esprit consiste à faire circuler en lui des états de légèreté et de joie.

Les émotions d'autoguérison

C'est également ce que pense le Dr Liliane Reuter, auteur de *Votre esprit est votre meilleur médecin*. Médecin généraliste passionné par la recherche médicale et la psycho-neuro-immunologie, Liliane Reuter en est venue à la conclusion que chaque patient pouvait faire quelque chose pour lui-même s'il acceptait d'entrer dans une vision holistique de son propre corps, c'est-à-dire une vision qui tient compte de son environnement psychologique et social. Elle propose aussi des visualisations qui renforcent les mécanismes d'autorégulation et le système immunitaire. Elle parle même d'« émotions d'autoguérison[36] ». Quand une personne

---

35. Deepak Chopra, *op. cit.*, p. 11.
36. Liliane Reuter, *Votre esprit est votre meilleur médecin. Préserver votre santé, favoriser l'autoguérison grâce à la médecine holistique*, Paris, Éditions Robert Laffont, coll. Réponses, 1999.

va jusqu'à s'émouvoir lorsqu'elle se conçoit en pleine santé, la visualisation atteint alors sa pleine efficacité.

Christine Angelard, médecin, homéopathe et spécialiste en médecine traditionnelle chinoise, poursuit dans la même veine dans *La médecine soigne, l'amour guérit*. Le sous-titre en est *Comment la maladie nous révèle à nous-mêmes*. Elle y déclare : « Je sais maintenant que la guérison vient toujours de l'intérieur, même si l'extérieur doit être pris en compte et soulagé. La libération intérieure signera la guérison en profondeur[37]. »

Je pourrais multiplier les exemples d'ouvrages écrits par des médecins qui abondent dans le même sens, dont ceux de David Servan-Schreiber. Cela ne servirait qu'à une chose : vous persuader de ne pas abandonner votre corps à la médecine conventionnelle comme on laisse son automobile au garage pour la faire réparer. Il vaut mieux, dans ce cas-ci, mettre les mains dans le cambouis, car vous êtes la seule personne qui puisse trouver la façon de gérer la mécanique de votre esprit. Que vous le vouliez ou non, que vous aimiez cela ou non, un jour ou l'autre vous aurez à vous en mêler.

LA VISUALISATION DE L'ÊTRE EN BONNE SANTÉ

Comme on peut le voir à la lumière de ces recherches, la visualisation de l'être en bonne santé représente un atout de taille. Elle donne une direction au processus cellulaire. Elle oriente les cellules vers l'équilibre. On peut leur offrir, par exemple, la vision d'un être totalement guéri à tous les niveaux, qu'ils soient physiques, psychiques, créatifs ou spirituels. On fait vibrer cette

---

37. Christine Angelard, *La médecine soigne, l'amour guérit. Comment la maladie nous révèle à nous-mêmes*, Montréal, Fides, coll. Corps et Âme, 2010, quatrième de couverture.

image en soi et l'on revêt cet habit d'homme guéri malgré les réactions de notre personnage habitué à la dévalorisation et qui ne souscrit pas toujours à nos suggestions intérieures. Pourtant, il n'a d'autre choix que de s'incliner devant l'afflux de lumière, d'amour et de santé. J'utilise parfois une phrase comme : « J'aime et j'approuve la personne que je suis, je comprends mes écueils et je stimule mes côtés lumineux et amoureux. »

Vibrer d'amour pour ce que l'on est stimule les forces d'auto-régulation de l'organisme. Entrevoir à quoi servira ce nouvel équilibre est un autre élément à considérer. Utiliserez-vous votre nouvel état pour retourner dans les mêmes ornières ? Ou pour manifester la beauté de votre être et de la vie ? On peut en effet vouloir créer de la santé en soi, motivé essentiellement par l'angoisse de mourir. Bien qu'elle soit tout à fait compréhensible, cette angoisse réduira fortement la portée de vos exercices, car elle représente la contraction fondamentale de tout être humain. Voilà pourquoi tous ces exercices commencent par une détente qui vise à réduire la portée d'une telle anxiété.

Alors, une question demeure : la santé pour quoi faire ? La santé pour célébrer la vie ? Ou la santé parce que l'on a peur de perdre la vie ? De la même façon que nous pourrions demander à quelqu'un qui attend l'âme sœur avec impatience : l'amour pour quoi faire ? L'amour pour vivre une aventure créatrice à deux ? Ou l'amour en pensant que cela va vous sauver de vous-même et régler tous les problèmes de votre vie ? Une maison pour célébrer la vie, l'amitié, la poésie, et offrir un refuge à ceux qui n'en ont pas ? Ou une maison pour faire bonne impression aux yeux des autres ?

Selon les réponses à ces questions, on sert le personnage contracté prisonnier de son image, ou on sert l'élan créateur de notre vie. Il est donc de première importance non seulement de s'imaginer vibrant de santé, mais également de se permettre d'entrevoir ce que cette santé permettra d'accomplir. Vous voyez-vous mettant sur pied de nouveaux projets favorisant le changement des structures de production de votre entreprise ? Vous voyez-vous en train d'enseigner, de chanter, de soigner, de participer de toute la force de vos inspirations à la création d'une existence plus respectueuse de la vie ? Alors, pourrait-on dire, la vie vous sera donnée de surcroît. C'est la force du goût de vivre qui réveille le plus efficacement les mécanismes d'autoguérison. Votre amour de la vie et de vous-même fera le travail.

Sur un plan plus concret, lorsque je sors de méditation ou de visualisation, je demande à mon esprit de me suggérer une action créatrice à accomplir dans ma journée qui respecte à la fois mes élans créateurs et les idéaux qui me guident. Parfois, il s'agit d'écrire quelques lignes sur un projet. Plus souvent, ces suggestions ont à voir avec mes relations. Il me vient par exemple à l'esprit une conversation que je devrais avoir avec quelqu'un pour clarifier une situation, un appel téléphonique qu'il me faudrait donner, ou encore un mot que je devrais adresser à quelqu'un.

Une chose est sûre : en pratiquant de telles techniques intérieures, j'ai acquis la conviction de pouvoir faire quelque chose pour moi-même. J'ai retrouvé le chemin d'une puissance endormie. À travers le dialogue avec les cellules émerge lentement l'idée que le cancer peut me servir de pont vers la lumière.

corneau

La joie qui guérit

LA RÉALITÉ IMAGINAIRE

Juillet continue à dérouler le fil de ses jours. Ayant compris les sources du malaise qui parcourt ma vie sur le plan psychologique, ayant fini de me « gratter le bobo », et pratiquant allègrement le dialogue avec les cellules, je pense bien naïvement qu'il me suffit maintenant de rester de bonne humeur. Il se passe alors quelque chose de tout à fait inattendu. J'éprouve une sorte d'affaissement de mon niveau d'énergie. Les traitements de chimiothérapie font leur œuvre. Je suis de plus en plus abattu. Je me suis montré combatif pendant les examens qui ont conduit au diagnostic ; les premières semaines de traitement et de recherche psychologique m'ont galvanisé ; maintenant, la combativité des derniers mois s'estompe.

Je suis si fatigué que je ne veux plus vivre. Trente années de maladie grave me semblent suffisantes pour une même existence. Je comprends pourquoi le champion cycliste Lance

Armstrong a déclaré à l'animateur Michel Drucker que l'épuisement lié à la chimio était la pire chose qu'il avait connue dans sa vie[38]. Je n'en peux plus. Je veux mourir et changer de corps. Il me semble que ce véhicule-ci ne sert plus à rien. J'ai beau méditer et tenter de gagner de la perspective, je ne parviens pas à changer mon état intérieur. Je sais que je suis aux prises avec une forme de pensée illusoire, mais je n'arrive pas à m'en sortir. Je constate que je nage en pleine dépression. À ce sujet, la psychologue Rose-Marie Charest m'apprend que 80 % des gens atteints de cancer souffrent d'humeurs dépressives.

« Nous insistons sur le fait que les malades doivent rester combatifs, me dit-elle, mais nous occultons ainsi la véritable difficulté qu'ils éprouvent : la dépression.

– Tu as tout à fait raison, on en parle si peu que l'on est tout surpris quand elle nous touche de plein fouet.

– Tous ces patients ont besoin d'aide. La lutte pour la vie passe nécessairement par des zones de turbulence intérieure qu'il faut écouter. »

Puis, il y a l'angoisse. Je n'ai plus de place en moi-même. Mon espace est envahi par la peur de mourir. Je me réveille invariablement au petit matin en proie à l'insomnie. J'attends l'aube en me retournant dans mon lit comme un condamné aux prises avec des scénarios tous plus catastrophiques les uns que les autres. J'ai une douleur intense au plexus solaire, le lieu où se cristallisent nos émotions sur le plan physique. La boule d'angoisse veut littéralement jaillir de mon corps. Je peux presque la palper.

La vague de dépression et d'angoisse que je traverse correspond à une période de retraite de deux semaines que nous avons

---

38. Michel Drucker, *Vivement dimanche prochain. Une entrevue avec Lance Armstrong*, Productions DMD, 2009.

décidé d'entreprendre à la campagne. En grande partie pour me venir en aide, Pierre propose que nous la fassions sur le thème de *la guérison authentique*. Je me rappelle fort bien la question du premier soir. Il nous faut parler de notre disponibilité à la vie. Nous sommes un petit groupe. Je prends la parole en dernier : « En ce moment précis, j'ai l'impression qu'aucune des cellules de mon corps ne veut continuer à vivre ! »

Tant bien que mal, je me mets en selle pour participer aux exercices. Principalement, nous apprenons à intervenir sur notre état psychique. Chaque soir nous devons entrer dans un état méditatif, puis recréer en imagination un lieu de nature où nous nous sentons parfaitement à l'aise et détendu. De soir en soir, ce lieu imaginaire doit s'élaborer, si bien que sa réalité s'intensifie à un tel point qu'il prend peu à peu la densité d'un rêve lucide, vous savez, ces rêves qui ont parfois un aspect plus réel que le réel. Cette partie de l'exercice reprend d'ailleurs ce que Marie Lise Labonté appelle *le lieu de rêve*.

Par la suite, dans ce même lieu, nous nous mettons en relation avec nos forces de vie et nos élans créateurs. Il s'agit de demeurer le plus longtemps possible dans la sensation et la vibration de cette réalité imaginaire. C'est assez facile à faire. Toutefois, comme n'importe quoi, cela demande de la pratique, surtout pour atteindre une certaine intensité. Le but est de fixer les sensations de cette réalité virtuelle en nous, de façon à pouvoir l'appeler à volonté en une fraction de seconde, même les yeux ouverts. Cela permet de se rappeler que, peu importe la séquence de vie que nous traversons concrètement, elle n'est qu'une séquence de vie transitoire qui se compose elle aussi d'une large part d'imaginaire.

À mesure que nous avançons dans notre apprentissage, je me mets à utiliser cette technique durant mes périodes d'insomnie.

Je m'en sers aussi pendant le jour lorsque l'angoisse est trop forte. Je me dis que, si j'ai le choix entre passer une journée misérable ou tenter de modifier mon état affectif, mieux vaut tenter quelque chose. Si jamais je dois mourir, je préfère assurément partir de bonne humeur.

Je modifie toutefois la procédure légèrement en y ajoutant une période de rencontre avec moi-même. En effet, je vais tellement mal qu'il me semble impossible de passer par-dessus mes états affectifs afin de me réfugier dans une réalité imaginaire. Je commence donc par les reconnaître pleinement. J'accueille la peine comme le découragement. Je pleure même d'impuissance à plusieurs reprises. Je couche sur le papier ce que mes états me suggèrent. Ensuite, je me détends le plus possible pour rejoindre ma réalité imaginaire.

LA TRANSFORMATION DES ÉTATS INTÉRIEURS

Pour que vous puissiez mieux comprendre cet exercice et en bénéficier éventuellement, j'ai pensé vous le présenter sous une forme structurée. Il est à noter que j'utilise ici l'exercice tel que je l'ai vécu, avec les images qui me sont venues. Si vous le faisiez, vous le rempliriez des images et des scènes qui vous appartiennent. Je commenterai l'exercice par la suite, car la maîtrise de nos états intérieurs, que nous soyons malades ou en bonne santé, constitue un atout majeur qui favorise l'équilibre en nous. Je vous confie toutefois ce protocole sous toutes réserves, puisque, mise à part l'étape de la rencontre avec soi, j'ai appris l'essentiel de cet exercice auprès de Pierre. Par ailleurs, ces exercices ont été formulés pour les personnes qui participaient à ce séminaire. Leur nature aurait peut-être été modifiée si d'autres personnes

avaient été présentes. Pour ma part, il est clair qu'ils
à mon angoisse et qu'ils m'ont permis de transformer positivement ce que je vivais.

Étape 1 : la rencontre avec soi

De façon à ne pas refouler mes états affectifs, je vais à la ren-
contre de moi-même. Je me mets à l'écoute de ce que je ressens
réellement. J'honore mon état du moment en acceptant simple-
ment sa présence dans ma vie. Je note dans un cahier ce qui
monte de l'intérieur. Si des larmes viennent, de la peur, de la
honte ou de l'incompréhension, j'essaie d'accueillir le tout sans
jugement et sans tenter de changer quoi que ce soit. Je deviens
un témoin bienveillant de ce qui se passe en moi.

Étape 2 : la création de la réalité imaginaire

Je transforme graduellement mon état en utilisant mon ima-
gination. Je ferme les yeux et je vais dans ma réalité imagi-
naire. Je m'immerge dans un champ de marguerites géantes
aussi grosses que des tournesols. Je peux m'y étendre à l'abri
dans les herbes hautes et vertes. Je me dore au soleil comme
on se fait bronzer sur une plage, ressentant la chaleur des
rayons sur ma peau. Je contemple un ciel orné de couleurs
bleues et fuchsia.

Étape 3 : vibrer de vie

Je ressens la force de vie dans mes entrailles et la vibration
de mes talents. Je me vois debout dans le soleil, habillé de
blanc. Je sens cette puissance se répandre dans mon être et,
pour la circonstance, je m'imagine éprouvant le bonheur
d'une santé parfaite que je laisse resplendir partout en moi
et autour de moi.

Étape 4 : la dégustation intérieure

Je prolonge le plus longtemps possible la sensation de bien-être liée à la visite de ma réalité imaginaire en méditant, le sourire aux lèvres. Je m'attache simplement à déguster le moment présent en étant ouvert à la vie en moi et autour de moi. C'est un moment libre d'angoisse et rempli d'énergie.

Cet exercice a pour effet de me détendre en profondeur et d'affecter mon état positivement en l'espace de trente ou quarante minutes. Lorsque j'en ressors, ma boule d'angoisse a disparu et je me sens rempli d'espoir et de bonne humeur. J'ai trouvé un exercice qui change radicalement la qualité de mes journées et je suis surpris de constater qu'il marche aussi bien. Je n'en reviens pas. Cela constitue pour moi une nouvelle extraordinaire : j'arrive à changer mes états intérieurs de façon très palpable en utilisant mes propres ressources.

La rencontre avec soi

L'utilisation de cet exercice met en jeu plusieurs éléments sur la nature des états affectifs et sur la circulation de l'énergie en nous qu'il est bon de connaître. Aussi, je prends la peine de le commenter en détail.

Commençons par le premier temps de cette procédure que je nomme *la rencontre avec soi*. Cette rencontre consiste en un accueil bienveillant de l'état dans lequel on est, peu importe les conditions dans lesquelles on se trouve et le jugement que l'on peut poser sur soi et sur son existence. « À tort ou à raison » devient l'expression clé pour mener à bien cette rencontre intime. Il importe d'avoir l'humilité de se dire : « À tort ou à raison, je me sens dans tel état et je saisis l'opportunité qui m'est donnée de me mettre à son écoute. » Il ne s'agit pas ici d'une exploration active visant à apprendre quelque chose sur nos peurs, nos attentes et les conditionnements inconscients qui peuvent être à la source de nos maux, comparable à ce que nous avons fait dans le chapitre 3. L'attitude consiste plutôt à laisser venir ce qui vient. Il ne s'agit pas tant de trouver les « bonnes » informations que d'établir une relation avec soi. Tout comme dans certaines conversations l'important n'est pas ce que l'on se dit, mais le fait d'être en contact. Des émotions peuvent nous visiter spontanément, des intuitions importantes peuvent se révéler à nous. Tout est bon. On écoute, on ressent et, à l'occasion, on note ce qui nous traverse, encore une fois sans culpabilité et sans jugement.

Lorsqu'on y pense bien, on se rend compte que notre vie se résume à nos états affectifs. Cela est si vrai qu'un jour vous riez du verre de lait qu'un enfant vient de répandre sur le plancher de la cuisine, alors que, le lendemain, le même incident peut vous mener au bord des larmes et briser votre journée. Les états intérieurs qui permettent des réactions si différentes s'élaborent largement à notre insu. Rares sont les gens qui en sont conscients. Pourtant, la gestion de notre état d'être intime constitue la première étape menant à la reprise en main de notre processus vital.

La source de ces états réside dans des émotions qui, loin d'être passagères, sont venues se cristalliser en soi sous la forme d'ambiance de fond ou même d'atmosphère souterraine. La tristesse, par exemple, est une émotion qui peut se transformer en un état quasi permanent. Dans de telles conditions, lorsque nous sommes alourdis par les peurs, les besoins et les maux de notre personnage, nous ne pouvons pas nous guérir. Ces états doivent d'abord être reconnus et exprimés ; nous pouvons les coucher dans un journal personnel ou les confier à quelqu'un.

Il est bon de les noter ou de les confier, car cela nous permet de sortir de la confusion qui règne souvent à l'intérieur de nous. En les exprimant, en les mettant hors de soi, en les objectivant, on sort de la confusion. On peut même par la suite dialoguer avec eux pour connaître leur histoire réelle. Dans un premier temps, toutefois, le plus important consiste à les reconnaître et à leur accorder de l'attention. C'est comme prêter l'oreille à un enfant tapageur qui ne se calmera pas tant que nous ne l'aurons pas écouté. Après l'avoir entendu, nous nous sentons plus libres et lui aussi. L'écoute et l'expression ont permis d'éclaircir le champ relationnel pour faire place à des états plus nourrissants.

LE RYTHME VIBRATOIRE

Cette rencontre intime avec les états affectifs agit directement sur notre vitalité. Nos états intérieurs fonctionnent comme des piles électriques. Ils emprisonnent notre énergie ou la relâchent en fonction de nos contractions ou de notre bien-être. En réalité, lorsque nous parlons de « notre énergie » ou de « notre niveau d'énergie », nous parlons plus précisément du rythme de circulation de l'énergie en nous, à savoir notre *rythme vibratoire*. Je vous l'explique à travers un exemple simple puisqu'il s'agit d'un point important.

Après une dispute, alors que vous êtes submergé par des préoccupations, des peurs et des soucis, vous pouvez observer en vous une perte de vitalité. À proprement parler, la querelle a engendré un état de fermeture qui correspond à une réduction du rythme de la circulation de l'énergie en vous. Vous risquez d'être plus lourd et moins vibrant dans les prochaines heures. Cela influencera également des aspects physiologiques. Par exemple, vous pourrez constater des lenteurs au niveau de la digestion. Vous avez quelque chose sur l'estomac que vous ne digérez pas. Ça ne passe pas. Ce portrait correspond à une diminution de votre rythme vibratoire.

Disons que, quelques heures plus tard, toujours assombri, vous rencontrez une personne qui vous est chère et qui vous stimule. Vous allez marcher dans un parc avec elle. Vous vous sentez peu à peu plus léger, plus joyeux et plus vivant. Vous avez même l'impression de retrouver votre énergie. La joie et le rire provoquent des sécrétions qui créent un bien-être dans votre corps, tout comme si le sang transportait des substances qui sont agréables et qui occasionnent un plaisir physique et psychique. Ce que vous ressentez alors comme une délectation peut continuer à s'élever jusqu'à ce que vous éprouviez la joie même d'exister en vous nourrissant d'une atmosphère de plus en plus légère.

Lorsque nous connaissons des moments de bonheur et d'exaltation, la vie apparaît plus enjouée. Elle nous sourit et nous lui sourions en retour. Dans de tels états, notre rythme vibratoire est élevé, et les problèmes semblent même perdre de leur importance. À l'inverse, lorsque nous sommes tristes ou alourdis par des situations qui ne se règlent pas, notre taux vibratoire s'abaisse. L'existence se présente alors à nous sous son aspect sombre et nous parvenons mal à nous détacher pour regarder les choses sous un angle plus lumineux.

Pourquoi est-il important de savoir ces choses ? Parce que les états qui stimulent les mécanismes d'autoguérison ou d'auto-régulation de notre organisme sont liés à un rythme vibratoire élevé. En somme, lorsque le rythme vibratoire est bas, il ne mobilise pas les mécanismes guérisseurs, bien au contraire : il nous dévitalise et nous rend malades ; à l'inverse, lorsqu'il est élevé, il favorise la régénérescence. Voilà pourquoi il est essentiel d'apprendre à écouter nos états affectifs et à les influencer. Par exemple, un stress aigu qui engendre détresse et impuissance peut s'avérer un puissant facteur de déclenchement d'une maladie, car il engendre une chute du taux vibratoire.

Cependant, je le répète, pour être en mesure de modifier nos états affectifs, il faut d'abord aller à leur rencontre. Sinon, ils ne cesseront de nous alourdir alors que nous cherchons à nous alléger. Notre transformation intérieure commence ainsi par un face-à-face honnête avec nous-mêmes. La plongée consciente au cœur de sa propre expérience augmente la puissance des diverses techniques que je présente ici. Sans cet engagement, celles-ci risquent de demeurer des outils sans efficacité. Avec transparence et simplicité, on doit accepter d'aller à la rencontre des sensations et des émotions lourdes qui sont associées à nos maux. Mais ce n'est que la première étape, il ne faut pas en rester là.

Les ailes de l'imagination

Le deuxième pas de la procédure fait appel à l'activité subtile de l'imagination. Il s'agit de *la création d'une réalité imaginaire*. Il consiste à modifier notre état du moment en utilisant nos images intérieures. En effet, on peut utiliser sa capacité d'imaginer pour transformer ses états intimes tout comme le visionnement d'un film parvient à le faire. Le Dr Jean-Charles Crombez se plaît à me répéter, lorsqu'il aborde la question de l'efficacité des processus internes : « On peut se faire des ulcères avec des soucis imaginaires tout autant qu'avec des soucis réels.

– Ah bon ! Ça m'inquiète ce que tu me dis là !

– Sacré Corneau, toujours le mot pour rire ! »

Si c'est le cas, l'inverse est également vrai : *on peut se faire du bien avec des joies imaginaires* autant qu'avec des joies réelles. Dans les faits, il semble que notre cerveau ne fasse pas la différence entre ce qui vient de l'intérieur et ce qui vient de l'extérieur. La réalité, pour lui, correspond à ce que nous ressentons. Il s'agit d'un point essentiel que l'on ne doit jamais perdre de vue lorsque l'on travaille sur soi.

Lorsque nous nous sentons contractés par des émotions lourdes et que notre taux vibratoire s'en trouve abaissé, respirer de façon consciente, méditer et contempler des éléments de la nature s'avèrent des outils privilégiés pour nous permettre de retrouver rapidement un peu de hauteur. À ces stratégies, il faut toutefois ajouter l'imagination, une ressource toujours disponible que nous négligeons. Car si elle peut être la folle du logis, elle peut aussi en être la fée. D'ailleurs, vous pouvez en vérifier la pertinence instantanément. Si vous avez de la difficulté à vous détendre, imaginez-vous détendu et cela amorcera automatiquement un climat de détente en vous. Encore une fois, la technique éprouvée de la *cohérence cardiaque* ne procède pas autrement lorsqu'elle vous propose d'évoquer des souvenirs heureux et de les faire vivre en vous pour régulariser le rythme de votre cœur [39].

Je parle de création d'une réalité imaginaire plutôt que de visualisation, car je veux vous inviter à vous engager le plus complètement possible dans cette réalité en mobilisant vos sensations. Je peux me visualiser étendu au soleil parmi des fleurs géantes. Cela produit déjà un effet agréable en moi, mais il demeure mental. Si je m'engage plus avant dans cette réalité, je sens les rayons du soleil sur ma peau et je réagis affectivement

---

39. David Servan-Schreiber consacre un chapitre entier à cette technique dans son livre *Guérir le stress…*, *op. cit.*

à ces cieux couleur fuchsia qui me charment. Je m'en abreuve. Je m'unis à eux comme je pourrais le faire avec un véritable ciel bleu. Alors ces sensations mobilisent le processus cellulaire. Elles activent la production de certaines hormones qui produisent du bien-être en moi. Elles changent mon état psychologique et physiologique.

L'imagination et la sensation de mon être en pleine santé et en pleine possession de sa force créatrice constituent une troisième étape de ce processus. Celle-ci consiste véritablement à *vibrer de vie*. Cela donne une direction aux cellules. Cette visualisation assortie d'une sensation réoriente très concrètement le mouvement vital qui, comme une toupie perdant de la vitesse, était en train de se déglinguer. Elle stimule les processus d'autoguérison en leur donnant un signal essentiel, celui du fonctionnement optimal. Rappelez-vous que tout ce qui existe a d'abord été rêvé.

La dégustation intérieure

Quant au quatrième pas de cette démarche, il aboutit à la méditation, à *la dégustation intérieure*. Cet élément vaut que l'on en parle de façon approfondie ; j'y reviendrai un peu plus loin. Disons pour le moment que ce que je propose ici consiste simplement à déguster les états de calme et de sérénité qui ont pu naître en soi à la suite des trois premiers pas de la procédure. La rencontre avec soi et la fréquentation de la réalité imaginaire constituent des étapes préparatoires idéales pour entrer en méditation. La relation avec notre état intérieur nous a apaisés et l'attention portée à la réalité imaginaire nous a déjà mis sur la piste d'un bien-être qui ne demande qu'à être prolongé par une dégustation intérieure.

Ainsi, la méditation s'offre comme un espace de communion avec la vie qui nous entoure, avec l'univers, avec la légèreté, avec la lumière. Elle constitue aussi un espace d'union et de dégustation de notre propre vibration lorsqu'elle se déroule de façon apaisée et unie au tout. C'est cette intention qui guide la méditation, et le moyen d'y accéder consiste à savourer le moment présent qui est toujours en union avec tout ce qui est. La méditation est donc un relâchement des tensions, des désirs, des préoccupations qui inhibent la présence complète de l'être à ce qui est.

Il s'agit donc de mettre un sourire sur son visage et sur son cœur et de goûter l'instant en le respirant tout doucement. À chaque fois qu'une pensée veut nous distraire, au lieu de la combattre, il suffit de revenir à notre état de dégustation qui est en somme un état d'écoute du soi profond. Encore une fois, j'utilise des verbes comme goûter, déguster et savourer, car il me semble primordial de souligner que l'acte de méditer est intimement lié au monde de la sensation. Pour faciliter le bien-être et pour l'intensifier, il vaut mieux que la méditation ait de fortes assises dans le monde des sens. Comme le dit Daniel Morin, un maître de méditation qui s'est formé auprès d'Arnaud Desjardins : « En méditant, nous cherchons souvent en avant et en haut, alors qu'il s'agit de revenir en arrière et en bas[40]. »

Quel est le bénéfice de la pratique d'un tel exercice ? Il engage à la longue des états expansifs qui correspondent à des états d'amour, de joie et de paix dont la dégustation intérieure peut s'étendre à l'infini. Comme je l'ai mentionné, ces états intérieurs favorisent la régénérescence. Ma petite expérience ne m'a pas encore conduit à de tels états de façon permanente, loin s'en faut. Mais ce sont des états que je traverse fréquemment et délicieusement. Même si ce n'est que pour de courts

---

40. Daniel Morin, *Éclats de silence. L'indicible simplicité d'être*, Paris, Accarias L'Originel, 2010.

moments, ils valent amplement les efforts auxquels je consens et ils me donnent de l'énergie.

Je vous dis toutefois, au risque de me répéter, qu'on observera peu d'effets des techniques que je décris dans ce livre s'il n'y a pas élévation du taux vibratoire et engagement personnel. De cette façon, on passe du protocole à suivre à la notion de présence à ce que l'on ressent. Car une guérison globale nécessite un travail sur soi, en particulier un travail sur les états intérieurs et sur les différents éléments qui conditionnent nos humeurs. Le protocole le plus raffiné du monde demeure une procédure technique et sans âme s'il n'est pas associé intimement à la culture consciente d'atmosphères amoureuses et joyeuses. La guérison globale propose aussi de consentir à un engagement envers des états expansifs et libérateurs. Elle propose de vibrer de joie et d'amour. Cela demande des choix intimes sans cesse renouvelés, car plus complet est l'engagement, plus évidents sont les résultats ; plus vivante la présence à soi, plus guérisseuse la procédure.

CE QUE DISENT LES RECHERCHES SUR LES ÉTATS AFFECTIFS

Je suis en train de rédiger ces pages quand Ulrich Freitag, un thérapeute passionné de ce qu'il appelle l'*intelligence psychocorporelle*, me rend visite. Il me met sur la piste d'auteurs qui discutent de l'importance des états affectifs sur le bien-être et la santé. Ces recherches se concentrent sur le rôle des émotions et du stress sur l'équilibre de nos processus cellulaires. Je vous en cite quelques-unes pour souligner l'importance de cultiver des états intérieurs positifs, imaginaires ou non.

Les molécules de l'émotion

L'impact des pensées positives sur la santé ne fait aucun doute pour le Dr Candice Pert, neuropharmacologiste à l'école de médecine de l'université Georgetown, à Washington. Le Dr Pert a publié plus de 250 articles scientifiques sur le rôle des peptides (chaînes d'acides aminés) et de leurs récepteurs en lien avec le système immunitaire. Bien connue pour ses travaux de recherches, elle affirme que des émotions négatives telles que la tristesse, la colère, la culpabilité et la peur non seulement nous soutirent de l'énergie, mais créent un déséquilibre dans notre corps en augmentant le taux de protéine C réactive dans le sang, ce qui peut mener à la maladie.

Par exemple, un enfant qui ressent de la nervosité pourra facilement se plaindre d'un mal de ventre. Si l'on ne cherche pas la source de cette nervosité, le malaise pourra se transformer en maladie. Sachant que la congestion liée aux émotions s'installe dès la prime enfance et qu'elle s'aggrave avec le temps, le Dr Pert souligne combien il est important de soigner nos émotions en apprenant à gérer ce qui est ressenti comme négatif.

Pert a su démontrer que les émotions sont des phénomènes chimiques et que notre corps y réagit directement. Une émotion agréable entraîne une augmentation de la production d'anticorps IgA dans la salive, un accroissement de l'activité des cellules immunitaires NK (les cellules tueuses) dans le sang et un ensemble de modifications biologiques. D'où l'importance de cultiver des affects positifs.

« Nos émotions dirigent chaque système de notre corps. C'est pourquoi il vaut mieux trouver des moyens de régler les difficultés et les autres problèmes de la vie dès qu'ils se

présente. *Cela est aussi important pour la santé que notre style de vie incluant l'alimentation, les activités physiques et les suppléments que nous prenons*[41]. »

La musique améliore la santé

Plus récemment, à l'occasion de la Journée de la musique du 21 juin 2010, les Instituts de recherche en santé du Canada (IRSC), un organisme gouvernemental qui soutient plus de 1300 chercheurs reconnus internationalement, ont mis des experts à la disposition des journalistes spécialisés dans les domaines de la santé, de la recherche et des sciences afin qu'ensemble ils puissent discuter des effets de la musique sur la santé. On pouvait lire dans le communiqué de presse daté du 15 juin :

> « *La musique adoucit les mœurs et les chercheurs en santé vont même jusqu'à dire qu'elle favorise la guérison des malades. En fait, de plus en plus de professionnels de la santé ont recours à des mélodies pour favoriser la relaxation, traiter la dépression, et diminuer le stress et l'anxiété. La musicothérapie sert également à améliorer la coordination et à accroître le bien-être des personnes atteintes de la maladie d'Alzheimer ou d'une autre démence. Elle aide aussi à traiter les troubles de l'audition et de la parole, et complète le traitement du cancer et des troubles neurologiques.* »

---

41. Candice B. Pert, *Molecules of Emotion: The Scientific Basis Behind Mind-Body Medicine*, New York, Scribner, 1997. La traduction est de moi.

L'événement m'a intéressé parce que le Dr Lucanne Magill, chercheur à l'université de Windsor, y discutait de la musique comme traitement des troubles de l'humeur chez les personnes atteintes d'un cancer avancé.

Apporter un sens à la vie

Bien avant le dévoilement de telles recherches, le neuropsychiatre autrichien Viktor Frankl a su démontrer l'importance du positivisme sur la santé dans son livre *Découvrir un sens à sa vie*. Cet ouvrage a été publié en 1946, à peine quelques mois après sa libération du camp d'Auschwitz où il était demeuré durant trois années.

> « *L'important n'était pas ce que nous attendions de la vie mais ce que nous apportions à la vie. Au lieu de se demander si la vie avait un sens, il fallait s'imaginer que c'était à nous de donner un sens à la vie à chaque jour et à chaque heure* [42]. »

Il raconte que ceux qui ont le mieux réussi à vivre l'insupportable sont ceux qui avaient une vie intérieure riche et une spiritualité qui leur permettaient d'échapper à l'horreur quotidienne. Il a conçu par la suite une approche humaniste qu'il a baptisée *logothérapie* afin d'aider ses patients à prendre leur vie en main. Il distingue trois grands moyens de donner un sens à l'existence : 1) accomplir une œuvre ou une bonne action ; 2) connaître et aimer quelque chose ou quelqu'un ; 3) assumer dignement une souffrance inévitable.

---

42. Viktor E. Frankl, *Découvrir un sens à sa vie*, Montréal, Les Éditions de l'Homme, 2006.

La peste émotionnelle

Finalement, je voudrais noter une idée fondamentale liant cancer et émotion. Elle a été formulée par un disciple dissident de Freud : Wilhelm Reich. Célèbre pour son livre sur la révolution sexuelle, Reich est un penseur original qui gagne à être connu. Dès 1933, il publiait un livre-phare intitulé *L'analyse caractérielle*[43]. En 1940, il consacre le dernier chapitre de la réédition de cet ouvrage à ce qu'il appelle *la peste émotionnelle*. Celle-ci viendrait de l'emprisonnement de l'énergie vitale et du plaisir sexuel dans le corps sous la forme de cuirasses caractérielles transmises par le biais de l'État et de la structure familiale. Il voit le cancer comme une conséquence individuelle de cette peste émotionnelle collective.

Reich note très tôt que les expériences traumatisantes au niveau émotif sont encapsulées dans le corps physique pour que leur impact émotionnel ne puisse pas déranger le moi dans son évolution. Le prix à payer pour un tel refoulement des affects est la mise en place d'une armure corporelle qui prive le sujet de plaisir et de vitalité[44]. Comme les recherches de Candice Pert le prouvent aujourd'hui, la conséquence de cet enfermement est la maladie. Notons de plus que Reich a non seulement prévu l'épidémie de cancer qui nous touche, mais qu'il l'a mise en parallèle avec plusieurs autres phénomènes dont la politique-spectacle, la pornographie et le sport transformé en religion universelle[45].

---

43. Wilhelm Reich, *L'analyse caractérielle*, Paris, Payot, coll. Science de l'homme, 2006.
44. Plus près de nous, Marie Lise Labonté explique très bien la notion de cuirasse corporelle dans *Au cœur de notre corps. Se libérer de nos cuirasses*, Montréal, Les Éditions de l'Homme, 2000.
45. Voir à ce sujet l'excellent article « La peste émotionnelle chez Wilhelm Reich », dans Georges Bertin, *Un imaginaire de la pulsation : lecture de Wilhelm Reich*, Québec, Presses de l'Université Laval, 2004.

LE MEILLEUR MOYEN D'ÊTRE HEUREUX...

Je prends la peine de citer ces différents penseurs afin de vous encourager à faire ce qu'il faut pour transformer vos états affectifs. Il s'agit de cesser d'attendre la bonne fortune et de prendre les choses en main. On peut activer le potentiel endormi en nous-mêmes comme on allume son téléphone cellulaire le matin. À cet effet, le maître de taï-chi-chuan Vlady Stevanovitch prenait la peine de nous répéter en commençant chacun de ses cours : « Le meilleur moyen d'être heureux, c'est d'être heureux ! »

Autrefois, je trouvais sa formule parfaitement ridicule. Aujourd'hui, je la trouve parfaitement juste. Autrement dit, le bonheur, ça se décide chaque jour, ça se travaille. Et ce travail débute par la maîtrise de nos états intérieurs.

De fait, on peut entrer par plusieurs portes. La combinaison de différentes approches est souvent gagnante. Ainsi, j'ai demandé un jour à une patiente très dépressive de compléter son travail thérapeutique par des promenades et des exercices de respiration. Elle s'est prise au jeu jusqu'à y adjoindre des massages et, avec les années, elle a fini par intégrer un groupe de théâtre amateur qui la remplissait de joie. Inutile de vous dire que, parvenue à ce point, elle ne souffrait plus de dépression et n'avait plus besoin de mes services. La curiosité, l'humour et l'expression avaient repris place dans sa vie. Au final, elle se plaignait le sourire en coin de ne plus avoir assez de temps pour travailler alors que c'est ce travail qu'elle jugeait exaspérant qui l'avait amenée en thérapie. Si j'avais su ce que je sais aujourd'hui, je lui aurais montré comment transformer ses états affectifs par l'imagination dès le début de nos rencontres.

La sagesse populaire chinoise a compris cela il y a fort longtemps, semble-t-il. Dans un « biscuit de bonne aventure » (*fortune cookie*), j'ai trouvé l'autre jour la formule suivante :

Un cœur heureux fait autant de bien que le médecin.

La joie nous illumine, la tristesse nous assombrit. La joie pétille et scintille. Elle nous remplit d'énergie et nous donne le goût de vivre. La tristesse nous voile et nous alourdit au point de nous faire perdre l'envie de continuer. Voilà une façon très simple de résumer tout ce que je viens de dire. Car, si nous sommes énergie, nous sommes lumière, la manifestation la plus visible de l'énergie pure. Chacun de nous est un être de lumière qui, lorsqu'il est ralenti et assombri par la maladie, est invité à se rappeler de sa nature joyeuse et légère.

Ce n'est pas si évident, car nous avons souvent peu d'occasions de nous réjouir dans notre vie. Cependant, l'enjeu vital réside tout de même de ce côté. La maladie devient alors l'occasion qui nous est donnée d'aller vers des états positifs et de les activer en nous par nous-mêmes en nous aidant de la création d'une réalité imaginaire. D'autant plus que, lorsqu'on est malade, on a beaucoup de temps pour soi. C'est l'un des bénéfices secondaires de la maladie. On passe de longues heures à ne rien faire. Il s'agit d'un temps idéal pour aborder ce genre d'exercice.

« NOUS, ON VEUT VIVRE ! »

Ainsi donc, en ce mois de juillet 2007, je suis en train de découvrir en moi un allié puissant : mon imagination. À partir de ce moment-là, tout en continuant ma retraite, je me fais un point d'honneur de choisir mon humeur intérieure chaque jour. À ceux qui pourraient s'indigner que l'on puisse remplacer ainsi un état spontané par un état fabriqué — après tout, un de mes oncles préférés n'allait jamais au cinéma parce qu'il disait que ce n'était pas réel ! —, je dirai la chose suivante : ce que nous appelons nos états spontanés est largement déterminé par nos conditionnements inconscients. Ces états obéissent à une mécanique pratiquement réglée comme une horloge, celle de nos habitudes de penser, de sentir et de nous comporter. Ils correspondent plus à des attitudes protectrices qu'à notre moi véritable.

Dans un tel contexte, le recours à la partie lumineuse et ensoleillée de soi constitue pour ainsi dire un appel au meilleur de nous-mêmes. Il ne s'agit pas d'un ailleurs fantasmatique, mais bien du lien avec le fond lumineux de notre être, comme disent les Tibétains. De plus, qui nous dit que ce que nous appelons notre réalité n'est pas essentiellement imaginaire ? N'est-ce pas devant une telle prise de conscience que William Shakespeare s'est écrié que notre vie était faite de la même matière que celle qui tisse nos rêves ?

Le dernier soir de notre retraite, après la relaxation, nous sommes invités à « écouter le message de nos cellules au-delà de notre mental ». J'ai envie d'éclater de rire tant la proposition me semble au-dessus de mes forces. J'ai beau fréquenter ma réalité imaginaire depuis une bonne semaine et en constater chaque jour les effets positifs sur mon niveau d'angoisse, je ne suis pas très performant lorsqu'il s'agit d'aller au-delà de mon intellect. De toute façon, je ne suis pas bon avec ces exercices sur commande. Jeune, il suffisait que le professeur de piano me dise qu'il appréciait mon jeu pour que je me mette à cafouiller honteusement. Néanmoins, je me prête au jeu comme tous les autres soirs, mais sans grand espoir de résultat cette fois-ci.

Toutes les personnes présentes entendent le message de leurs cellules. Moi, je n'entends pas leur message, j'entends leur cri : « Nous, on veut vivre ! » Et le sous-texte est : « Tu nous nuis ! »

Autrement dit, mes humeurs dépressives empêchent les processus de régénérescence de prendre place. Au moment où j'entends ce cri faire son chemin en moi, je sens la région de mon bassin devenir complètement chaude. La vie bouillonne dans mon corps et ce bouillon de vie s'étend maintenant à tout mon ventre.

Je jubile. J'ai réussi à établir le contact. Je peux entendre ce que mon intérieur essaie de me dire. Je comprends que je ne suis pas encore arrivé dans ma vie. Je ne suis pas assis sur ma base, parvenu à ce qui me fonde. Il y a de l'amour plein mon cœur et je l'offre à la ronde ; toutefois, je ne m'accorde pas le droit de m'aimer, de m'apprécier. À présent, la clé est dans le moteur. La machine ronronne. J'ai la permission d'exister. J'ai la permission d'être qui je suis. Je m'octroie le droit de jouir de mes talents, de mes dons, de ma présence au monde. Bien qu'ayant montré à tant de gens à s'aimer et à aimer leurs créations, je n'y suis pas parvenu moi-même. Il fallait que le contact passe par le ventre et par la racine. Une sensation d'unité profonde se répand en moi.

Moi qui, pratiquement parlant, n'ai jamais senti ce que l'on désigne comme le centre énergétique de la racine, à la base de la colonne vertébrale, je le ressens maintenant parfaitement. J'en éprouve une joie incroyable, car ce n'est pas moi qui suis en train de faire de l'autosuggestion afin de produire cette sensation magnifiquement réconfortante. Elle apparaît de façon tout à fait spontanée et elle est bienvenue. Après ces soirées d'imagination virtuelle, mes cellules répondent de façon très concrète à mon appel.

On dirait que quelque chose s'est passé à ma naissance, peut-être avant, ou juste après. Quelque chose qui a créé une séparation d'avec moi-même, une interdiction d'être moi, de prendre de la place. Toute ma vie, j'ai été secrètement convaincu qu'on allait me couper la parole parce que ce que j'avais à dire n'était pas suffisamment intéressant pour retenir l'attention plus de quelques minutes. C'est de cette façon que je suis devenu conférencier. Comme les gens avaient payé, je me disais que c'est parce qu'ils voulaient m'entendre. Mais, même là, j'arrivais à me convaincre qu'ils venaient uniquement pour la clarté de mes explications et que je n'avais pas grand-chose à y voir. On dirait qu'il y a une sorte de trauma qui m'a coupé de moi-même, quelque chose que j'ai passé ma vie à tenter de comprendre et d'expliquer.

Alors, ce soir, je me permets de jouir de mes créations, de toutes mes créations. Au lieu de me sentir coupable de mon autodestruction, je jouis de la sensation de moi-même en tant que créateur. Je m'ancre en moi-même et en tire une jouissance profonde. Ma sensation de présence au monde me procure le même plaisir. J'atteins la jouissance cosmique, je goûte à l'amour infini.

Je me bénis, je me sacralise, je me pardonne à l'avance d'aimer, de guérir, de jouir, d'avoir le goût de vivre, de me coucher à toute heure. Je me donne la permission d'exister et de créer de l'amour et de la vie. J'ai la conviction inexplicable qu'il y avait une blessure en moi et qu'elle est en train de disparaître. La vie vibre d'un bout à l'autre de mon être. Du sommet de la tête jusqu'aux orteils, enfin, ça circule !

Il faudrait un banquet pour célébrer ça, un banquet ou un grand feu de joie. En quelques heures, j'ai retrouvé le goût de vivre et de créer, ainsi que le droit de sentir ma création, de la sentir profondément dans mes veines. Je n'appartiens plus à personne, je m'appartiens. Mandataire de ce vaste univers, fibre de sa fibre, je me propulse et me recrée.

Je sors de cette retraite heureux comme un enfant. Aussi incroyable que cela puisse paraître, ma dépression s'évanouit sur-le-champ. J'ai retrouvé mon envie de vivre à l'état brut. J'ose pour l'une des premières fois dans ma vie me ressentir dans ma beauté et dans ma puissance. Dans les jours qui suivent, fort du contact qui vient de s'établir, je connais de plus en plus de moments de joie spontanée. Je suis en liesse pour tout et pour rien. Une douce folie m'habite. Un rayon de soleil sur le plancher du salon me plonge dans l'extase. J'ai vécu l'abattement extrême, je vis maintenant la volupté de cette existence au ralenti. J'ai vécu l'enfer, je profite maintenant de la bénédiction que constitue mon état de malade : aucune responsabilité, pas de devoir, rien à faire. Je goûte la vie dans sa forme la plus simple et la plus pure. Je savoure l'instant présent et il a un goût d'éternité.

Je me retrouve, vingt années plus tard, exactement dans la même atmosphère de ravissement qui m'a vu revenir à la vie une première fois en 1989. Je touche à la béatitude et à une sensation de liberté très intense. Je lâche prise, je fais confiance. Je vois d'ailleurs ce « lâcher-prise » comme un facteur essentiel de retour à la santé. Il représente un saut en dehors du moi peureux et sans cesse soucieux de son image et de sa survie. Pour une seconde fois dans ma vie, je deviens indifférent au fait de mourir ou non de ce que j'ai. Fait rare dans une existence, la peur de la mort me quitte entièrement. J'atteins un état essentiel de légèreté. Je me dis que j'ai guéri le lien unissant mon âme et mon incarnation et que, si ce que je pense est juste, si mon organisme a encore la capacité de se régénérer, mon corps suivra. Car, du point de vue d'une approche globale, qui vise la guérison d'une vie, on peut mourir guéri même si l'on meurt de ce que l'on a. Cette conviction s'inscrit en moi en ces journées de joie profonde.

Je comprends alors que mon principal médecin sera ce qui stimule en moi le goût de vivre. Oui, voilà ce qui va m'aider. Car véritablement, c'est la joie qui guérit.

Le divan philosophique

LA RESPIRATION CONSCIENTE

Août. Les sensations de la retraite de juillet ne me quittent plus. Elles me permettent même de redécouvrir des exercices qui font partie de mon quotidien depuis longtemps. Ces derniers deviennent d'une facilité déconcertante et ils me permettent tous de goûter à la vie plus intensément. Le premier d'entre eux s'appelle la respiration. Ce n'est même pas un exercice puisque chacun et chacune respire tout naturellement. Mais, pour moi qui suis anémique et à la limite de la transfusion sanguine depuis plusieurs mois maintenant, le simple fait de respirer me fatigue. J'ai beau me dire que ce geste nourrit chaque cellule en profondeur par l'intermédiaire des poumons et du cœur, j'ai beau comprendre le rôle des globules rouges et des molécules de fer dans le transport de l'oxygène aux cellules, il n'en reste pas moins que je trouve mon air péniblement.

La détente dont je jouis soudainement me permet de bénéficier de ma respiration plus abondamment. Je ne force rien. J'ajoute simplement mon attention. Je déguste l'air qui rentre et l'air qui sort. Puis j'en profite pour ouvrir différentes parties de mon corps. Comme si je les nourrissais directement. J'entre dans un tel contact avec mon corps que j'ai l'impression de respirer directement par la plante des pieds, par le bout des doigts, par les genoux, par le bassin. Bref, j'oxygène ainsi différentes zones de mon corps, globalement et partiellement. Je ferme les yeux, je respire consciemment pendant quelques minutes et j'ai la sensation de me régénérer en profondeur. J'en sors rafraîchi, étonné de la simplicité de la formule. Il y a longtemps que je cherche un tel degré de sensibilité corporelle.

Même si le taï-chi a fait partie de ma vie pendant plusieurs années, la respiration n'a jamais été mon fort. Je suis toujours étonné d'en redécouvrir la force. Lorsque j'avais vingt ans, je n'arrivais pas du tout à relaxer. J'appréhendais la fin du cours de yoga, celle où il fallait se détendre en respirant. J'en sortais plus tendu qu'à l'arrivée. Puis, j'ai appris à utiliser mon imagination pour guider le processus. En me visualisant relaxé, j'arrivais à respirer plus profondément. Ensuite, lentement, à travers les épreuves de la vie et de la maladie, j'ai appris à m'abandonner de plus en plus, car la respiration profonde est question d'abandon confiant.

Les tensions de fond, tout comme les tensions superficielles, affectent la respiration. Certaines personnes, par exemple, respirent uniquement avec le haut de leur corps, d'autres principalement avec le ventre. Rares sont celles qui respirent avec tout leur corps. Je me rends compte maintenant qu'il suffit d'y porter attention et d'en maintenir l'intention. Ça ne peut pas ne pas venir puisqu'il s'agit de notre organisme et que c'est notre esprit qui commande.

Lorsque je m'abandonne à cette respiration consciente, douce et profonde à la fois, j'ai l'impression de communiquer avec l'univers par tous les pores de ma peau. Ma présence s'élargit subtilement et je sens que je communie en toute confiance avec mon environnement. Je me nourris d'air, je me nourris de *prana*, cette quintessence de l'air dont parlent les hindous, que les Chinois appellent le *chi*, et les Japonais le *qi*. Je respire la lumière, je respire l'eau qu'il y a dans l'air, et je régénère mes cellules en toute conscience. Plusieurs fois dans la journée, je marque une pause pour renouveler mon niveau d'énergie par la respiration.

Le processus relève d'une grande simplicité et je le conseille à chacun et chacune. À partir de là, plusieurs pratiques se trouvent facilitées : la détente, la visualisation, la méditation, de doux exercices corporels et le sommeil. La respiration consciente constitue la base d'un éveil de l'être à lui-même. Elle prépare particulièrement bien à un exercice qui s'appelle *l'union des trois corps*.

L'UNION DES TROIS CORPS

À travers la maladie, malgré des états de fatigue souvent extrêmes, je tente de demeurer constant dans ma pratique énergétique. Je commence chaque journée par des exercices d'éveil corporel qui s'appuient sur une conscience de la respiration. Ils ont pour but de me relier tant à mon univers intérieur qu'au monde extérieur. Après avoir harmonisé mes corps physique, émotionnel et mental, je me mets en contact avec le soleil et je l'invite à réveiller chacun de mes centres énergétiques, en particulier le ventre, siège des pulsions et de la créativité, le milieu du front, siège de la conscience et des idéaux qui me guident, et le cœur, siège de l'unité, de l'amour et de la compassion. J'imagine que le soleil extérieur vient stimuler le soleil intérieur qui se met à luire intensément au cœur de chacune des zones que j'ai mentionnées[46].

Ensuite, je procède à l'union des trois corps. Encore une fois, je décris cette procédure en détail.

Étape 1 : Assis en tailleur ou dans une position confortable, je commence par prendre quelques respirations en profondeur, puis, toujours à l'aide de ma respiration, j'entre en contact avec mon corps physique pour lui permettre de se détendre.

Étape 2 : Je visualise mon esprit comme un double invisible de mon corps physique qui serait assis en position de bouddha à quelques centimètres au-dessus du sommet de ma tête. Il est le témoin silencieux de toutes mes actions. Il les éclaire à partir de son point de vue lumineux, même à travers les voiles que créent mes désirs, mes émotions et mes contractions. Je lui permets également de se détendre. Ainsi, tout l'appareil mental se relaxe.

Étape 3 : J'imagine un point lumineux très haut dans le ciel. Il est comme le soleil de mon existence. C'est mon corps de lumière. Il est le véhicule de mon âme ou de mon « Je suis véritable », de mon soi ou de ma cellule énergétique de base, selon l'appellation que l'on préfère. Ce soleil irradie

---

46. Le livre de Pierre Lessard et de Maître Saint-Germain, *Manifester ses pouvoirs spirituels* (*op. cit.*), comprend un DVD. Cette pratique énergétique y est décrite en détail. En état de transe médiumnique, Pierre Lessard la guide pas à pas. L'exercice appelé l'*union des trois corps* y figure aussi.

dans toutes les directions et il me met en relation avec l'univers entier.

Étape 4 : Je poursuis l'exercice de visualisation en invitant mon âme à emprunter le chemin de l'un de ces rayons solaires pour se marier avec le corps subtil de mon esprit. Cela crée le duo âme-esprit qui correspond à ma nature véritable et lumineuse.

Étape 5 : Je me représente ensuite que ce duo emprunte le canal de la couronne pour s'unir au corps physique. Il s'agit d'une véritable union de la lumière avec la matière, de l'esprit avec la chair. Ce geste récapitule en somme celui qui fut à l'origine de mon incarnation, lorsqu'une parcelle d'énergie pure a fusionné avec le corps physique, lui donnant conscience et direction.

Je me représente cette union des trois corps avec le plus d'intensité possible, visualisant et ressentant que la lumière vient éveiller et nourrir chaque cellule de mon organisme, de la racine des cheveux jusqu'au bout des orteils. Cette union du corps, de l'âme et de l'esprit vient se compléter au niveau du cœur qui s'embrase d'un amour irradiant partout à l'intérieur et à l'extérieur du corps.

Encore une fois, l'efficacité d'un tel exercice repose sur l'engagement personnel de celui ou celle qui le fait ; plus cet engagement est entier, plus il aide la personne à passer de la simple technique mentale à une capacité d'écoute sensorielle propre à transformer son état global. Le plus important à se rappeler est que le bien-être expansif qu'un tel exercice peut engendrer favorise la santé. Car la maladie, dans son essence, repose sur un état de division intérieure qui est à l'opposé de la sensation d'unité qu'un tel exercice produit.

La méditation

Puis je me plonge dans une méditation où je m'attache à déguster l'instant présent. Je ne le fais pas en m'enfermant dans une bulle concentrée et peureuse des distractions qui pourraient se présenter. Au contraire, je m'unis à tout et je me sens libre d'être qui je suis, libéré de mes soucis, de mes désirs, de mes lourdeurs. Pour quelques minutes, je choisis la légèreté. Je le fais en ouvrant tous mes sens, accueillant l'univers entier, jusqu'à sentir parfois que l'univers entier existe à l'intérieur de moi. Il s'agit d'une *présence élargie* qui me nourrit en profondeur. Il s'agit d'exister sans but et d'exister sans plus, si je peux m'exprimer ainsi. Exister sans attente, sans demande, sans recherche particulière, dans la simple délectation de sa propre présence. « Je suis cela qui est », affirment les bouddhistes. Lorsque je guide quelqu'un dans une méditation, je prends toujours soin, à la fin du temps consacré à celle-ci, de dire à la personne que sa méditation se prolongera dans sa journée et qu'elle peut y revenir instantanément aussi souvent que désiré.

Pour me préparer à méditer, j'active en moi un état de joie et un état amoureux sans attendre que la vie me les propose d'elle-même. Je crée ces états en moi à l'aide de la respiration et de l'intention claire de faire précisément cela. Au début, il faut faire un effort pour stimuler la lumière en soi. On y parvient avec plus ou moins de succès suivant les jours. On est parfois plus disponible et parfois moins. Toutefois, à force d'activer le courant lumineux qui parcourt notre existence et la fonde, on se rend compte que c'est plutôt comme s'il y avait un flot permanent en soi et qu'il suffit de s'arrêter quelques instants pour être en mesure de boire à même l'eau de la rivière intérieure. On prend alors conscience que la paix est toujours en soi et que l'amour est toujours au rendez-vous. On réalise même qu'il n'y a pas d'effort particulier à faire. Il suffit d'y porter attention et de se brancher sur ce courant, pour employer une autre métaphore. Et pour se brancher, il importe de donner congé à nos préoccupations et à nos soucis pour quelques minutes, ce qui n'est pas toujours une mince affaire, j'en conviens.

Toutes les personnes qui méditent finissent par dire des choses similaires parce que ces expressions témoignent de la réalité profonde de notre être. Une terre en nous reste vierge malgré les heurts de la vie. Pour entrer en contact avec elle, il suffit de le vouloir et de se donner l'espace et le temps pour le faire. Une fois que l'on comprend que le courant est continu et permanent, méditer pour goûter à une sensation de paix et à une sensation d'union devient quelque chose de plus facile, qui ne demande pas d'effort particulier. Quand je ferme les yeux, je me dis que c'est comme partir en vacances au soleil. Je m'offre quelques minutes de détente dans une vie très occupée et affreusement dispersante.

L'instant présent

En méditant, à travers ces semaines du mois d'août, j'observe que j'entre plus facilement que d'habitude dans la bulle d'espace-temps de l'« ici et maintenant ». Je le savoure. Ici et maintenant, comme disait le slogan hippie, constitue à n'en pas douter la porte de l'éternité pour un être humain. Il n'y en a pas d'autre. Le temps semble plus long dans l'enfance parce que, moins préoccupés par l'horloge et les choses à faire, nous sommes tout naturellement plongés dans cet ici et maintenant. De même, il semble s'accélérer à mesure que nous vieillissons parce que nous vivons dans le passé et le futur, oubliant de plonger dans le présent.

Cela me fait penser à la blague qu'Albert Einstein utilisait pour aider ses interlocuteurs à comprendre la relativité de l'espace-temps :

« Si vous tenez votre main sur le réchaud pendant une minute, cela vous semblera une heure. Si vous êtes assis une heure à côté d'une jolie fille, cela vous semblera une minute. »

Il aurait pu ajouter : si vous entrez réellement dans un instant, il aura le goût de l'éternité...

En dehors de cet état méditatif, notre vie est une sorte de film qui se déroule sans fin, un film aux multiples péripéties, toutes plus passionnantes les unes que les autres. Mais cette représentation fascinante nous vole la profondeur paisible et heureuse de notre existence. C'est aussi simple que cela, et c'est cela qui est incroyable. La réalité ne ressemble pas à ce que nous croyons, c'est plutôt le contraire. Une fois que l'on commence à s'y plonger, le courant méditatif semble la seule chose qui existe réellement. On a parfois l'impression de toucher à l'univers entier dans cet espace intérieur. Il s'apparente à une guirlande de lumière qui se déploie dans le tout.

Méditer, peu importe à partir de quel état on décide de le faire, consiste à se baigner dans la pureté de l'être, dans sa disponibilité sans cesse renouvelée à la vie et à l'amour qui le lient à tout. Le temps ralentit, le temps s'arrête parfois, et l'on se délecte.

Le sourire intérieur

Une aide réelle consiste à accrocher un sourire à son cœur et à ses lèvres pendant la méditation. Cela favorise l'ouverture. Sourire, c'est sortir de l'attente, sortir de la victime et agir sur son état intérieur directement. Même s'il n'y a rien de souriant dans votre vie, surtout s'il n'y a rien de souriant dans votre vie, souriez. Souriez joyeusement, souriez amoureusement. Ainsi, vous ne vous affichez plus comme une personne en quête de choses faussement joyeuses et divertissantes, vous vous présentez comme le maître de vos états intérieurs. Vous créez un état de joie.

Vous jugez peut-être que vous êtes à cent lieues d'une telle réalité. Toutefois, vous en êtes beaucoup plus près que vous ne le croyez, car, que vous soyez conscient ou non de cette dimension de votre existence, vous choisissez vos états intérieurs. Tant que vous ignorez cela, les conditionnements de votre passé et vos blessures décident à votre place. Votre personnage fait la loi. Toutefois, ce dernier, qui craint de perdre ses prérogatives, a besoin que vous le preniez par la main pour l'orienter dans la bonne direction. Sinon, vous risquez de ne jamais émerger de l'océan pratiquement infini de vos réactions et de vos émotions.

Nous sommes si peu habitués à nous concevoir comme les créateurs de nos états intérieurs que cela demande un réel déconditionnement. Ce changement d'attitude constitue l'enjeu majeur de la transformation intérieure. Il s'agit de ramener la source créatrice de l'extérieur à l'intérieur de soi, ni plus ni moins. Il s'agit, au sein même de la vulnérabilité d'une vie incarnée, de retrouver son pouvoir réel. Pour emprunter un autre vocabulaire : l'invitation consiste à se concevoir non seulement comme un participant à la divinité, mais bien comme le créateur d'une *vie divine*, c'est-à-dire, à mon sens, une vie *consacrée au respect, à l'amour et à la création de l'unité.*

La méditation favorise de telles retrouvailles avec le courant fondamental d'une existence puisqu'elle permet, durant quelques minutes, de se détacher du personnage et de sa volonté de toute-puissance. Car ce porteur de lumière se prend pour la lumière elle-même, et il voudrait que tous les autres reconnaissent sa toute-puissance. En somme, il est de l'orgueil pur en action. La position du créateur de vie est plus humble. Il abandonne la prétention de vouloir être reconnu par tous les autres. Il lui suffit de se reconnaître et de reconnaître en lui sa nature universelle. Il n'a plus la prétention de plaire à tous et à toutes. Son intention consiste à offrir simplement ce qui le fait vibrer aux autres. Voilà ce qui met en définitive un sourire sur ses lèvres.

Le personnage ambitionne une reconnaissance extérieure grandiose. L'être vrai ne base pas sa valeur propre sur la grandeur de sa renommée. Il prend plaisir à être lui-même et à exprimer ce qui le fait vibrer. « Le sage prononce sa vérité dans l'intimité de sa chambre, et pourtant il est entendu à des milles à la ronde », dit le *Yi King*, le livre chinois des transformations.

Vingt à trente minutes de méditation assise et silencieuse favorisent ces retrouvailles avec la vérité de soi. Il ne faut pas confondre la méditation avec la visualisation, avec la réflexion ou même avec la contemplation d'un élément de la nature qui nous fait particulièrement vibrer. Au cours de ces mois de maladie, chaque jour j'y puise le courage d'être vrai et de m'exprimer tel que je suis, au sein de la fragilité. Paradoxalement, une sorte de puissance émerge de cette position, car elle me plonge dans l'émerveillement d'être encore en vie. Voilà ce qui réjouit mon être au sein du drame.

Les jours difficiles

Je vous invite à méditer en vous rendant la procédure plus facile et plus souriante, pourtant je sais bien qu'il y a des jours où ça ne fonctionne pas bien, où l'on n'arrive pas à sourire à quoi que ce soit, ni à entrer à l'intérieur de soi-même. Ce sont les jours où l'on peut constater jusqu'à quel point nos préoccupations ou nos inquiétudes possèdent encore le pouvoir de nous éloigner de nous-mêmes. Lorsque cela m'arrive, je fais alors une chose très simple : je deviens le témoin bienveillant et même curieux de toute cette agitation interne. C'est la vie qui est là, forte, bruyante, mouvante, magnifique. De toute façon, tout est transitoire, cela va finir par se calmer. Cela peut prendre du temps, mais cela finira par se calmer.

La plupart du temps, je me rends compte qu'il en est ainsi parce que je suis animé par une attente plus ou moins consciente. Je cherche à atteindre un état particulier, ou je me sens pressé. Cela me garde tendu, ce qui est tout le contraire de la méditation. J'essaie donc de revenir à une dégustation du moment présent, sans attente, sans recherche, peu importe ce qui se passe en moi. Je tente de retrouver la position d'un observateur neutre se laissant étonner par tout ce qui peut se présenter. Et je garde bien vivante l'intention de maintenir ouverte la porte du présent, tout simplement. Je ne me fais pas de reproches. Je souris intérieurement.

Cela veut dire déguster ses grandes peines et ses grandes colères lorsqu'elles se présentent. Il est bon de se souvenir alors que celui ou celle qui est le témoin de sa peine n'est pas le même ou la même que celui ou celle qui est submergé par la colère ou la peine. Des épreuves intérieures traversent nos vies. À quoi bon le nier ? Pourquoi vouloir être différent de ce que l'on est ? Il y a des nuits plus noires que d'autres et elles semblent parfois sans fin. Heureusement, rien ne dure dans cet univers. Tout se transforme. L'aube finit toujours par venir.

Il y a même des jours où ça ne marche pas du tout. Et alors ? Il faut simplement goûter à cet élan en soi qui nous porte vers la maîtrise de nos états intérieurs, en admirer la persévérance malgré les distorsions de la vie de surface. Il s'agit de s'accorder du crédit pour cette volonté infatigable. Un exemple : je fais du trampoline de temps à autre — un petit trampoline d'appartement — et j'éprouve souvent des difficultés à suivre le rythme des mouvements proposés par l'instructeur sur le DVD. Ça me désole, car je constate que je n'arrive vraiment pas à coordonner certaines parties de mon corps. Heureusement, l'entraîneur a la grâce de dire de temps à autre : « Rappelez-vous que, même si vous ne faites pas les mouvements correctement, vous êtes tout de même en train de faire de l'exercice ! »

C'est exactement la même chose. De toute façon, respirer, unir ses corps, méditer, recourir à sa réalité imaginaire ne sont pas des exercices à « réussir » à proprement parler. Ils sont impossibles à réussir. Ce sont plutôt des recherches. Ce sont des chemins qui sont sans cesse à parcourir et à redécouvrir. Ne serait-ce que pour nous rendre compte des obstacles qui nous entravent !

Lorsque l'on a de la difficulté à s'aligner pour méditer, il s'agit de revenir inlassablement à l'intention de base : goûter à son union avec le tout, s'ouvrir et l'accueillir le plus simplement du monde. « *Just sitting* » (juste rester assis), rappellent infatigablement les moines zen. Juste rester assis, sans attente et sans recherche particulière. Revenir au sourire intérieur qui nous ouvre au monde du dedans et au monde extérieur, et frapper inlassablement à la porte du présent.

Ce n'est pas si simple, et en même temps, c'est simple. De toute façon, il faut sans cesse revenir à cette position de base, car rien n'est jamais acquis une fois pour toutes. La vie est vivante. Nos états intérieurs se métamorphosent sans arrêt en réaction aux événements. Il ne sert à rien de vouloir qu'il en soit autrement. Pourtant, à mesure que vous méditerez, vous prendrez plaisir à retrouver de jour en jour cette dimension vivante, vibrante et créative de votre vie. Car il s'agit d'un laisser-aller à l'évidence et d'un consentement au réel.

UNE RENCONTRE AVEC ÉRIC BARET

J'ai appris plusieurs des choses qui concernent les difficultés de la méditation auprès d'Éric Baret. Justement, au cœur de ce mois d'août, il m'annonce sa visite. Je suis touché qu'il se déplace pour moi et j'en suis très heureux. Éric Baret est un enseignant spirituel et sa façon de voir présente toujours une fraîcheur certaine par rapport aux idées convenues[47]. Même si notre conversation est à haute teneur philosophique, je vous en livre quelques extraits, car ce genre de dialogue, survenant alors que je suis tout à l'exaltation de mon unité retrouvée, m'enchante.

« Nous sommes toujours en train d'essayer de saisir quelque chose, me dit-il. Nous nous affairons, nous préparons quelque chose, nous cherchons à gagner de l'argent… Tout cela pour nous donner un futur, pour avoir une identité. Ce mécanisme de *préhension* constitue la cause profonde de nos *appréhensions*

---

47. En plus d'être un conférencier très stimulant, Éric Baret est l'auteur de plusieurs livres fort intéressants. Entre autres : *Les crocodiles ne pensent pas. Reflets du tantrisme cachemirien*, Paris, Éditions Almora, 2008, et *Le sacre du dragon vert. Pour la joie de ne rien être*, Paris, Éditions Almora, 2007. Site : www.bhairava.ws.

et de nos malheurs. Être sans identité a quelque chose d'into-lérable à nos yeux.

– Oui, cette perspective nous plonge dans des peurs archaïques.

– Le drame se noue précisément en raison de cela. Il s'agit donc de sortir de l'attente, de sortir de l'attente que le futur apporte quelque chose de plus heureux et de plus intéressant, continue-t-il. Car ce futur-là n'existe pas. Il n'y a que le moment présent, la sensation du moment présent. Au théâtre, nous sommes heureux de notre tristesse et heureux de notre joie, nous goûtons à tout sans nous y attacher. Notre tristesse s'éva-nouit avec la fin de la pièce et il ne reste que du bonheur. La même chose vaut avec la vie. Il y a la tristesse et, au cœur de la tristesse, ou derrière, il y a la joie de vivre quelque chose.

– Le truc consisterait donc à goûter à toutes les situations au lieu de s'y identifier ? Tu penses que cela vaut tout autant pour les événements dramatiques que pour les événements heureux ?

– On ne peut s'empêcher de vivre. Des événements survien-nent en nous et autour de nous, des émotions nous traversent, on ne peut que les vivre et en être le témoin. À partir du moment où l'on est en vie, il n'y a que l'action : on ne peut que prendre le train. Pourtant, à chaque fois que nous nous situons dans une *non-action*, c'est-à-dire dans une *non-saisie* au sein même de l'action, nous avons le recul nécessaire pour éprouver la joie de vivre. Nous avons accès à un bonheur qui n'est pas conditionné par ce qui se passe dans notre vie, par la maladie ou par la santé. C'est comme si les événements, au lieu de prendre toute la place, se déployaient dans un espace infini où il y a de l'air, de l'espace et du temps.

– Je t'avoue qu'avec le cancer, le problème vient précisément du fait que l'espace se comprime d'un seul coup. On se contracte et il n'y a plus que la menace qui existe.

— Oui et, par la suite, on doit jouer au malade, on doit prétendre avoir le cancer, on doit avoir l'air de prendre ça au sérieux.

— En effet, c'est une source constante de difficulté. Mes méditations, mes jus de verdure et toutes les mesures que je prends font en sorte que je souffre fort peu des effets secondaires de la chimiothérapie, à part la fatigue. Ce qui fait que, parfois, j'ai pratiquement honte d'être aussi bien, de ne pas être alité et d'aller et venir à ma guise.

— Lorsqu'on nous annonce un cancer, on perd pied parce que ce mot est chargé des projections collectives liées à l'angoisse de mourir. On en oublie que c'est seulement un mot qui en lui-même ne présume de rien. Tout comme lorsqu'on reçoit un coup physique ou que l'on sort dehors par grand froid : on se contracte. Cependant, plus on se contracte, plus ça fait mal et plus on a froid. Il faut donc apprendre à se détendre dès que possible pour alléger la souffrance.

— Oui, ça me semble tout à fait juste. J'ai l'impression que plus on s'identifie au fait d'être atteint par le cancer et frôlé par la mort, plus on risque de réagir difficilement aux traitements, psychologiquement et physiquement.

— Nous cherchons à exister dans une identité, et cela nous aliène. La non-prétention à quoi que ce soit libère instantanément. Elle nous affranchit du poids des attentes et du poids du futur. À mon sens, poursuit Éric, la vie se résume à la prétention d'être ceci ou cela. Avec, en prime, l'exigence d'être reconnu pour cette prétention.

— Tu veux dire que l'on peut être triste ou en colère, joyeux ou léger, et que tout est bon à déguster ?

— Ce que l'on déguste essentiellement, c'est la joie du mouvement en soi, le mouvement même de la vie. Ressentir la vie au plus intime de soi, voilà ce qui rend heureux et qui remplit le cœur d'amour, un amour sans raison, un amour que l'on peut offrir gratuitement à tout ce qui existe et à chaque personne que l'on croise.

— Tu as raison, lui dis-je. Nous ne voulons pas nous identifier aux émotions qui provoquent des réactions dites négatives en nous. Par contre, nous voulons nous attacher aux émotions qui stimulent des sentiments agréables. Nous voulons nous identifier à celui qui a le vent dans les voiles et nous voulons que cela dure. Toutefois, que nous soyons attachés à la tristesse ou attachés au dynamisme, le problème reste le même parce que nous sommes dans la trappe de l'identité. Nous devenons alors de plus en plus inconscients de la joie profonde d'exister, et les situations douloureuses, celles qui sont le plus à même de nous rappeler que nous existons, ressurgissent. Finalement, tout est affaire de conscience. S'il y a la présence consciente, il y a la possibilité de quelqu'un qui goûte à la joie de cette présence consciente. Cette présence s'avère donc salutaire et source de sérénité.

— Cette sérénité est écoute. Elle s'appuie sur la présence à ce que l'on ressent, sur la sensation de ce qui est ressenti. Pour que ce qui est ressenti soit de plus en plus clair, il faut abandonner, ne serait-ce que le temps de quelques minutes, toute prétention à être qui que ce soit. Bien entendu, il s'agit d'une quête impossible en soi, puisque, dès que je veux quitter mes identités, elles se présentent toutes. La volonté d'une *non-volonté* est impossible. Je me mets donc à l'écoute de tout ce qui m'empêche d'être à l'écoute, et dans ma difficulté d'écouter se présentent parfois quelques secondes, quelques minutes de véritable écoute, quelques instants durant lesquels je peux goûter librement à la pleine saveur de vivre. Et parfois, dans le plaisir de n'être rien, on ressent la joie pure d'exister qui est une ivresse, un nectar divin. »

Éric me laisse en me faisant cadeau de deux livres de Jacques Lusseyran. Il y témoigne d'une aventure exceptionnelle. Aveugle, il raconte sa vie dans un camp de concentration pendant la guerre. Il fait une démonstration étonnante du fait que la joie est en nous et qu'elle échappe complètement aux circonstances[48]. Longtemps après sa venue, je goûte encore ses paroles. Je prends conscience de la grâce de cette maladie qui est venue me délivrer de mon personnage et de mes prétentions à être fort, intelligent et performant. Je prends également conscience du fait qu'il est facile de remplacer une identité par une autre, et de sombrer, par exemple, dans le rôle du malade qui attire compassion et pitié. Il s'agit d'un personnage tragique, car il ne peut cesser d'aller mal s'il veut continuer à exister aux yeux des autres. Puis, ça me fait sourire. C'est un peu ce que chacun de nous fait chaque jour en choisissant de raconter plutôt ses malheurs que ses bonheurs. Finalement, cela ressemble au journal télévisé où il n'y a que des mauvaises nouvelles !

RIEN À PERDRE ET RIEN À GAGNER

Je me rends compte que passer près de la mort m'aide à acquérir une chose : du détachement. Je prends conscience que notre seule possession, l'unique chose à laquelle nous pouvons goûter, s'appelle *le moment présent*. Cela permet de s'engager sans réserve dans le bonheur de l'instant. Celui-ci devient la porte de l'éternité,

---

48. Jacques Lusseyran, *Et la lumière fut*. Paris, Éditions du Félin, 2005, et *Against the Pollution of the I. Selected Writings of Jacques Lusseyran*, Standpoint (Idaho), Morning Light Press, 2006.

car la sensation de l'éternité ne peut exister qu'au temps présent, un temps présent qui se renouvelle sans cesse. Il ne s'agit pas de la pensée de l'éternité, il ne s'agit pas d'une idée mentale, mais bel et bien d'une sensation. Dans cette sensation s'installent le calme et la paix intérieure.

Rien à perdre et rien à gagner! Lorsque le moi se baigne dans de telles sensations et se nourrit d'elles, il retrouve paradoxalement plus de sécurité intérieure. Tout le mouvement de préhension du personnage livré à l'insécurité existentielle se dissout de fois en fois. Car nous nous agrippons au passé et tentons de gagner un avenir parce que nous nous sentons en état d'insécurité dans le grand brassage universel. Mais si nous n'avons que le moment présent, à quoi sert de s'attacher à quoi que ce soit? Il ne reste que la perception du mouvement même de l'amour qui est libre, joyeux, léger, intense et créateur. Il s'agit du mouvement universel lui-même dont l'amour est le ciment avec ses polarités d'attraction et de répulsion, d'ombre et de lumière, de vie et de mort.

Le regard spirituel offre une perspective qui replace tout dans un contexte plus large. Je crois en effet que, bien qu'incarnés dans un corps, nous existons au-delà de lui dans les formes beaucoup plus subtiles que sont l'esprit et l'âme. Je possède la conviction intime que quelque chose de nous subsiste et que nous participons à la fois à la nature universelle et individuelle.

Je n'essaie pas de gagner quoi que ce soit de façon permanente, car tout se dissoudra de toute façon. Loin d'empêcher l'engagement, cette perspective le permet profondément. Il n'existe plus d'engagement qui soit une trappe ou une prison puisque tôt ou tard il sera défait au sein du mouvement universel. Le rêveur devient donc libre de sa création qu'il exécute pour l'intensité de la joie qu'elle lui procure, pour l'intensité du moment. Cela exige de s'ancrer réellement dans l'être de lumière que chacun est. À partir de ce refuge lumineux et de la sensation douce et paisible qu'il procure, on peut vivre avec moins d'attentes et plus de bonheur, de minute en minute, au fil du quotidien, sachant que la prochaine heure n'apportera fondamentalement pas plus de bonheur ou de tristesse que la précédente.

Bien sûr, en cours de route, on se rend compte que certains engagements ne correspondent plus à nos valeurs et à notre créativité. Il faut alors poursuivre son chemin en sachant qu'il n'y a ni perte ni gain, le seul gain possible étant une fidélité à soi-même et à la vie qui entraîne un surcroît de bonheur.

J'ai beaucoup de temps pour philosopher en ce bel été et, étendu sur mon divan, cela me réjouit le cœur.

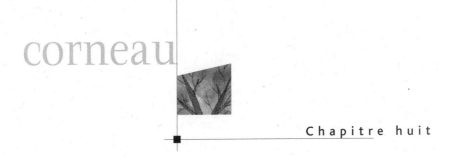

Chapitre huit

Sortie de crise

ELLE ET LUI DANS DE BEAUX DRAPS

Septembre. Malgré la fatigue et les nombreux examens, je vogue avec insouciance à travers l'épreuve. Je passe le plus de temps possible à ma maison de campagne, de même que dans les nombreux parcs de mon quartier lorsque je suis à Montréal. Je fais de la musique avec mon filleul, Marco, et je me remets à l'écriture de la poésie. Grâce à l'homéopathie, je parviens à maîtriser avantageusement les effets secondaires des séances de chimiothérapie. Je comprends, pour l'une des premières fois de ma vie, que ce qui nous donne le goût de vivre constitue notre meilleur médecin.

Pourtant, selon les scanners que je passe régulièrement, il y a de quoi s'inquiéter. Mon oncologue croyait que le lymphome fondrait comme du beurre dans la poêle dès les premières séances de chimiothérapie. Mais ce n'est pas le cas. Il résiste bien, semble-t-il. Pourtant, le Dr Yelle a encore confiance dans le traitement. Et dans ces cas-là, la confiance de son médecin est d'une importance capitale. Elle croit en ses médicaments et elle croit en mes ressources. Cela compte beaucoup pour moi. De plus, elle ne me juge pas « farfelu » avec toutes mes approches. Elle est toutefois un peu plus perplexe qu'auparavant, car la chimio met du temps à agir. Je commence à envisager que je pourrais mourir guéri de mon cancer, c'est-à-dire, comme je l'ai mentionné plus tôt, guéri sur les plans psychologique et spirituel. En effet, je me sens uni à moi-même, aux autres, à la nature et au tout, plus que jamais dans mon existence.

À la mi-septembre, les choses se mettent à changer. Nous recevons des images de scanner montrant que l'inflammation régresse. Le traitement commence à donner de bons résultats sur le tard. Il y a cependant encore loin de la coupe aux lèvres et il ne reste que deux traitements de chimio. Ce type de chimiothérapie est trop dangereux pour que l'on puisse penser à plus de huit séances sans risquer de nuire à la santé du patient. Hélas, je dois maintenant attendre plus de deux mois avant d'avoir les résultats des dernières analyses.

Octobre 2007 restera longtemps marqué dans ma mémoire. Il s'y passe un événement des plus étonnants. Il est de l'ordre des coïncidences significatives que Jung appelle des *synchronicités*. Le 14 octobre, je reçois un appel téléphonique de Marseille. Un certain Patrice Lemercier, directeur du théâtre de poche 16-19, veut me parler. Il a été en contact avec la vidéo professionnelle que Thomas d'Ansembourg a faite sur les problèmes de couple en montant des saynètes qui se trouvent dans mes livres. Sa question est simple : « Ça ne vous dirait pas de compléter votre pièce ? » Je suis estomaqué. Cet homme sort de nulle part et me demande d'écrire pour le théâtre ! Il sait à peine qui je suis, il n'est pas au courant de ma maladie, et encore moins des trouvailles par rapport à la création qu'elle m'a amené à faire.

Il m'explique que depuis deux ans il consacre les lundis et les mardis de sa programmation à des réflexions humoristiques sur le couple. De chez eux est sortie la comédie *Les hommes viennent de Mars, les femmes de Vénus*, une adaptation par Paul Dewandre du best-seller de l'Américain John Gray. La proposition m'intéresse au plus haut point. C'est comme offrir du miel à une abeille. Toutefois, à la veille de ma dernière chimio, je suis cassé par ces six mois de traitement intensif. Je risque tout de même : « Pour quand est-ce qu'il vous faut cela ? »

Au théâtre, les délais de réalisation sont souvent longs et se calculent en termes de mois et d'années. Je me dis que j'aurai le temps de me rétablir avant de me mettre à l'écriture. Sa réponse me surprend encore plus que tout le reste de notre conversation : « Nous aimerions le texte pour la fin novembre. Nous répéterons en décembre et la première aurait lieu à Marseille le 2 janvier ! Est-ce que ça vous semble possible ? » Le programme m'apparaît si audacieux et mon interlocuteur si enthousiaste que je ne peux que répondre : « Oui, je vais vous faire ça. »

Je repose le combiné, abasourdi. Décidément, le bébé que j'ai sauvé dans mon rêve apprend vite à marcher !

Hélas, malgré mes bonnes intentions, je ne peux toucher à l'écriture avant la mi-novembre. Je n'en ai ni l'élan ni la force. L'effet cumulatif des traitements est devenu trop lourd. Finalement, je complète la commande *in extremis*. Ça donne un texte d'une heure réalisé à partir des dialogues qui sont déjà présents dans mes livres. Il s'intitule *Elle et Lui dans de beaux draps*.

« JE NE SAIS PAS CE QUE VOUS AVEZ FAIT... »

Le 15 décembre 2007, je rends visite à mon oncologue à l'hôpital pour avoir mon dernier bilan. Il s'agit d'une visite importante, car, ma chimiothérapie étant terminée, les scanners qui ont été pris doivent nous renseigner sur l'état des lieux. Le Dr Yelle me reçoit tôt comme d'habitude. Pourtant, elle me dit :

« Je dois vous demander de retourner dans la salle d'attente pour une petite demi-heure, je ne suis pas certaine des résultats que j'ai devant moi.

– Qu'est-ce que vous voulez dire ?

– Je dois parler au médecin qui a fait l'analyse de vos scanners. »

Je suis inquiet. Je sais que nous avons joué notre meilleure carte avec cette lourde chimiothérapie. Je sais aussi que nous sommes allés à la plus grande exposition possible avec de telles doses. Je prends mon mal en patience et j'attends, le cœur battant. Vivre une telle angoisse s'avère difficile à décrire sur papier. Il faudrait pouvoir gémir ou crier. En tout cas, la réalité imaginaire n'y peut plus grand-chose. Mon plus grand réconfort vient du fait que la plupart des personnes de cette salle vivent des choses similaires. Enfin, mon nom jaillit des haut-parleurs. Comme d'habitude, plusieurs têtes se retournent pour voir qui est Guy Corneau exactement et où il en est dans son processus. Je ramasse mon manteau et me présente une nouvelle fois au bureau de mon médecin. Une scène mémorable m'y attend.

Le Dr Yelle se tient debout, à côté de son bureau, la main tendue vers moi. Elle serre la mienne, visiblement émue.

« Je ne sais pas ce que vous avez fait, mais cela a marché ! Le cancer s'est retiré de vos organes vitaux. Je voulais parler au médecin qui a analysé les scanners avant de vous donner la nouvelle, car je n'étais pas certaine des résultats.

– Vous êtes sûre…

– Oui, je lui ai parlé. Les résultats sont exacts. Je vous félicite. »

Cette annonce est tout aussi fantastique qu'inattendue. Elle me bouleverse tout autant que le diagnostic neuf mois plus tôt. Ému, je m'assieds et me permets de lui raconter l'ensemble des mesures complémentaires que j'ai mis en œuvre parallèlement à la chimiothérapie. Je lui parle de tout, un peu comme je le fais dans ce livre. Elle m'écoute avec attention et curiosité pendant quinze minutes. J'apprécie l'humilité et la simplicité de cette femme. Pendant toute cette traversée, elle a été franche avec moi, se posant tout haut les questions qui étaient les siennes, revenant même à l'occasion sur ce qu'elle m'avait dit parce que des collègues avec qui elle avait discuté de mon dossier n'étaient pas tout à fait d'accord avec elle. Cette femme vient de me faire le plus beau cadeau de Noël de toute ma vie.

Janvier 2008. Quelques semaines plus tard, je me retrouve au bureau du Dr Boivin, le gastroentérologue qui a découvert la tumeur à l'estomac. Il faut maintenant confirmer *de visu* ce que les scanners ont révélé. Il fait l'examen lui-même et me convoque tout de suite après dans son bureau.

« Je te félicite pour ton approche globale, me dit-il. Pour tout te dire, lorsque j'ai découvert la tumeur au printemps dernier, j'ai pensé qu'une chimio ne pourrait pas te sortir de là. L'examen que je viens de faire témoigne d'une muqueuse qui s'est presque complètement réparée. Elle a retrouvé une souplesse étonnante. On voit encore des traces d'inflammation, mais, si je ne le savais pas, je ne pourrais jamais dire qu'il y a eu cancer.

– Je te remercie beaucoup, Michel. Tu ne sais pas jusqu'à quel point ce que tu dis là me touche. »

C'est un chercheur qui me parle et il en a vu d'autres. Je dois bien commencer à croire, moi aussi, que l'association de différents types de médecines y est pour quelque chose. En effet, je peux bien vous avouer maintenant que j'ai pratiqué tout cela sur un mode complètement exploratoire, ne sachant pas si l'éventail des outils que j'avais mis en place fonctionnerait ou non. Maintenant, deux médecins compétents confirment mon approche. Tous deux pensent que les traitements adjuvants que j'ai utilisés ont joué un rôle, allant ainsi dans le sens de mes convictions intimes.

En ce début d'année, mon cœur déborde de gratitude pour ceux et celles qui m'ont accompagné si fidèlement. Je ne pense pas avoir fait quelque chose de courageux et d'exceptionnel. Je pense que nous avons fait quelque chose ensemble.

Il se passe alors quelque chose d'étonnant. Comme j'ai eu affaire à plusieurs personnes du domaine alternatif, certaines dont je vous ai parlé et d'autres pas, quelques-unes tirent maintenant la couverture de leur côté pour s'attribuer l'essentiel de mon retour à la santé. Je ne suis pas d'accord avec une telle vision des choses ; je n'arrive toujours pas à ce jour à isoler le rôle particulier de tel ou tel instrument dans mon traitement. Pour moi, chaque outil a agi de concert avec les autres.

Pris d'un doute, j'en parle avec le Dr Sylvie Morin, une femme qui est à la fois médecin et naturopathe, fondatrice de la clinique Santé Nouveau Monde et ouverte à la synthèse des médecines[49]. Elle pense la même chose que moi. Elle m'affirme que c'est la synergie des différentes médecines qui a agi avec autant d'efficacité. À son avis, on ne peut pas en particulariser une plus qu'une autre. Cela me réconforte. Je pense

---

49. Située au nord de Montréal, à Piedmont, dans les Laurentides, la clinique Santé Nouveau Monde pratique effectivement la synergie des médecines. On y trouve des intervenants faisant usage de la plupart des approches que j'ai mentionnées dans ce livre. Site : www.guz.ca/snm/

personnellement que, même si l'on me prouve par « a + b » que la chimiothérapie n'a servi qu'à m'empoisonner, elle a valu le coup, car elle m'a rassuré. Sans chimio, je crois que je serais mort de peur avant l'heure de ma fin. De plus, je me suis dit que j'aurais bien le temps, une fois l'épreuve passée, de gérer les effets indésirables de toute cette chimie qui enveloppe maintenant mes cellules.

BEAUCOUP DE TEMPS POUR FAIRE UNE SEULE CHOSE

En février 2008, je me rends en France pour voir quelques représentations de ma pièce. La première a eu lieu le 2 janvier tel que prévu et elle connaît un franc succès. Les petites salles sont pleines. Elle joue le lundi soir à Aix-en-Provence et le mardi soir à Marseille, dans de petits théâtres de poche d'une centaine de places. Certains spectateurs écrivent à titre de commentaire sur Internet que le prix d'entrée devrait être remboursé par la Sécurité sociale tellement les informations contenues dans le texte leur semblent nécessaires à une bonne hygiène de couple !

Patrice me reçoit à bras ouverts et prend bien soin de moi, car je traverse un état de fatigue avancé. Je suis fier. Il y a longtemps que je n'ai pas vu une de mes pièces à l'affiche. Je renoue avec le ménestrel et ça me réjouit le cœur. C'est un délice de retrouver l'atmosphère de la scène et de rencontrer les acteurs qui incarnent Elle et Lui. En plus, cela me fait du bien de voyager à nouveau après un an passé à la maison. Je n'avais pas souvent défait mes valises au cours des deux décennies précédentes ! L'Europe jouit alors d'un printemps précoce qui me redonne espoir malgré mon état de faiblesse. Je marche au rythme d'un vieillard et je m'épuise vite. Je n'ai pas un cheveu sur le crâne et encore moins de résistance. Toutefois, je suis encore vivant. Je visite quelques amis. Je lis amitié fraternelle et inquiétude sur leurs visages lorsqu'ils me rencontrent. Pour ma part, encore tout à ma santé retrouvée, chaque respiration est une bénédiction. La lenteur obligée fait que je goûte doublement à tout, aux repas, à la douceur de l'amitié et à la nature.

Côté médical, comme il reste quelques questions autour de mes poumons, je décide de renouveler ma quête de traitement adjuvant. J'en profite pour visiter Élise Boghossian à Paris. Elle est acupunctrice. Je l'ai consultée auparavant et son diagnostic m'apparaît très sûr. D'une consultation à l'autre, elle peut suivre le renouvellement de mon énergie et les lenteurs que ce renouvellement connaît sur le plan digestif. D'une fois à l'autre, elle me fait également concocter des potions chinoises que je trouve abominables à prendre, mais qui soutiennent d'excellente façon mon élan vital. Depuis bientôt deux ans, tant au Québec qu'en France, l'acupuncture m'aide dans le maintien de mon équilibre.

De retour au Québec, je fais aussi analyser mon sang au microscope électronique. C'est presque émouvant de voir ainsi les globules rouges, blancs et les plaquettes du fluide sanguin sur un écran d'ordinateur. Ces globules constituent de véritables paysages sanguins où l'on peut même voir des marécages de toxines ainsi que les formes fongiques ou les cellules anormales. Cette analyse me confirme qu'il n'y a pas de cancer dans mon sang mais que celui-ci penche plus du côté de la maladie que de la santé. Colombe Gauvin, la naturopathe qui procède à cette analyse, sonne alors la fin de la récréation en me proposant de revenir à une alimentation très saine sans sucre, sans blé et sans produits laitiers.

Pour le reste, je jouis infiniment de mes balades dans la nature, plus que jamais, il me semble. J'ai le temps. Il est fantastique d'avoir le temps. Le temps est devenu un luxe. Nous avons des vies tellement remplies que la plupart d'entre nous vivons à bout de souffle. Ce n'est pas bon pour la santé. Moi, j'ai le temps. Par-dessus tout, j'ai le temps d'écouter mes amis. Lorsque vous disposez de cette sorte de temps, les gens que vous aimez se mettent à vous raconter des choses très intimes. Les conversations prennent beaucoup de profondeur et les liens se tissent au-delà des mots.

Aujourd'hui, bien que rétabli, je n'arrive plus à accélérer le pas comme avant. Je ne parviens plus à me motiver suffisamment pour aller vite. Serait-ce un état de vieillesse précoce ? Moi qui vivais trois vies en une, il me semble maintenant que « je perds ma vie à essayer de la gagner » quand je vais trop vite. C'est le groupe québécois Les cowboys fringants qui emploie cette jolie formule dans sa chanson *Les étoiles filantes*. Aller vite, à moins que ce ne soit pour goûter la délectation de la vitesse, correspond à nier le fait que nous sommes déjà dans l'éternité et que nous avons tout le temps nécessaire pour nous déployer.

L'amour, la joie et la paix s'installent dans les instants que nous dérobons au temps, dans le temps que nous prenons en ayant souvent l'impression de le perdre. Car l'illusion du temps nous fait entrer dans un temps solide qui nous oppresse. Il est loin d'avoir la relativité dont Einstein nous a parlé. Avant le cancer, j'avais l'impression d'avoir peu de temps pour faire beaucoup de choses ; maintenant, il me semble que j'ai beaucoup de temps pour faire peu de choses : créer, jouir de la vie, parler à mes amis et traverser au quotidien le pont qui mène à la joie en pratiquant des exercices énergétiques et la méditation.

LA CONVALESCENCE

En mars 2008, avec mes bons résultats en poche, j'entre officiellement en période de convalescence. Il m'est tout à fait impossible d'entrevoir que je vais recommencer à travailler dans un
avenir rapproché. Je m'accorde plusieurs mois, voire un an, pour
revenir définitivement à la santé, car les traitements m'ont
considérablement affaibli. Je me bute aussi à quelque chose
d'autre en moi. Comme je l'ai dit plus tôt, lorsqu'on a le cancer,
on a quelque chose à faire, on lutte pour sa santé, on suit des
protocoles. Même si plusieurs de ceux-ci demeurent en place,
car la sévérité de mes atteintes nécessite des contrôles réguliers,
je vis tout de même avec une tension importante en moins : ma
vie n'est plus menacée.

Or, paradoxalement, ce répit draine avec lui de nombreuses
questions : pourquoi agir ? Pourquoi bouger ? Est-ce que toute
action ne se résume pas à passer le temps ? Y a-t-il une action
qui a un sens absolu ? Dans la réalité multiple de la vie, pourquoi ne pas se contenter de méditer et de contempler puisque
le but intime et ultime est la jouissance continue de ce qui est ?
Lorsque la frontière de la mort est abolie, lorsque tout est
devenu immensément relatif, quelle action peut bien avoir un
sens ? Je me demande même pourquoi je devrais continuer à
m'alimenter. Je ne comprends plus du tout l'effervescence de
l'action humaine. Étrange retournement ! Tant que mes pensées
et mes gestes ont été orientés vers la survie, ils ont eu une direction certaine. Passé de l'autre côté, ma peur de mourir largement amoindrie, je ne sais plus pourquoi je veux continuer.

J'ai des projets mais je n'arrive pas à reprendre un rythme
quelconque après ces mois de traitement. Je me sens impuissant. J'ai l'impression de me battre contre un moulin à vent.

Quelques semaines auparavant, je devais combattre un cancer. Toutes mes forces étaient mobilisées pour m'enraciner à nouveau du côté de la vie. Maintenant, je me sens vidé comme lorsque l'énergie retombe d'un seul coup après un grand effort. Je me trouve désorienté par rapport à la nouvelle direction que je désire donner à ma vie, apeuré par la perspective de recréer le même rythme infernal qui m'a précipité en enfer, et indécis par rapport au choix du premier pas. Je traverse une sorte de *no man's land* et j'en éprouve un grand malaise. Pourtant, je n'ose pas répondre comme d'habitude par la décision et l'action.

Cela se poursuit jusqu'à ce que ma sœur Line, qui vient de passer à travers une terrible épreuve qui a duré deux ans, me souffle à l'oreille : « Ça prend du temps. Profites-en ! Prends des vacances. Déguste la vie. » Elle me servait ma propre médecine, et elle me la sert encore de temps à autre lorsqu'elle trouve que je m'impatiente.

Même aujourd'hui, je ne trouve pas si facile de revenir à la vie concrètement. Lorsque les énergies reviennent peu à peu et que la parenthèse de la maladie s'efface, il faut s'inscrire à nouveau dans l'existence, avec des choix renouvelés et de nouvelles attitudes. Une lutte quotidienne pour faire place au renouveau commence. Elle est beaucoup plus difficile que la maladie, car il s'agit ici de changer un scénario inscrit en soi depuis des décennies. Si le cancer est véritablement une maladie du style de vie, il importe de modifier ce style pour éviter le retour en force de la maladie.

En parlant avec différentes personnes qui ont connu des épisodes de maladie assez graves pour menacer leur vie, je n'en ai pas rencontré une seule qui ne s'est pas dit en cours de route : « Si ma santé revient, je ferai les choses autrement. » Mais voilà, faire les choses autrement, ce n'est pas toujours si facile.

Par exemple, j'échangeais dernièrement avec le musicien Richard Petit lors d'une émission télévisée[50].

« Pendant mon hospitalisation pour un lymphome de grade 4, j'ai entrevu l'importance pour moi de me rapprocher de l'eau, des dauphins, et même d'acheter un bateau, me dit-il.

– Wouah ! Et puis, est-ce que tu as réalisé tes rêves ?

– Non, je n'ai rien fait de tout cela. J'estime que je suis retourné en grande partie à l'emploi du temps qui a précédé ma maladie.

– Je te comprends si bien. Moi je trouve que la période de convalescence devient le théâtre par excellence de ce combat entre le personnage protecteur et l'individualité créatrice, entre nos vieilles habitudes et le meilleur de nous qui veut vivre.

– Je suis vraiment d'accord avec toi. Ce n'est pas évident du tout. »

Je lui explique qu'il ne faut surtout pas qu'il s'oblige à faire ce qu'il a projeté, car cela créerait de nouveau une tension malsaine. Je l'encourage plutôt à visiter ses dauphins et son bateau au sein d'une réalité imaginaire s'il ne peut se rendre concrètement au bord de la mer. En fin de conversation, je lui demande ce qui l'a le plus aidé à travers l'épreuve. Il me répond sans détour : « Certainement, il s'agit de l'amour de ma compagne. »

L'AMOUR

L'amour ! L'amour d'une femme ! Je ne vous ai pas beaucoup parlé de cette forme d'amour-là dans mon livre. Un jour, à travers tous les exercices de ménage psychologique auxquels je me suis livré, j'ai demandé à mon esprit de me donner une image

---

50. Il s'agit de l'émission *Le téléphone* qui est diffusée sur les ondes de Canal Vie, au Québec. Mon entretien avec Richard Petit a été présenté le 14 septembre 2010.

de mon cancer. C'est la muqueuse même de mon cœur que j'ai vue en état d'inflammation morbide. Ma vie amoureuse souffrait. Non qu'elle ait eu quelque chose d'abject, mais j'ai toujours senti intérieurement que c'est au sein d'un couple que je me déploierais. J'étais somme toute infidèle à mon propre idéal. Ce n'est pas que les candidates de qualité aient manqué ! J'avais simplement résisté de toutes mes forces à partir du moment où quelques peines d'amour m'eurent sérieusement écorché. Je craignais par-dessus tout de dépendre d'une autre personne, d'en avoir besoin et de me sentir contrôlé. Je me suis donc engagé timidement dans mes relations de couple.

Néanmoins, la vie se charge de me faire explorer ce versant de ma maladie en m'aidant à nettoyer les incompréhensions qui pouvaient subsister du côté de l'amour. Elle le fait toutefois à travers une épreuve terrible : voir mourir quelqu'un que j'aime. En effet, en ce printemps 2008, alors que je me déclare en convalescence, Yanna, ma véritable compagne d'âme, celle que j'ai mentionnée à quelques reprises en cours de route, plonge dans un mal-être de plus en plus évident. J'explore donc auprès d'elle l'autre côté de la maladie, celui de l'accompagnement d'un être cher. Cet accompagnement va me conduire à un engagement total. Il m'amène à m'ouvrir à des perspectives que j'avais ignorées jusque-là. Je pense important de lui consacrer une bonne portion de mon récit, car le fait d'accompagner quelqu'un dans le passage ultime a participé de façon plus que significative à mon retour à la santé en me faisant explorer le versant amoureux au sens large.

Dans le chapitre qui suit, je relate différents moments de ma relation avec Yanna ainsi que les réflexions qui me sont venues en cours de route pour que vous puissiez en bénéficier. Je commence par le début, même si cela nous fait reculer dans le temps.

corneau

Yanna

UN CHAT À LA CAMÉRA

Décembre 2004. Il y a un chat, il y a un chat qui se promène à pas feutrés dans mon appartement. Doucement, délicatement, d'un coin à l'autre, sur un fauteuil, derrière une plante, sa présence est presque imperceptible. Je n'arrive pas à le suivre. Je suis juché sur un tabouret au centre de la pièce. Je donne une entrevue. Il y a la maquilleuse, l'intervieweuse et ce chat qui m'intrigue au plus haut point. Il porte une caméra, et même les déclics de l'appareil sont à peine audibles. Quand l'entretien est terminé, le chat, tout de noir vêtu, est assis sur le plancher à ranger ses instruments. Je lui parle. Elle s'appelle Yanna et elle est d'une grande beauté, un délicat mélange de traits amérindiens et québécois : de grands yeux brillants, un corps fin, de hautes pommettes. Elle aurait pu tout aussi bien débarquer du Tibet ou de la terre inuite.

À partir du moment où nous nous rencontrons, nous ne pouvons plus rester loin l'un de l'autre. Elle a un homme dans sa vie et deux adolescentes ; malgré cela, nous nous voyons pratiquement chaque jour. Il y a une attraction incroyable entre nous. Nous ne faisons pas l'amour. Nous parlons. Nous parlons partout et nous parlons de tout. Nous avons toujours quelque chose à nous dire. Bien que je converse peu dans la vie courante, avec Yanna je suis intarissable. Comme si je voulais qu'elle sache tout de moi. Ça sort, ça déboule. Elle m'écoute avec intérêt et elle parle autant que moi. Comme si nous avions du rattrapage à faire. D'âme à âme, de cœur à cœur, nous nous parlons, mariés tout naturellement, mariés le plus simplement du monde, mariés pour l'éternité. Mon cœur déborde de gratitude : quel bonheur d'avoir rencontré un tel être, si élégant, si sauvage et si proche à la fois.

Au début, elle vient me porter des muffins à la maison pour le petit-déjeuner. Ces petits péchés sucrés sont d'ailleurs restés présents pendant toute notre relation. Puis nous nous sommes mis à nous entraîner dans le parc. Elle pratique à l'époque les exercices tibétains de longévité et elle ne fait rien à moitié. Il faut la voir tourner sur elle-même à fond de train comme une toupie. J'en ai le vertige à sa place. Je me lève toutefois trop tard pour elle. Elle aime être au parc dans la lumière de l'aube, déguster les premiers rayons du soleil, s'imbiber de la nature au réveil.

À l'époque, ses deux filles traversent les turbulences de l'adolescence. À ses yeux, elles comptent infiniment plus que sa propre personne. Elles sont sa principale raison de vivre. Plus jeune, elle a rompu son mariage, qu'elle trouvait insatisfaisant, et a déménagé à Montréal. Sa créativité et son goût pour la lumière l'ont poussée à apprendre le métier de photographe dans lequel elle excelle. Elle a d'ailleurs découvert cette passion en tirant le portrait de ses filles de façon amateur. Elle a aussi voulu offrir à sa progéniture une éducation liée à l'expression artistique.

Côté amoureux, ça ne va pas fort. Sur ma recommandation, elle entreprend une psychothérapie. Une technique appelée *le tunnel* l'attire. Il s'agit d'une sorte de catharsis provoquée par une relaxation profonde et la visualisation d'un tunnel qui symbolise les différentes étapes de l'existence. Yanna a une facilité étonnante à utiliser de telles techniques. Son accès aux mondes subtils à travers l'imagination me fascine.

« GUY, J'AI LE CANCER ! »

Un après-midi du printemps 2006, alors que nous faisons des courses, elle me dit à brûle-pourpoint en descendant de l'automobile :

« Guy, je viens d'apprendre que j'ai le cancer. C'est le sein qui est atteint, une tumeur de 2 à 4 centimètres.

— Qu'est-ce que tu me dis là ?

— L'hôpital propose une chirurgie avec chimiothérapie et radiothérapie. Moi, je ne veux pas. Qu'est-ce que tu en penses ? »

Je n'ai pas de réponse. Je suis consterné. Comment une femme au début de la quarantaine, si jeune et si épanouie, peut-elle avoir le cancer ?

Yanna ne peut absolument pas entrevoir la possibilité d'une amputation même partielle de l'un de ses seins. Ils sont pour elle le symbole vivant de sa féminité. Un jour, alors que je l'encourage à penser à une chirurgie, elle me répond qu'elle aimerait mieux mourir plutôt que de perdre l'un d'eux. Elle veut s'en sortir en empruntant la voie alternative des moyens naturels. Je commence à lui donner quelques contacts pour l'aider dans sa démarche. Comme je soigne ma colite depuis presque vingt ans de façon naturelle, j'ai acquis une certaine connaissance des ressources du milieu. Je ne pouvais pas savoir que Yanna s'accrocherait à chacune des mesures complémentaires comme à une bouée de sauvetage, une bouée dont je ne parviendrais plus jamais à la décrocher.

En fait, à l'époque, nous partageons les mêmes idées en ce qui concerne les traitements médicaux et les traitements alternatifs. Nous nous méfions des premiers et préférons les seconds. Ardente partisane d'une alimentation saine, elle me demande d'abord si je connais un endroit où elle pourrait aller faire une cure. Par une connaissance, j'ai un lien avec l'Institut Hippocrate aux États-Unis. Le séjour est arrangé en moins de deux et Yanna s'envole pour la Floride. À Hippocrate, les intervenants croient qu'une alimentation crue, verte et biologique, assortie d'une dose quotidienne d'exercices, peut vous sauver de presque tout. Ils se déclarent aussi opposés à toute forme de chimiothérapie.

Je suis certain que la cure proposée préserve d'un nombre important de maux ; toutefois, aucune cure n'est parfaite. Pour cette raison, je me dis qu'elles ont tout avantage à s'associer à d'autres types de médecines. En réalité, il faut se méfier des cures qui prétendent à un succès absolu. Si c'était le cas, ça se saurait. De plus, et c'est ici un point dont tout un chacun a avantage à devenir conscient, lorsque le cancer fait déjà rage, la médecine de terrain se trouve désavantagée, car elle mise sur le temps. D'une façon ou d'une autre, il faudra consentir à des mesures radicales, du côté de la médecine conventionnelle ou du côté de la médecine naturelle.

Yanna revient de son séjour de quelques semaines encore plus convaincue qu'au départ de sa capacité de s'en sortir sans médication. Je trouve ce changement d'alimentation des plus draconiens mais n'ose l'en dissuader. Elle s'y attache avec ferveur, trouve un excellent commerçant en légumes biologiques, et commence son régime. Elle vient, pratiquement parlant, d'entrer en religion. J'ai souvent blâmé les gens qu'elle rencontrait sur son passage pour leur dogmatisme, mais, à la réflexion, cela a aussi à voir avec la nature forte, et parfois intraitable, de Yanna elle-même.

Son diagnostic précède le mien d'un an. Pendant cette période, je commence à expérimenter ce que veut dire accompagner quelqu'un qui est atteint d'une maladie grave, bien que cet accompagnement soit léger au début, car elle a toute sa mobilité. Ma mère a souffert d'un cancer et mon père également, mais ils ont vécu leur maladie loin de moi. Je ne sais pas ce que veut dire un tel accompagnement au jour le jour, et cette fois, je vais le vivre en qualité d'ami proche.

Un rêve prémonitoire

Quelques mois après le début de sa cure alimentaire, soit le 22 avril 2007, elle fait un rêve que je qualifierais aujourd'hui de prémonitoire. Elle l'intitule *Le survol*.

Je suis allongée sur un matelas gonflable qui me sert de civière. Georges, mon fournisseur de légumes biologiques, me pousse. La première image que je vois, ce sont d'immenses citrouilles dans une cour d'école. Il y a plein de gens, une grande fête s'y déroule, avec plein d'enfants tout heureux. Puis j'entre dans un marché de type oriental et survole des légumes majestueux. Je suis attirée par des champignons gigantesques, c'est l'abondance absolue. Je prends des photos en faisant le geste avec ma main et mes doigts, mais je constate que je n'ai pas d'appareil photo. Je suis tout de même joyeuse.

Tout à coup, Georges touche mon sein gauche et est impressionné par la grosseur et la dureté de la tumeur. Nous arrivons au bout d'une ruelle qui débouche sur un cul-de-sac. Je réalise que je suis morte. Je viens de me rappeler qu'avant de me retrouver sur une civière volante, mon service funéraire avait eu lieu à l'église de mon village. Il y avait une foule colossale, le village entier était rempli de voitures. Des gens venaient de partout dans le monde pour me rendre hommage. J'avais réussi à accomplir ma mission et à toucher le cœur des gens avec mes photos. Il était correct pour moi de quitter la Terre à ce moment-là. J'étais en paix et dégagée de tout et de tous.

Je demande à Yanna de commenter le rêve pour moi. Elle m'écrit les lignes suivantes :

Quand Georges touche à ma tumeur, je me rappelle le côté incurable de ma maladie et ça me rend triste. Ça me donne le sentiment d'être en train d'organiser mes propres funérailles, comme si j'étais spectatrice de ma mort, et donc étrangère à ma vie. Un peu comme si je me considérais dans le fond comme déjà morte et que je ne touchais pas terre en planant dans le ciel de la spiritualité et en me laissant piloter par l'idéal d'une guérison toute naturelle. Mais au bout de ce processus, il y a la ruelle en cul-de-sac. Force m'est de constater que la tumeur a encore grossi et durci, que le mal est en train de devenir incurable et que je dois envisager une fin proche. Un désespoir immense m'envahit à l'idée de ne

*plus pouvoir jouir des beautés de ce monde, des enfants, des
légumes et du marché qui sont comme une invitation à m'incarner. Je ressens comme un important appel au réalisme,
au contact avec la terre, et à ne pas me laisser conduire par
mes croyances sur un « tapis volant » qui pourrait me mener
dans une impasse douloureuse. Relater tout cela éveille en
moi une angoisse terrible.*

Je réponds à Yanna que, selon moi, elle a parfaitement compris son rêve. Il me semble que l'angoisse terrible qui l'oppresse
est un cri du soi profond qui tente de l'alerter des dangers réels
de son entreprise. Je souligne la sagesse présente dans ces
images et l'encourage à faire quelque chose de plus efficace pour
elle-même, comme acquiescer à la chirurgie et aux traitements
de chimiothérapie. Cela ne la convainc pas. Par contre, ce qui
lui arrive m'aide à franchir mes résistances par rapport à la
chimio, car, en avril 2007, mon tour vient d'arriver.

LE TEMPS PASSÉ AVEC SOI

Un autre aspect m'inquiète dans le rêve de Yanna, celui du
« tapis volant » qui devient une « civière volante ». Je note en
effet chez elle une forte propension à fantasmer un au-delà plus
intéressant que ce qui se passe sur notre Terre. Je crois que c'est
pour cela que son inconscient lui montre ce marché aux légumes
gigantesques : afin de lui rendre attirant l'aspect terrestre. Je
décide de lui écrire une lettre dont voici un extrait :

*Tu fantasmes un ailleurs meilleur. Ne sais-tu pas que nous
sommes toujours égaux à nous-mêmes et que ce que tu ne*

règles pas ici restera comme un obstacle à franchir que tu créeras de nouveau pour pouvoir grandir, pour pouvoir te libérer véritablement? Tout est possible ici, maintenant. L'incarnation n'est pas une limitation. La limite est en nous. Elle réside dans la conviction de notre petitesse, dans la croyance en la petitesse de l'incarnation. Cette croyance sabote nos existences.

Ton incarnation est une célébration de la perfection même de l'univers et une vie ne sert qu'à exprimer la perfection de l'être et de l'univers. Tu n'es pas victime de quoi que ce soit, ni de qui que ce soit. Tout a été appelé de l'intérieur pour que tu puisses t'épanouir. Tout aspire à ta libération. Abandonne-toi! Fais confiance! La guérison est déjà en toi. Ton âme est belle et radieuse, magnifiquement belle et radieuse. Il n'y a pas tant à faire. Il y a à autoriser la recréation de toi-même!

Pour une telle recréation, il faut du temps. Il faut prendre le temps de s'écouter et d'écouter le message de nos cellules. Il s'agit ici d'un point majeur à prendre en considération pour quiconque passe par la maladie ou même par n'importe quel type d'épreuve. La crise nous invite à traverser de nombreux états intérieurs qui font partie de la trajectoire obligatoire et pas toujours agréable des refoulements qui montent à la surface. Elle nous amène à revisiter les émotions dépressives et parfois franchement désespérantes qui ont atteint le corps et qui ont engendré un terrain favorable à la maladie. Il faut également prendre le temps d'entendre les messages de l'inconscient, qu'ils se présentent sous la forme de rêves, d'intuitions ou d'inspirations. Bref, je trouve qu'un passage critique invite à passer beaucoup de temps en intimité avec soi-même pour laisser émerger au niveau conscient ce que les profondeurs ont à nous livrer. Il faut accepter de descendre dans le noir du ventre ténébreux de la mère nature pour renaître. Il s'agit d'un élément qui a toute son importance. Si l'on n'a pas la force de le faire par soi-même — et peu l'ont tellement le passage est rebutant de prime abord —, on doit se faire aider par un psy.

Je comprends que Yanna n'a pas le loisir d'arrêter de travailler. C'est un luxe que beaucoup ne peuvent pas se permettre. Cependant, je me soucie du fait qu'elle ne poursuive pas une démarche psychothérapeutique suivie. Je m'inquiète aussi de la voir, dans ses temps libres, poursuivre une quête effrénée de la formule magique qui pourrait la tirer de son mauvais pas. Je ne vois pas où peut mener une telle frénésie. En effet, une fois que l'on a mis en place ce que l'on croit être bon pour soi, peu importe ce que c'est, la détente et la confiance deviennent des éléments majeurs du parcours. Sans cet abandon profond aux forces de la vie, on inhibe leur travail. Car, en vérité, tout est question d'ouverture et d'abandon confiant à la grâce de vivre. À cet égard, voici un autre extrait de ma lettre :

Veux-tu vivre ? Aimes-tu vivre ? As-tu le goût de vivre ? Qu'est-ce qui rendrait ton âme joyeuse ? La réponse à ces questions va déterminer plus que toute autre chose l'issue de cette épreuve. Cette maladie constitue le véhicule que tu as créé pour te parler à toi-même. Entends-tu ce qu'elle te dit ? Entends-tu ce qu'elle chuchote dans le noir de l'épreuve ?

ENVIRONNEMENT GUÉRISSEUR ET AUTOGUÉRISON

En ce printemps 2007, je fais mes premiers pas sur la planète Cancer, celle de Yanna et maintenant la mienne. Il s'agit d'un monde en soi avec ses départements, ses routes, ses corridors, ses gens et son vocabulaire, surtout quand on pense à l'aspect labyrinthique d'un hôpital. Certaines des personnes que l'on y croise sont compétentes et larges d'esprit. D'autres souffrent d'aveuglement partiel, croyant dur comme fer à leurs techniques et à leurs produits, et seulement à leurs techniques et à leurs produits. Malheureusement, on trouve ces derniers tout autant du côté de la médecine alternative que de la médecine officielle. Car, lorsque la vie des gens est menacée, on peut leur vendre à peu près n'importe quoi à condition d'y croire suffisamment. Le *far west* du Nouvel Âge monte alors à la surface avec ses sauveurs improvisés et ses vendeurs de potions magiques et, croyez-moi, ce n'est pas facile de faire le tri. Et cela coûte cher. En plus de son régime alimentaire, j'ai vu Yanna expérimenter un nombre incalculable de choses pour échapper à la chimio et tenter de sauver sa vie.

Je dis cela, car, comme je l'ai affirmé d'entrée de jeu, il n'y a pas de guérison en tant que telle ; *tout est autoguérison*. Voilà un rappel dont chacun de nous peut bénéficier encore et encore. Les médecins et les médicaments, les thérapeutes et leurs techniques, les suppléments alimentaires et vitaminiques, tout cela a pour véritable effet de stimuler nos propres mécanismes de survie, ceux qui sont intérieurs à chaque cellule et qui font partie du patrimoine organique de l'être. La chimie, le repos, la psychothérapie, la fantaisie, la beauté, l'amitié, l'amour, la nature et l'expression servent tous à animer et à stimuler ces mécanismes si précieux. Ces éléments agissent comme autant d'environnements bénéfiques vis-à-vis d'une guérison qui vient de l'intérieur. Voilà pourquoi il ne saurait y avoir de formule magique émanant de l'extérieur. Une fois que l'on a mis en place le cadre guérisseur qui nous convient, il faut par la suite compter sur ses propres ressources, cultiver ses états intimes, activer le plus de joie possible et faire confiance à la vie.

Nous cherchons à l'extérieur le coup de baguette magique. Mais il vient de l'intérieur. La maladie sert justement à éveiller le magicien de la vie dont les ressources dorment, négligées. Je ne sais pas pourquoi il est si difficile de se convaincre d'une telle chose. Sans cesse, je dois me la rappeler à moi-même. Sans cesse. Le mécanisme consistant à chercher de l'aide à l'extérieur est si fort que l'on oublie avec la plus grande facilité du monde que les sensations d'amour, de paix et de liberté intérieure constituent les agents de guérison les plus puissants.

Je crois tout simplement que nous voulons rester en position d'enfant innocent qui vient montrer son « bobo » au bon papa médecin ou à la bonne maman thérapeute dans l'attente d'une consolation. Ce mécanisme est encore plus fort quand les enfances n'ont pas été si heureuses et qu'un goût de trop peu flotte sur les lèvres. Nous ne nous résolvons pas au fait que nous aurons à nous en mêler, à mettre la main à la pâte, pour ainsi dire, et à faire des efforts. Pourtant, la maîtrise de soi exige des choix constants dont certains engagent de véritables résistances de la part de notre personnage intérieur. Cette maîtrise ne se concilie pas avec la facilité. Elle constitue cependant le chemin de la guérison authentique.

Ce que je dis ici n'a rien à voir avec le fait d'être malade ou en bonne santé, mobile ou immobilisé dans un lit ou un fauteuil roulant. Je ne me suis jamais senti aussi libre et joyeux que sur mon grabat d'hôpital la première fois que j'ai été près de mourir. Je pouvais à peine marcher jusqu'au bout du corridor tellement j'étais faible. Ma quête extérieure était terminée, car je ne pouvais plus la mener. Il ne restait que l'intérieur ; cela m'a sauvé.

Au fond, il faudrait voir une période de maladie comme un temps de retraite, une phase d'exploration intérieure, une étape de désengagement de la vie extérieure pour un retour aux sources de l'être. Le confinement permet de trouver des ressources insoupçonnées si on décide de l'utiliser ainsi. Le sens d'une maladie ou d'un événement éprouvant demeure une création personnelle, un choix intime. N'est-ce pas là l'expérience de gens comme Nelson Mandela ? N'est-ce pas en prison qu'Aurobindo connaît sa première illumination ?

« AI-JE PRIS LA BONNE DÉCISION ? »

Quand vient la nouvelle de mes bons résultats quelques mois plus tard, soit en décembre 2007, je fais lire à Yanna la conclusion des tests. Elle se montre toute réjouie pour moi. Pourtant un nuage de pleurs embrouille son visage : « Est-ce que j'ai pris la bonne décision ? » me demande-t-elle. Je suis content de voir le doute s'installer en elle. Mais il ne dure pas. Au début janvier 2008, constatant son obstination à ne pas se faire traiter à l'hôpital, je profite du fait que je dois revoir le D\u1d63 Michel Boivin, mon gastroentérologue — pour confirmer *de visu* ce qu'on lit sur les scans —, et je demande à Yanna de m'accompagner. Elle connaît Michel et elle a de l'estime pour lui. Elle aime son ouverture aux autres approches. Je le sais en mesure de bien la conseiller. Lorsqu'il me donne mes résultats en me félicitant, je lui parle de Yanna et lui mentionne qu'elle est avec moi. Il vient la rencontrer dans la salle d'attente et ils se donnent rendez-vous pour étudier les options avec plus de clarté. Ce soir-là, le D\u1d63 Boivin et un collègue psychanalyste tentent tous deux de l'aider à lever ses résistances aux traitements hospitaliers. Au bout du compte, nous devons tous et toutes nous résigner. Je dis tous et toutes, car la garde rapprochée de Yanna, composée de femmes compétentes et intelligentes, s'alarme tout autant que moi. Sans parler de ses filles qui n'en peuvent plus du long défilé de vendeurs de produits qui vont et viennent sans que jamais quoi que ce soit de concluant ne se passe. Rien n'y fait. Notre amie ne veut rien savoir de l'hôpital.

Le serpent

À la fin février 2008, lorsque je reviens d'Europe où je suis allé voir ma pièce, Yanna me parle d'une série de rêves qu'elle fait depuis le début de l'année. Ils ont tous pour thème un serpent de type boa constrictor. Elle s'en trouve perturbée.

22 janvier 2008
Je me précipite aux toilettes. J'évacue des selles abondantes et immenses. Je me lève, regarde dans la cuvette et je suis effrayée de voir que mes selles sont en fait un immense serpent boa enroulé au fond du bol. Je m'éveille en état de panique. J'ai toujours eu une peur bleue des reptiles.

3 février 2008
Je suis assise et tente de maîtriser un serpent que je tiens à bout de bras. Celui-ci bouge sans arrêt. Il n'est pas possible de le voir, car il est enveloppé d'un tissu blanc. Il cherche à me mordre mais il n'y parvient pas. Je ressens en profondeur tout le danger présent : soit être victime d'une morsure, soit être étouffée. Je réussis à le maintenir à distance et à garder mon sang-froid malgré sa puissance implacable.

Ces rêves de serpent m'impressionnent beaucoup. En particulier celui où elle tient le boa à bout de bras et tente de le maîtriser. Le tissu blanc dont le serpent est enveloppé me fait penser à la couleur de la mort chez les Japonais. Je tente de m'imaginer à sa place dans le rêve. Je sens qu'il s'agit vraiment d'une lutte contre la mort avec un ennemi qu'elle qualifie elle-même d'implacable. Même si elle parvient encore à le maîtriser, je me dis qu'un jour ou l'autre elle va se fatiguer et qu'alors le combat deviendra tout à fait inégal : les forces de la mort l'emporteront. J'admire tout de même le sang-froid et la puissance dont elle fait preuve.

Dans la mythologie, le serpent constitue un symbole paradoxal. Il représente à la fois les forces de la vie, celles de la mort et celles de la guérison, car il est capable de muer, laissant sa vieille peau derrière lui. D'ailleurs le caducée, l'emblème de la médecine, voit deux serpents s'entrelacer. Ici, il joue ce rôle parfaitement ambivalent. La couleur blanche signifie souvent le renouveau, mais ce renouveau parle-t-il d'une guérison sur cette Terre ou du passage à une autre vie ?

Un dernier rêve vient conclure cette série et répondre à mes interrogations. Yanna s'y fait carrément étrangler par un homme dont les mains lui semblent très familières. Je n'aime plus ça du tout. Comme ce songe suit ceux du boa constrictor, la mort m'apparaît sous les traits de ce personnage familier qui serre ses mains autour du cou de sa victime et qui l'empêchera à jamais de s'exprimer. Seulement, ici, ce n'est plus un animal, c'est un être humain, ce qui rend le motif certes plus familier mais aussi plus proche et plus dangereux. Je me mets dès lors à vivre avec la certitude que Yanna risque de perdre son combat même s'il n'est pas vain, puisqu'il l'emmène dans une transformation essentielle.

LE DRAME DE LA PERFORMANCE

Je commence en même temps à avoir une idée de cet élément familier qui étouffe la vie de Yanna et atténue son goût de vivre : le perfectionnisme. Je prends la peine d'expliquer ici cet élément en détail, car le mécanisme global qu'il met en jeu se trouve souvent à la source d'une maladie grave. Il est donc à même d'éclairer plusieurs d'entre nous. Je réalise à travers le temps que la volonté de guérir de Yanna est devenue un obstacle central à un retour possible à la santé. Cela peut sembler paradoxal, mais cette guérison représente une autre exigence envers elle-même, une terrible exigence, la plus terrible. Il s'agit d'un autre stress, d'une autre performance, d'un autre accomplissement à sortir de sa manche. Pourtant, tout dans la maladie invite à l'abandon de la volonté pour se mettre à l'écoute des forces vives. Le problème central lié à une telle démarche volontariste — je tiens à le souligner — réside dans le fait qu'elle finit par contrôler et interdire tout débordement émotionnel. On ne veut pas et on ne peut pas se laisser aller. Hélas, on inhibe ainsi les réflexes de lutte pour la vie qui se sont mobilisés dans l'inconscient. L'écoute du débordement émotionnel est en effet nécessaire pour retrouver l'équilibre. Le psychiatre Jean-Pierre Muyard dit à ce propos des choses très sages. Il éclaire indirectement ces rêves de serpent en nous parlant du cerveau reptilien, le cerveau des réflexes vitaux :

> « Mon cerveau reptilien se met en action en déclenchant des pulsions de lutte pour la vie. Elles s'expriment par de l'angoisse et des douleurs, et m'obligent à affronter le danger de mourir et à sortir des refoulements émotionnels face à des traumatismes antérieurs. Cette violence de la prise

*de conscience qui aboutit à une régression, une peur, repré-
sente aussi un combat qu'il s'agit de transformer en lutte
pour la vie[51]. »*

Lorsque je cherche la trace « d'un refoulement émotionnel
lié à un traumatisme antérieur » qui a pu causer le perfectionnisme volontariste de Yanna, l'impact d'un événement ressort
en particulier. Un jour, alors qu'elle a sept ans, elle plie du linge
chez une voisine en face de chez elle. Elle est avec sa sœur
adorée qui a six ans. Or, cette dernière la laisse et s'aventure à
traverser la rue toute seule. Un camion fonce sur elle. Elle se
fait écraser par l'engin et meurt alors que Yanna assiste à la
scène par la fenêtre. Toute sa vie, Yanna se sentira coupable de
cet accident, bien qu'elle n'en soit pas directement responsable.
Elle vient de perdre sa meilleure amie. À l'instar de la plupart
des enfants, sa réponse de petite fille à ce drame et à la tension
qu'il provoque en elle est la performance. Elle devient irrépro-
chable pour se faire pardonner sa faute. Or, elle possède un
esprit aventurier et original qui se prête mal à une telle disposition. Aussi doit-elle performer sur tous les fronts et acheter
action par action le droit d'être ce qu'elle est et d'exercer ses
véritables talents. Elle lutte sans cesse pour se montrer à la
hauteur des attentes de tout un chacun, ce qui implique le
refoulement de ses émotions véritables. Cette attitude laisse
peu de place au lâcher-prise et à la détente. Au contraire, il en
découle un perfectionnisme qui étrangle la personne de l'intérieur aussi efficacement qu'un boa constrictor.

Cette exigence interne étouffante se lit aussi d'une autre
façon. Malgré sa grande beauté et son immense succès auprès
des hommes et des femmes, Yanna continue à se trouver laide

---

51. Jean-Pierre Muyard, *op. cit.*, p. 255.

et insuffisante. Malgré son talent évident, elle n'arrête pas de se flageller et de se juger incompétente. Eugénie, qui a conduit un projet avec elle sur les centenaires de l'île d'Okinawa au Japon, m'a raconté le fait suivant :

« Nous sommes en Inde pour le compte du CRDI, le Centre de recherches pour le développement international. Notre mission est de faire le portrait du professeur M. S. Swaminathan, le père de la révolution verte et un champion du développement durable. Un soir, en rentrant à l'hôtel, nous regardons les photos prises plus tôt dans la journée. Yanna se met dans une colère noire, tenant des propos haineux envers elle-même et dénigrant son travail. J'en suis tout étonnée et j'essaie de la rassurer. Je constate alors qu'elle ne s'octroie pas le droit à l'erreur, le droit d'être humaine. Elle a de telles exigences envers elle-même qu'elle ne pourra jamais se satisfaire.

– Et tu lies cela à la maladie de Yanna ?

– En tout cas, il est surprenant de voir une personne aussi talentueuse s'estimer si peu. »

Ce système de performance mis en place dans le but de racheter une faute devient si oppressant que la personne n'a plus que la maladie pour s'en sortir. Si elle n'arrive pas à changer de vie, elle doit y passer elle-même. Une dimension expiatoire teinte une telle expérience : expier une faute jusqu'à donner de son propre sang, jusqu'à donner sa vie. Je connais bien ce petit jeu grâce à la colite. Tout l'Occident chrétien le connaît lui aussi, car Jésus est mort sur la croix pour racheter les péchés du monde. Il est l'agneau sacrificiel. Quant à moi, je n'ai pas du tout envie que Yanna en devienne un autre.

Il est fréquent que, pour survivre, ce genre de personne trouve refuge dans une spiritualité intense, car elle n'arrive pas à se réconcilier avec les rigueurs de la vie terrestre. Je tiens à mettre en lumière ce mécanisme psychique, car un certain nombre de personnes qui ont une vie spirituelle riche refoulent des traumatismes importants. Le principal effet d'un trauma, comme j'ai pu le constater chez moi aussi, est de provoquer une séparation entre le corps et l'esprit. Ce n'est certes pas toujours le cas, mais cela se produit fréquemment. Ainsi, Yanna n'éprouve pas de difficulté à aller vers l'intérieur, il s'agit toutefois d'un intérieur éthéré, d'un « tapis volant ». Elle médite depuis plusieurs années; en cela, elle possède une vie intérieure intense. Cependant, une division persiste en elle entre la nature instinctive et l'esprit, entre l'ici-bas et l'au-delà. Son rêve de *la maison rouge* exprime très bien cet état de fait.

Au début du songe, elle rencontre James, un homme qu'elle admire pour son engagement spirituel. Il est très déprimé parce qu'il vient de visiter ses parents qui demeurent fermés à toute ouverture de conscience. Puis, elle se retrouve dans ce qu'elle croit être la maison de James.

Il y a une magnifique maison d'un rouge vif, avec plein de fenêtres dans lesquelles j'aperçois des dessins d'enfants; ce sont des vitraux, magnifiques, colorés, joyeux. De l'intérieur, on peut voir une lumière éblouissante surgir par les fenêtres. La maison est tellement invitante, je m'y dirige tranquillement pour réaliser que c'est ma maison à moi. J'y entre doucement. Je danse dans la lumière, je me sens euphorique, en sécurité, entière. Je m'assois en position de lotus et me laisse baigner abondamment et longuement par cette lumière. C'est comme un retour à ma nature profonde, à tout ce que je suis, bien au-delà de ce corps physique qui, en bout de ligne, m'encombre plus qu'autre chose. Je ne veux pas partir, je ne veux pas quitter ce lieu de délices et de félicité.

*Pourtant, il le faut. Il faut que je parte et je ne sais ni où ni
pourquoi. Je me lève, je quitte la maison à reculons, physiquement et psychologiquement. Je sens une nostalgie infinie
m'envahir. Je me réveille dans la plus grande tristesse, je me
sens seule, perdue, désespérée.*

Ce rêve étonnant montre bien la séparation intérieure que
vit Yanna. D'une part, il y a la Yanna du rêve qui se retrouve
dans la maison joyeuse et resplendissante de lumière. Nous
pouvons prendre conscience ainsi de la force de ses expériences
spirituelles. D'autre part, il y a cet homme déprimé qui se laisse
troubler par les émotions de ses parents. Ces figures représentent toutes deux des parties de la rêveuse. Le moi conscient, le
Je, représenté par Yanna, choisit consciemment de ne pas se
laisser déranger par ce qui arrive à l'extérieur ; mais l'autre partie d'elle, la part masculine qui représente l'*animus*, à savoir ses
forces créatrices, vit sur le mode de la dépression. Sa tristesse
désespérée contamine d'ailleurs la rêveuse lorsqu'elle doit quitter son monde intérieur. Le problème découle du fait que toute
la joie qui habite cette maison colorée ne débouche pas dans la
réalité. Autrement dit, l'âme, ou le soi, ne trouve pas son chemin vers l'incarnation. Cela exigerait une véritable psychothérapie qui permettrait un nettoyage des mémoires qui encombrent
l'inconscient et interdisent que les opposés, nature et esprit, se
réunissent pour une collaboration fertile.

Yanna m'écoute avec un grand intérêt lorsque je lui parle de
tout cela. Elle retourne même en thérapie mais ne poursuit pas
sur sa lancée. Malheureusement, la guérison n'est pas uniquement affaire de réception de bonnes informations. Il y a un
vécu à déposer, et revivre des expériences pénibles soulève des
émotions perturbantes par lesquelles il faut accepter de passer.

Yanna semble consciente de ses blessures et elle lutte réellement pour les dépasser. Elle veut vivre et elle prend toutes
sortes d'avenues en toute bonne foi. Elle est fatiguée du personnage perfectionniste qui l'étrangle intérieurement, mais elle n'a
pas la force de faire face à de telles lourdeurs.

En définitive, l'idée me traverse qu'elle a tellement fait pour
répondre aux demandes des autres toute sa vie durant que, par
rapport au cancer, elle veut être l'unique maître d'œuvre de sa
guérison. Alors que sa difficulté principale a été de mettre des
limites aux gens qui l'entourent, allant même jusqu'à implorer
ses proches de l'aider dans cette tâche trop ardue pour elle, elle
en met maintenant sans arrêt à ceux et celles qui veulent inter-
férer avec ses idées sur le traitement approprié, moi le premier.
Elle veut s'en tirer par elle-même en restant le plus fidèle possible à ce qu'elle croit, dût-elle mettre sa vie en danger.

Même si, membres de sa famille et amis confondus, nous
souhaitons tous et toutes qu'elle agisse autrement, Yanna nous
met en face d'un geste libre, peut-être le geste le plus libre de
son existence. Je trouve cela extrêmement frustrant, mais je
peux comprendre son pari.

Yanna est une âme noble très consciente des limites que lui
impose son personnage. Elle n'a pas de souci d'image et elle se
présente de manière transparente à ceux qui l'entourent. Elle
souhaite que son expérience puisse éclairer le chemin d'autres
personnes si jamais elle perd son combat. Toutefois, il s'agit
d'une alternative à laquelle personne ne veut penser pour le
moment. Évidemment, la réalité de Yanna dépasse tellement ce
que j'en dis ici. Sa présence attentive, amoureuse, humoristique
comble tous ses proches. Il n'empêche qu'un drame se trame en
profondeur, un drame dont l'inconscient témoigne avec force à
travers les songes.

Ma profession de psychanalyste teinte sans doute ma vision, et j'ai conscience que celle-ci peut choquer. Je m'en excuse à l'avance. C'est qu'en luttant aux côtés de Yanna, certains éléments me sautent aux yeux. Ce sont d'ailleurs des éléments qu'elle m'a permis de rendre publics en me fournissant le texte de ses différents rêves. Elle était consciente que ce matériel pouvait aider ceux d'entre nous aux prises avec les mêmes débats intérieurs.

Qu'est-ce que Yanna met en scène dans sa vie ? Qu'est-ce que sa maladie lui a permis d'entrevoir à propos des limitations de son propre esprit ? De toute évidence, elle a pu se rendre compte du piège dans lequel elle s'était enfoncée. De mon côté, elle m'a convaincu qu'on ne peut en rien juger du succès ou de l'insuccès d'une démarche de prise de conscience en termes de santé ou de maladie. Certaines libérations se font spontanément, en quelques secondes, au seuil de la mort. Peut-être qu'une expérience douloureuse est nécessaire pour permettre à l'être de voguer paisiblement vers d'autres dimensions de l'existence ? Il m'apparaît même impossible d'établir une adéquation entre le retour à la santé physique et la guérison authentique. Un individu peut revenir à la santé sans avoir touché les causes profondes de son état. Un autre peut mourir d'une maladie tout en ayant guéri ce qu'il y avait à guérir sur les plans psychologiques et spirituels.

L'auteur Christiane Singer, dont j'étais un proche, a par exemple déclaré sur son lit de mort : « Je suis déjà gagnante, même si, aux yeux de ceux qui ne voient que le visible, j'allais tout perdre[52]. » Mon propre père mourut dans un bel état d'union avec la vie universelle, sans un frisson d'angoisse devant son départ imminent. Quelques semaines avant son

---

52. Christiane Singer, *op. cit.*

décès, je lui ai demandé s'il avait peur de mourir. Il m'a répondu : « L'Évangile dit qu'il y a plusieurs demeures dans la maison du Père. Après cette demeure-ci, on s'en va dans une autre. De toute façon, on est toujours avec le Seigneur. » Ses paroles m'impressionnèrent fortement. J'enviais cette foi authentique qui lui donnait tant d'assurance.

Pleurer d'impuissance

Pour le moment, en ce début de printemps 2008, Yanna semble se diriger beaucoup trop vite à mon goût vers une autre maison du Seigneur, quel qu'il soit. Ce printemps en est un de convalescence pour moi et de dégradation pour elle. À mesure que je prends du mieux, elle va plus mal. De façon à pouvoir continuer à l'accompagner de manière cohérente, j'ai besoin de lui répéter de temps à autre que je ne suis pas d'accord avec ses choix. À mes yeux, le cancer ne se réduit pas, il poursuit sa marche inéluctable. Il y a maintenant trois tumeurs différentes dans son sein, et après un certain temps, celui-ci se déchire et se met à saigner. Il faut qu'elle se fasse des bandages quotidiens. Cette perte de sang finit par entraîner une anémie importante que les suppléments vitaminiques n'arrivent pas à compenser. De temps à autre, j'ai des prises de conscience aiguës de la gravité de la situation. Je me rends compte que je vais perdre la femme que j'aime. J'en pleure d'impuissance le soir, dans mon auto, en revenant de chez elle.

En juillet 2008, le cancer atteint maintenant ses os. Yanna accepte de porter un timbre de morphine pour réduire une douleur qui s'avère de plus en plus aiguë. Un midi, je me présente chez elle alors qu'elle est assise au soleil avec son amie Eugénie. De loin, la scène est bucolique et elle me réjouit le cœur. Je m'assieds avec elles pour constater après seulement quelques instants que Yanna doit se tenir l'œil gauche afin de le garder ouvert, car sa paupière retombe sans cesse. Je ne l'ai jamais vue dans un tel état. De plus, elle vomit toutes les dix minutes même si elle n'a pratiquement rien mangé. La scène a quelque chose de pathétique. Pour la première fois, bien que je résiste de toutes mes forces à une telle pensée, je laisse réellement pénétrer en moi l'idée que Yanna n'a peut-être plus beaucoup de temps devant elle.

C'est de plus en plus douloureux pour elle et de plus en plus douloureux pour son entourage. Nous ne savons plus où mettre nos réactions émotives. Comme plusieurs de ses proches, j'aimerais mieux être à sa place. Je trouve plus facile d'avoir le cancer que d'accompagner quelqu'un qui l'a. Je l'ai dit, lorsque l'on est malade, on a des choses à faire, des protocoles à suivre. Mais quand on voit souffrir un être que l'on aime et que nos seuls moyens d'intervention se limitent à sécuriser, encourager, tenir la main et tenter d'apporter un réconfort tant physique que moral, ça tourmente et ça use.

Je pense que je témoigne ici de ce que vivent la plupart des aidants naturels. Je peux uniquement leur répéter que cette œuvre de compassion fait toute la différence. Je me suis retrouvé assez souvent au fond d'un lit à attendre le bouillon de poulet réparateur pour savoir ce dont je parle. Dans ces états de faiblesse avancée, si la douleur nous en laisse le loisir, c'est le parfum subtil et puissant de l'amitié que l'on hume, c'est la saveur de l'amour et de la compassion que l'on déguste. À titre d'accompagnant, il faut toutefois veiller à ne pas s'épuiser à la tâche, car alors il y a deux malades à soigner. Cela signifie qu'un aidant doit parfois tolérer l'inquiétude et la culpabilité qu'il y a à laisser son cher patient derrière soi, le temps de remettre un sourire sur ses lèvres.

De son côté, Yanna croit tellement aux démarches qu'elle entreprend que je ne tente pas toujours de défaire sa bulle. Elle a besoin d'espoir pour continuer et je sais que le déni nous sert parfois à acheter un temps précieux loin de l'angoisse. Je me trouve dans une situation paradoxale. Au fond de mes tripes, une voix me dit que mon amie va y passer, d'un autre côté, j'aime encore croire en sa guérison possible et je n'ose pas toujours la contredire brutalement. De toute façon, un médecin s'en est chargé. Il l'a vue au départ de sa maladie et, apprenant qu'elle ne s'est pas fait opérer, il la traite pratiquement de folle lors d'une visite à l'hôpital. Moi, je ne sais plus où se trouve la folie.

Comme plusieurs de ses amis, je continue à voir Yanna très régulièrement. Nous passons souvent nos soirées à regarder un film la main dans la main, comme des vieux. Cela nous remplit de plaisir. Nous sommes bien ensemble.

À cette époque, Hughes Pasquis et Carlo Mambro mettent à sa disposition une tente hyperbare où la pression est supérieure à la pression atmosphérique normale. Cela permet au cœur de se reposer et d'oxygéner plus facilement toutes les parties du corps. Cette procédure soutient la régénérescence cellulaire, car l'oxygénation du sang joue un rôle essentiel dans le maintien de la santé et son rétablissement. Ils lui prêtent cette tente sans frais. Cela témoigne d'une grande générosité, car ces traitements coûtent cher. Je me suis souvent extasié devant le cœur de ces deux êtres toujours disponibles quand il s'agit de prêter main-forte. Ils redonnent confiance en l'espèce humaine. Je prends donc souvent le chemin de la chambre hyperbare avec elle. Nous nous étendons tête-bêche dans ce long caisson pour y passer une bonne heure. Au début de la période, nous parlons. Puis nous somnolons côte à côte pour le reste du temps sous la supervision bienveillante de Hughes ou Carlo.

« SAVEZ-VOUS QUE VOUS ALLEZ MOURIR ? »

Au mois d'août 2009 survient un événement dramatique. Le sein de Yanna saigne au point qu'il lui faut avoir recours à un traitement de radiothérapie afin de réduire l'inflammation. Je l'accompagne donc à l'hôpital pour le traitement qu'une jeune femme médecin doit lui administrer. Yanna désire que je reste avec elle pour assister à l'entretien préliminaire. Je m'en souviendrai toute ma vie.

« Madame Yanna, commence la doctoresse, regardez-moi bien dans les yeux. Est-ce que vous savez que vous allez mourir de ce que vous avez ?

– Euh…

– Ce que nous sommes en train de décider ce matin, ce n'est pas si vous allez mourir ou non de votre cancer. Ce que nous sommes en train de décider, c'est de quelle manière vous allez en mourir. Vous avez deux filles. Voulez-vous qu'elles aient le souvenir d'une mère souffrant de paralysie générale en agonisant dans un lit pour un temps dont personne ne connaît la durée ? Ou bien désirez-vous qu'elles aient le souvenir d'une femme qui a connu une qualité de vie relative jusqu'à la fin ?

– J'aimerais mieux être debout le plus longtemps possible.

– Alors, suivez-moi près de l'ordinateur. »

Elle lui montre des photographies de son dernier scanner. Le cancer s'attaque à plusieurs disques de la colonne vertébrale. À un ou deux endroits, il est à quelques millimètres de la moelle épinière. Elle lui explique :

« Une fois qu'il aura franchi cette limite, il y aura paralysie générale et, pour la science médicale actuelle, cela est tout à fait irréversible.

– Vous voulez dire qu'il est moins une ?

– Oui, moins une ! Toutefois, j'ai découvert que vous êtes réceptive aux hormones ; cela signifie que vous pouvez ralentir passablement la progression de votre maladie en acceptant de prendre des comprimés de tamoxiphène. »

Elle dépose une pilule sur le bout de table qui les sépare. Elle tend sa main à Yanna et elle insiste pour avoir son accord en la regardant de nouveau droit dans les yeux. Je sens un combat terrible se dérouler chez Yanna. Elle considère le comprimé avec méfiance. Finalement, elle lui serre la main et lui promet de prendre les médicaments. « Je voudrais que vous sachiez, continue la femme médecin, que si vous vous tirez d'affaire, je serai la plus heureuse des femmes. Je ne courrai pas après vous pour dire que ce sont mes médicaments qui ont prolongé votre vie. Je me fous que ce soit mes comprimés ou vos vitamines qui vous aident. Je veux simplement que vous fassiez quelque chose pour vous et pour vos filles. »

Je suis en larmes. Mes pires soupçons se confirment d'un coup. J'admire le courage de cette doctoresse qui confronte mon amie de la sorte. Sans le savoir, elle a eu un réflexe génial : montrer à Yanna des photographies de son état réel. En effet, Yanna est photographe, elle croit aux images. Tant qu'on lui parle, cela reste des mots. Maintenant, comme saint Thomas, elle a vu et elle ne pourra plus jamais oublier ces clichés.

Nous retournons à l'auto sans mot dire. Une fois à l'intérieur, elle s'écroule. Elle pleure à chaudes larmes. Elle tombe pour la première fois en deux ans, devant moi du moins.

« Est-ce que je me suis vraiment fait tout ça ? » interroge-t-elle à travers ses pleurs. Que dire ? Je suis aussi bouleversé qu'elle. J'ai envie de brailler comme un veau qui a perdu sa mère. Je connais tellement bien cet état d'incrédulité devant la catastrophe. On se croit invincible jusqu'à un certain point et puis, crac, ça nous arrive à nous aussi ! J'ai envie de crier : « Oui, tes choix ont précipité les événements. Une tumeur de trois centimètres, ça s'opère avec de bonnes chances de réussite. » Mais, à quoi bon s'appesantir ? Nous n'en sommes plus là.

« Cette question ne sert à rien, ma chérie. Il faut maintenant gérer le temps qui reste du mieux possible, qu'il soit de un, de deux ou de cinq ans. Qu'en penses-tu ?

– Je pense que tu as raison. »

Quelques jours plus tard, elle part pour un atelier de yoga donné par Daniel Zekkout, un guide spirituel qui l'inspire beaucoup. Le séminaire se déroule en Gaspésie. Elle y va avec ses filles. Ça leur donne une rare occasion de se détendre toutes les trois ensemble. Elles reviennent enchantées de leur séjour, même s'il a été fort pénible pour Yanna. Les atteintes aux os font en sorte qu'elle ne peut pas rester assise longtemps dans la même position. Elle endure un véritable calvaire en écoutant les propos de l'enseignant. Quant aux capsules d'hormonothérapie, elle n'en prend que quelques-unes. On l'a prévenue que cela provoquerait des nausées les dix premiers jours, mais lesdites nausées s'avèrent vite intolérables pour elle. Elle se dit qu'elle recommencera la prise de médicament une fois de retour à Montréal, mais elle ne recommencera jamais.

Ce que lui a promis la femme médecin se déroule alors tel que prévu au fil d'un programme où l'on pallie sans cesse au plus urgent. Ironiquement, les éléments auxquels Yanna a tant résisté, à savoir la chimiothérapie et la radiothérapie, se mettent à faire partie du décor, de même que les voyages à l'hôpital. Là, on la fait souvent attendre des heures, et parfois des jours, couchée dans un corridor. On la soigne régulièrement sur place sans lui donner accès à un lit à un étage de soins : l'hôpital est plein.

En décembre 2008, je l'emmène à la campagne avec moi. Non seulement l'air y est bon, mais Pierre et tout notre groupe de méditation s'y trouvent aussi. La température est radieuse. Un matin, elle disparaît avec sa caméra en bandoulière et revient illuminée par la nature et les magnifiques photos qu'elle a prises avec sa toute nouvelle lentille macro. Je suis follement heureux d'un tel changement d'humeur. Le dimanche matin, il y a un enseignement de Pierre et une méditation collective. Après celle-ci, on invite Yanna au centre du groupe, et Pierre la traite de façon énergétique. La scène est magnifique, cristalline comme ce matin d'hiver qui emplit nos cœurs de beauté et de compassion.

Le bruit des os qui craquent

Malgré cet espoir passager, à partir du début 2009, tout va de mal en pis. Le cancer des os implique une lente agonie que je ne souhaite à personne. Yanna a des timbres de morphine pour atténuer sa douleur ; elle maintient toutefois les doses au plus bas afin de conserver le plus de lucidité possible. Elle marche maintenant avec un bâton pour se soutenir et elle a besoin qu'on la change de position dans son lit, la nuit, car être allongée longtemps dans la même posture provoque des douleurs atroces. Sa cadette se révèle alors d'une aide des plus précieuses. De plus, elle prend en charge les repas et les courses, assistée de l'aînée, qui réside déjà en dehors de la maison. Pour ma part, je constate de jour en jour comment la nécessité et la générosité transforment le cœur de ces deux jeunes femmes, les faisant passer rapidement à l'âge adulte. Cela m'édifie.

Non seulement Yanna a-t-elle de la peine à marcher, mais elle respire de plus en plus bruyamment, émettant des gémissements toutes les dix secondes. Parfois, cela fait partie du paysage sonore. On ne s'en formalise pas trop. Parfois, cela devient tout simplement intolérable. Je me souviens un matin l'avoir emmenée moi-même à l'hôpital. Avec Esther, une de ses proches, j'implore le médecin de garde de la prendre pour quelques jours malgré les récriminations de notre amie. Nous n'en pouvons plus. D'autant plus qu'Esther n'en est pas à son premier voyage de la sorte. Le médecin réévalue son taux de morphine et la nature du médicament qu'on lui administre, car il ne semble plus faire effet. Il se rend alors compte que son cas relève du domaine palliatif, mais Yanna a encore la force de refuser une telle alternative.

À la mi-mars, son oncologue suggère qu'on remplace la tête du fémur de l'une de ses hanches fortement touchée par le cancer. Je doute de la pertinence d'une telle opération. Dans l'état où elle est, je ne vois pas comment elle se relèvera d'une telle intervention. Le simple fait d'y penser me donne la nausée. Puisqu'elle est condamnée, est-ce que cela vaut la douleur que ça causera ? Mais son médecin demeure convaincu de sa position.

Au début avril 2009, trois années après le diagnostic pour elle, et deux pour moi, je pressens que ma compagne de route n'en a plus pour très longtemps. L'opération faite, je décide d'aller la voir tous les matins à l'hôpital. Ainsi, nous jouissons de moments exceptionnels. Je prends un café en passant à la boulangerie près de chez moi et je lui apporte presque immanquablement un délicieux muffin aux céréales. Je dois maintenant me faire à l'idée que, à moins d'un miracle, je vais perdre une des personnes les plus importantes de ma vie. Je trouve cela très difficile à accepter. Quand je suis avec elle, je m'efforce surtout de ne rien exiger. Je veux qu'elle se repose d'avoir à être à la hauteur de quoi que ce soit, car le nombre des visites amicales a maintenant remplacé le travail imposé. C'est fatigant, mais elle ne se permet jamais de refuser. Sur son lit de mort, elle est encore préoccupée des autres et performante. Geneviève, qui prend le relais chaque matin après moi, ressent la même chose.

Le col du fémur remplacé oblige à des exercices de physio-thérapie si Yanna veut retourner à la maison un jour, ce qui semble encore possible aux yeux des médecins mais douteux à mes propres yeux. Par contre, elle est trop faible pour les faire en salle de physiothérapie et elle doit les pratiquer dans sa chambre. Le personnel infirmier se montre très collaborateur. Un jour, en raison d'une manipulation maladroite, ses os cra-quent alors qu'elle tente de se lever. Elle se met à pleurer par secousses abruptes. Elle souffre mais il y a plus que la douleur physique. Elle me confie que ce bruit lui rappelle sa petite sœur se faisant écraser. Il faut donc que ça aille jusqu'au bruit des os qui craquent, me dis-je. Il faut qu'elle s'inflige le drame connu par sa petite sœur pour tenter de l'exorciser et peut-être même prouver à son entourage combien elle regrette ce qui s'est passé. Je souhaite avoir tort. L'ampleur de sa peine m'impressionne cependant. Manifestement, il y a encore quelque chose à pleurer de ce côté-là, et qui aurait sans doute dû être pleuré bien avant.

En un éclair, je comprends aussi pourquoi elle a eu si peur de l'hôpital. Après la mort de sa jeune sœur, ses parents, forte-ment perturbés, il va sans dire, l'ont fait garder à l'hôpital, le temps des funérailles. Je ne connais pas les circonstances exactes de ce placement. Je sais toutefois que Yanna s'est sentie abandonnée des siens avec une peine incommensurable à sou-tenir. Elle en a acquis une phobie des hôpitaux qui a duré toute sa vie.

Il est incroyable de prendre conscience jusqu'à quel point nous répétons nos scénarios d'enfance. Ils nous emprisonnent et nous empoisonnent. Je le savais déjà comme psychanalyste, mais, à travers l'histoire de Yanna, je réalise jusqu'où cela peut aller. En ce sens, il s'agit d'une question que chacun et chacune a avantage à se poser dans l'épreuve : qu'est-ce que je suis en train de répéter ? Et qu'est-ce que je n'ai pas suffisamment pleuré qui m'enchaîne à cette répétition ? Certaines personnes remettent en scène leur vie durant le canevas de la disette, d'autres le drame du mal-aimé, d'autres encore des scénarios d'abondance, une abondance dont elles n'arrivent plus à se passer et qui leur semble due. Freud a noté combien il pouvait être difficile pour un individu de transcender ce qui l'avait marqué. Il a même créé le terme de *névrose de répétition* pour indiquer jusqu'à quel point l'entreprise semble parfois insurmontable.

Pourtant, pour employer une métaphore, nos histoires personnelles ne représentent que la coquille de l'huître. Ces scénarios ne sont que les véhicules par lesquels nous sommes venus au monde. Bien entendu, ils possèdent une signification profonde, car nous n'arrivons pas dans n'importe lequel d'entre eux. Toutefois, il s'agit toujours de les maîtriser pour les dépasser. Le plomb de la souffrance passée doit être transformé en or de l'instant présent. Car l'intérieur de l'être est élan d'amour et de création qui veut venir au jour.

L'AMOUR INCONDITIONNEL

À la mi-avril, Yanna reçoit une très mauvaise nouvelle. Pourtant, les jambes pliées dans son lit, le visage moins enflé et la respiration plus régulière, elle semble aller mieux que lors de ma visite de la veille. Toutefois, il y a un « mais », un gros « mais ». Alors qu'elle se relève avec peine, et c'est le cas de le dire, de

Chapitre neuf
Revivre!

son opération à la hanche, on vient de lui apprendre que le cancer atteint maintenant le foie. Elle sait que cela signifie le début de la véritable fin. Avec courage, elle résiste au mouvement dépressif qui envahit son être. Depuis longtemps, de jour en jour, d'heure en heure, je la vois choisir le chemin de la joie. Elle conjure ainsi le mauvais sort qui s'acharne à défaire chaque petite victoire.

L'avantage de Yanna, un avantage qui, à certains moments, a pu jouer contre elle en l'empêchant de pleurer ce qu'il y avait à pleurer, réside dans le fait que, depuis fort longtemps, elle fréquente assidûment des plages intérieures lumineuses. D'ailleurs, lorsqu'elle entre dans un état méditatif, elle en revient véritablement renouvelée. De plus, elle ne connaît pas l'apitoiement. Elle connaît la pureté de l'intention et la force de la détermination. Lorsque je la guide dans nos méditations quotidiennes, elle part au bras de ses maîtres d'amour, Jésus en tête. Elle promène son regard sur des mondes inconnus du nôtre. Où va-t-elle aussi profondément ? Elle pose le pied sur le sentier de la lumière qui l'appelle. Elle se l'interdit pour le moment, choisissant encore le chemin terrestre, principalement par amour de ses filles. « La lumière est tellement attirante, me confie-t-elle. Je suis prête à partir. Mais je reviens encore et encore. »

Je me demande, ses proches se demandent, et vous vous demandez peut-être ce qu'elle fabrique ainsi, brisée au fond d'un lit. Je crois qu'il n'y a qu'une réponse possible : de la lumière, de l'amour, de la compassion. Voici ce qu'elle crée. Elle invente de la sorte une chose très précieuse : notre humanité. Ses besoins d'aide, ses paniques, ses urgences, tout cela nous invite à sortir de notre confort pour cultiver notre tolérance et notre bienveillance. Ainsi, elle convie chaque personne à son chevet à devenir un meilleur être humain. Peut-être que chaque patient et chaque patiente alités dans cet hôpital vieillot fabriquent ainsi l'humanité de ceux et celles qui les visitent. Vu sous cet angle, cela devient un privilège de se rappeler les malades et de les visiter. Ils forcent notre humanité. Ils nous invitent à l'amour inconditionnel.

Ce que je raconte ici relève de mes convictions intimes. Toutefois, de telles convictions me permettent de vivre depuis trente ans avec une maladie grave. Elles m'aident aussi à accompagner quelques personnes en fin de vie sans m'écrouler. Je suis touché, bien entendu. À plusieurs reprises, je me retrouve en sanglots au terme d'une visite à l'hôpital, me sentant complètement désorienté. Mon propre monde et mes champs d'intérêt ont perdu tout relief face à la mort imminente de ma compagne d'âme. Pourtant, je sais qu'après quelques heures ou une journée de repos, je retrouverai la terre ferme, je reprendrai pied, je me recentrerai et la vie, la mienne, me sourira à nouveau. J'accepte au fond de me laisser transformer par cet épisode. En tant qu'aidant naturel, je crois que cette acceptation constitue une attitude des plus fécondes que chacun et chacune peut mettre à profit.

Le fait d'être rejoint jusque dans ma fibre intime m'ouvre le cœur plus que jamais. Je me rends compte ainsi combien le côté sombre de l'existence sert aussi au développement d'un être humain. L'amour que j'ai pour Yanna fait en sorte que je ne vois pas sa déchéance. Bien au contraire, je la trouve toujours aussi belle. Ce n'est qu'en regardant des photos dernièrement que j'ai réalisé à quel point la maladie l'avait marquée.

Strawberry Fields Forever ! La célèbre chanson des Beatles joue pendant que j'écris mes impressions sur ce difficile avant-midi, dans un café, à quelques pas de l'hôpital. On me sert avec gentillesse et la nourriture sent l'amour jusque dans le gâteau au chocolat fait maison. Il n'est pas bon pour ce que j'ai, mais il me rassure sur la douceur de l'existence. Je me dis que l'on doit manger beaucoup de telles douceurs dans les environs d'une institution hospitalière. *Strawberry Fields Forever*, des champs de fraises à l'infini, voilà ce que je souhaite à Yanna et à tous les gens que j'aime ! Affranchis du souci de la mort, délivrés de l'angoisse de partir, nous marcherions sur cette Terre avec tellement plus de légèreté. Et puis, c'est *Mother Nature's Son* qui se met à résonner, une autre chanson du même album des Beatles. Je pleure doucement, ému par les violons symphoniques. Je pleure ma compagne qui s'en va et dont j'aurai demain, dans un mois, dans six, à faire le deuil. Je pleure d'être un individu tellement fragile et impuissant. Et je pleure de gratitude d'être un fils de la grande mère nature qui me garde si généreusement en son sein.

CONVERSATIONS AU BORD DU MONDE

Je continue mes visites quotidiennes. Quelques jours plus tard, j'arrive dans sa chambre et Yanna me regarde droit dans les yeux.

« Penses-tu que je vais m'en tirer ? dit-elle.

– Et toi, qu'en penses-tu ?

– Je pense que je suis arrivée au bout du rouleau.

– Eh bien ! je pense la même chose que toi. »

Il y a un long silence. Chacun de nous prend la mesure de ce qui vient d'être dit. Nous savons tous les deux que nous sommes devant la réalité. Il n'y a pas de larmes. On dirait qu'une fatigue profonde qu'elle ne parvient plus à transformer entraîne Yanna vers la mort. Elle cherche maintenant un repos bien mérité.

Le lendemain, la porte de sa chambre est grande ouverte. En m'approchant, je la vois déjà du corridor. Elle dort paisiblement dans ses draps tout blancs, poupée docile installée par l'infirmière. On dirait qu'elle est morte. J'entre prudemment en tentant de ne pas la déranger. Elle s'éveille lentement. Sa respiration est pénible. Je lui laisse le temps de revenir à elle-même. Après avoir dégusté nos muffins, nous conversons. Je lui parle de l'atelier sur la guérison que je viens de suivre auprès de Pierre et Myriam, sa compagne. Ces deux soirées d'enseignement ont renforcé en moi la prise de conscience que chacun de nous est véritablement un guérisseur puisque nous sommes toujours dans une forme d'autoguérison stimulée par les différents types de médicaments ou d'intervenants.

Je lui dis que nous prendrons du temps prochainement pour parler de tout cela. Elle se montre vivement intéressée, puis elle laisse échapper : « Au fond, je n'ai plus la force de quoi que ce soit, Guy. Même les visualisations sont devenues trop exigeantes, je suis fatiguée.

— Je sais très bien où tu en es. En 1989, je n'étais plus capable de suivre un quiz à la télé, et lire était carrément au-dessus de mes forces. Tu as tellement lutté depuis trois ans que, maintenant, tu es épuisée. Tu as le droit de lâcher prise, tu sais.

— Mais, je me sens coupable, répond-elle. Je me trouve égocentrique de me laisser aller à la mort. Mes filles attendent plus de leur mère. En fin de semaine, une de leurs amies est venue. Elle m'a avoué sa haine envers les méthodes naturelles que j'ai utilisées. Elle m'a dit que, depuis toute jeune, j'étais son modèle et que je n'avais pas le droit de lâcher.

– Ce sont de jeunes femmes, Yanna. Tu peux les comprendre. Elles ont droit à leurs réactions. Elles sont vives, pleines de vie, et elles sont très attachées à toi. Elles ont de la difficulté à te laisser partir. Cela ne doit pas te contraindre. »

Je réalise que, sur son lit de mort, Yanna est encore aux prises avec la blessure centrale de sa vie : ne pas se sentir à la hauteur et faire des efforts surhumains pour se faire accepter. Ce type de culpabilité, à l'orée du départ, est fréquent, et vous en avez peut-être été témoin chez un proche. Les paroles de mes collègues Johanne de Montigny et Marie de Hennezel me reviennent, car elles éclairent bien l'attitude juste à adopter par les proches aidants. Dans un de leurs livres, elles insistent pour que l'accompagnant en fin de vie abandonne tout projet par rapport à la personne accompagnée, afin que celle-ci, qui va quitter cette vie, se sente libre de ses choix et demeure une personne libre jusqu'au bout[53]. J'ajouterais même : pour que la personne qui va partir connaisse enfin quelques moments de liberté réelle pendant lesquels on ne lui demande rien. Une autre attitude aidante consiste à faire entrevoir à la personne sur le seuil du départ la beauté de sa vie.

« Tu as survécu à tes traumatismes d'enfance et tu t'es affranchie d'un mariage insatisfaisant pour toi. Tu as développé ton talent de photographe et, grâce à ta détermination, tu as offert à tes filles de bonnes écoles et un milieu sain pour leur développement.

– Oui, mais n'importe quelle mère aurait fait ça !

– Tes filles ont eu la chance de connaître une femme courageuse, intègre, qui, jusque dans le choix de ses traitements, est restée fidèle à elle-même. Elles ont eu le privilège de côtoyer un

---

53. Marie de Hennezel et Johanne de Montigny, *L'amour ultime. L'accompagnement des mourants*, Paris, LGF, Le Livre de poche, 1997.

être dont la profondeur intérieure lui permettait d'affronter la mort avec sérénité. Voilà ton héritage ! Dans les autres chambres de cet hôpital, bien des êtres meurent isolés ou révoltés, ayant perdu la foi et le sens de leur vie. C'est loin d'être ton cas !

– Merci de me rassurer.

– Tu es dans le meilleur. Tu n'as plus à faire d'exercices. Tu fermes les yeux et tu es dans la lumière. Que tu vives ou que tu meures, elle restera ton véhicule. Ils sont si rares les moments d'une vie où nous touchons spontanément à notre nature lumineuse. »

Elle me confirme que le matin et le soir elle peut jouir de plusieurs heures sans visiteur où elle déguste la plénitude. Je me rappelle bien ces moments bénis où, à la frontière de la vie, je me disais que, peu importe le chemin que mon existence allait prendre, quelque chose en moi était guéri parce que j'avais rétabli le contact avec mon âme, j'avais goûté au nectar que l'on cherche toute sa vie. C'est si ironique de le trouver au fond d'un lit d'hôpital alors que l'on ne peut plus rien et que l'on n'a plus la force de vouloir quoi que ce soit. « L'invincible défaite » dont parle Leonard Cohen dans l'une de ses chansons a fait son œuvre et, à travers tant de deuils, nous a menés à la frontière des contrées de lumière.

Ce que je lui dis la pacifie. Il fallait que quelqu'un vienne et lui permette de ne plus rien être, de ne plus rien vouloir, de ne plus rien pouvoir. Ses yeux pétillent et son visage s'anime d'un sourire.

Je lui donne à nouveau la permission de partir et de lâcher prise, de cesser d'être exigeante envers elle-même et de relativiser les attentes de ses proches. Elle me fait promettre deux choses. Premièrement, je dois m'occuper de ses filles du mieux que je le pourrai quand elle ne sera plus là. Deuxièmement, elle souhaite que je trouve une femme pour veiller sur moi, car je me suis séparé de ma copine quelques mois plus tôt. Puis, avec son entourage, elle continue à faire semblant de croire en sa guérison, comme si notre conversation n'avait jamais eu lieu — tout en me faisant un clin d'œil sur le côté...

Bruits de corridor

Je ne trouve pas facile d'être confronté au départ d'un être cher. Cela me fait envisager ma propre mort et mon angoisse de vieillir, comme chaque personne au chevet d'un mourant, sans doute. Yanna part d'un seul coup, presque intacte, mais moi, je pars morceau par morceau, pièce par pièce. Les yeux, les cheveux, l'adrénaline, l'énergie, tout fout le camp.

Je n'ai pas le loisir de me prendre en pitié trop longtemps, car nous commençons une nouvelle retraite à la campagne. J'y assiste le soir, réservant mes matinées pour Yanna. Le thème en est *L'instant présent*. Cela ne peut pas mieux tomber. J'ai besoin d'une telle plongée dans l'instant pour vivre ce qui se présente à moi. Cela m'est si utile qu'un matin, arpentant un corridor de l'hôpital afin d'aller chercher de l'eau à la cafétéria pour Yanna, j'ai la sensation d'être sorti du temps et d'être entré dans l'éternité. Je me donne sans souci à mon accompagnement et l'exercice qui consiste à en goûter chaque seconde me révèle une autre dimension de la vie. Vivre pleinement ce que je suis en train de vivre me délivre. Je me suis rarement senti à ma place de si belle façon. Je sens que je suis en train de faire exactement ce que j'ai à faire.

Goûter à l'intensité du moment me donne accès à l'intensité de la vie. La sensation de vivre intensément, n'est-ce pas ce que j'ai cherché toute mon existence ? Maintenant, tout est là. De toute ma vie, je n'ai été aussi clair et n'ai eu autant de discernement. Je sais plus que jamais que mon état d'être intérieur procède d'un choix personnel et que ce choix personnel change ma vie en profondeur. Il me permet d'accompagner mon amie dans la mort et de nourrir mon goût de vivre plutôt que de m'appesantir sur mes angoisses existentielles et mes malheurs.

Un matin de la mi-avril, pendant que les infirmières s'affairent à la toilette de Yanna, une dame me reconnaît et m'interpelle dans le corridor : « Ma sœur est en train de mourir, me dit-elle. Elle a tellement d'admiration pour vous. Cela lui ferait un immense plaisir si vous veniez la visiter.

– Je suis mal à l'aise. Je ne la connais pas. »

Néanmoins, je revêts le sarrau et les gants qu'elle me tend pour entrer dans cette chambre aseptisée. Une dame gît là. Elle me reconnaît et me fait un faible sourire. Je m'approche de son lit et elle m'offre sa main délicatement pour que je la prenne. Sa sœur se retire. Il n'y a plus beaucoup de fla-fla à l'approche de la mort, l'authenticité s'impose.

« Je ne peux pas partir, me dit-elle directement. Il me semble que j'ai tout fait de travers. Je me sens tellement coupable envers mon mari et mes enfants.

– Comment ça ?

– J'ai été abusée à répétition par mes deux frères étant jeune. Puis, je me suis mariée et j'ai eu deux filles. Je n'ai pas été capable de leur parler de mon passé, mais je les ai tenues le plus éloignés possible de leurs oncles. Je craignais que les abus se répètent. Je suis devenue une mère surprotectrice. J'essayais de préserver mes enfants des traumatismes que j'avais subis. »

Voilà précisément ce qu'elle se reproche. Elle redoute vivement les conséquences de sa surprotection. Elle craint d'avoir mal préparé ses enfants à la vie. Par rapport à son mari, elle se sent coupable de ne pas lui avoir permis un épanouissement sensuel et sexuel. « Vous comprenez, avec tout ce que j'avais subi, j'avais peur du sexe ! »

Je mesure vite dans quel état elle se trouve. Je suis en face d'un être authentique qui a une conscience délicate et amoureuse. Pourtant, elle n'a pu dépasser les heurts de son enfance. Comme je l'ai fait avec Yanna quelques jours plus tôt, je prends le parti de l'aider à honorer ce qu'elle a fait de bien dans son existence. Cela m'apparaît comme la meilleure chose que je puisse lui offrir pour l'aider. Car la plupart du temps, au-delà des apparences, les parents éprouvent une culpabilité qui les empêche de rendre justice à ce qu'ils ont fait dans la plus grande sincérité. Je prends le parti de lui parler très franchement, car, contrairement à ce que l'on pourrait penser, même fragiles, les personnes sur le seuil du départ apprécient la franchise. La vérité a du sens pour elles et elles ont besoin que tout ait du sens plus que jamais dans leur vie. C'est un élément dont il faut se rappeler au chevet de quelqu'un qui est malade. Même si cela demande un effort, l'authenticité du cœur est bienvenue. Il est temps de dire les mots d'amour, parfois même ceux qui expriment les difficultés éprouvées et qui ont été trop longtemps retenus.

« Je voudrais vous amener à voir la pureté de vos intentions et la beauté de votre cœur, lui dis-je. Il est temps d'honorer la mère que vous avez été au lieu d'en avoir honte. Vous avez agi pour protéger vos filles de la possibilité d'abus réels. Vous avez sans doute été surprotectrice. Malgré tout, elles ont pu faire leur chemin. Elles ont fait des études et elles ont des compagnons maintenant. Somme toute, vous n'avez pas trop mal réussi. Quant à votre mari, malgré tout ce que vous dites, il est resté près de vous et il vous accompagne encore avec amour. Ça ne devait pas être si pénible que ça ! »

Elle me sourit de son regard apaisé. « Ça va être plus facile de partir, maintenant », me dit-elle. Quelques jours plus tard, sa chambre est vide.

Yanna décline à présent à vue d'œil. Toutes sortes de complications apparaissent. Je pourrais être au désespoir et elle aussi, mais nous gardons le moral. Nos méditations nous aident grandement, même si elles sont souvent interrompues par les visites de médecins, d'internes, d'infirmiers et de toute la panoplie des intervenants d'un hôpital. Sur les conseils de Pierre, je continue à la soutenir dans son œuvre tardive. Je lui dis qu'elle est encore utile : « Tu peux encore être ce que tu es. Tu peux librement laisser s'exprimer ton amour et ta bonté, et les offrir à ton entourage. »

Je l'encourage à rejoindre sa pulsion de vie et de création, sa pulsion d'union et d'amour. Je l'invite à se reconnaître véritablement dans la beauté de son être, dans la conviction qu'elle est un être unique qui a une valeur et des qualités qui lui sont propres.

Comme le dit si bien Pierre : « Chaque être est habité par une pulsion de conscience et par l'envie que toute l'existence ait du sens. Il veut que l'orientation de sa vie soit inspirée et inspirante. La guérison authentique ne peut être générée que par cette sensation de la vie en soi. La puissance dont il est question ici est la puissance de la sensation de soi. » L'émanation de cette puissance de sensation de vie et d'amour représente notre véritable implication. Et cela, on peut encore y parvenir tant que l'on a de la conscience. Malgré la douleur, Yanna a encore de la présence à revendre. Elle met ces enseignements à profit chaque jour.

Muffins abandonnés

La fin du mois d'avril 2009 se présente. Mes muffins restent souvent intouchés sur la tablette de la fenêtre de sa chambre. Cela ne peut rien présager de bon.

Mercredi, le 29 avril, je prends un repas bien arrosé chez moi avec mon filleul, Marco. Puis nous faisons de la musique. Je suis à la guitare acoustique et lui à la guitare électrique. Nous adorons ces moments passés ensemble. Entre deux notes, j'ai une véritable vision. Yanna me visite subrepticement pour me dire qu'elle est en train de partir et qu'il faut que je me prépare à lui dire au revoir. Le lendemain, j'arrive à l'hôpital inquiet à l'idée d'une dégradation subite. Tout est au beau fixe. Je me dis que j'ai halluciné. Nous avons quelques minutes pour méditer. J'ai à peine le temps de fermer les yeux que la scène que j'ai entrevue la veille reprend et se poursuit avec la clarté d'un rêve lucide.

Nous sommes sur une terrasse à flanc de montagne. Le soleil inonde la scène. Nous sommes assis à une petite table de café. J'offre une énorme fleur de couleur fuchsia à Yanna. Je lui dis combien je l'aime. Elle prend la fleur et m'assure en retour de son amour. Son être semble d'une légèreté inouïe, comme si elle pouvait voler. « Je peux partir maintenant, me dit-elle, car j'ai connu l'amour inconditionnel. » Puis, en tourbillonnant, elle essaie de m'entraîner vers des chutes d'eau qui se trouvent dans la montagne derrière. Toute la vision baigne dans une lumière printanière complètement rafraîchissante et régénératrice.

Dès que nous sortons de notre méditation, je raconte tout cela à Yanna. Je lui dis combien je suis heureux d'avoir pu lui offrir une parcelle d'amour véritable ces dernières semaines. Je suis conscient de lui avoir imposé plusieurs conditions au départ de notre relation et je suis sans doute responsable en partie du fait qu'elle n'a pu connaître l'union spirituelle dont elle avait rêvé avec un homme. Je sais aussi que je ne suis pas le seul à lui avoir offert cet amour sans condition. Ces dernières semaines, ses filles, ses amies intimes, les hommes qui ont partagé des moments de sa vie, sa sœur, ses frères, sa mère, son beau-père et son ex-mari, tous et toutes sont présents pour composer ce bouquet d'amour à son chevet. Tous et toutes se dévouent du mieux qu'ils le peuvent. Tous et toutes, nous lui donnons la permission de se départir du carcan des attentes et de s'envoler si elle le désire.

Le lendemain matin, encore en cours de méditation, la scène se poursuit et s'impose à moi tout comme les jours précédents.

Nous sommes sur la même terrasse que la veille, à flanc de montagne, au soleil. Yanna m'invite à la suivre. Nous nous transformons en oiseaux et nous allons nous poser sur un pic de roche dans le désert. Là, nous reprenons nos formes humaines et Yanna me dit : « Je voudrais te montrer mon cœur. » De son bras droit, elle fait un geste d'ouverture devant elle et l'horizon s'ouvre à l'infini. Le paysage devient d'une vastitude et d'une beauté infinies. Il n'y a pas d'autres mots. Il s'étend devant nous comme si nous étions sur les hauteurs du Grand Canyon en Arizona. Cet horizon est rempli de couleurs et de lumière. Mais ce tableau n'est pas de ce monde. Nous sommes ensemble dans une autre dimension, hors de l'espace et du temps qui nous sont habituels. J'en ai les larmes aux yeux.

À nouveau, je partage ma vision avec Yanna. Malgré l'épuisement, elle me dit à son tour combien elle m'aime sans limite. Le vendredi après-midi, je prends le chemin de la campagne après avoir fait promettre à Esther de me téléphoner s'il y a dégradation subite. Le dimanche, je trouve un message de sa part sur mon répondeur. Il y a eu en effet détérioration rapide. Il semble que, dès le vendredi soir, elle soit tombée, pratiquement parlant, dans un état comateux.

Lundi matin, le 4 mai 2009, je me présente dans sa chambre. Elle est très faible mais elle est encore capable d'être en relation avec moi. Nous faisons notre petite méditation. Je m'adresse à son âme directement pour savoir quand elle quittera le corps de cet être tant aimé. J'entends nettement en moi que cela se fera dans la nuit de mardi à mercredi, dans trente-six heures à peine.

Ce genre d'expérience qui semble irréelle de prime abord est précisément ce que j'entendais lorsque je vous ai signifié que cet accompagnement m'avait ouvert à des perspectives ignorées. Mon premier passage près de la mort m'avait confronté à des phénomènes qui appartiennent au domaine paranormal ; toutefois, je n'en avais jamais vécus par rapport à quelqu'un d'autre. Je réalise maintenant que de véritables communications peuvent s'établir bien au-delà des mots, par la voie de rêves, de visions ou de prémonitions très claires. Ces événements sont loin d'être folies et, si vous observez autour de vous, vous vous rendrez compte qu'ils font presque toujours partie du tableau d'une mort ou d'une naissance. Nous les occultons, tout simplement parce qu'ils nous sont peu familiers et qu'ils nous dérangent. Nous ne sommes pas habitués à ce que nos canaux subtils soient ouverts à ce point. De telles occurrences nous invitent à constater leur présence et à cultiver ces canaux de communication même en dehors des situations extrêmes. Ces façons de communiquer font partie de nos possibilités endormies et les développer permet de se sentir de plus en plus uni à ses proches et à l'univers environnant.

DERNIERS SOURIRES DE VIE

À la demande des médecins qui suivent son cas, une réunion s'organise avec les filles, Esther et moi. Les docteurs veulent la permission des enfants pour arrêter toute mesure palliative. Ces dernières se trouvent brutalement confrontées à une réalité qu'elles redoutent au fond d'elles-mêmes, une réalité pour laquelle nous ne sommes jamais tout à fait prêts ni prêtes. Leur effort combiné pour apporter du réconfort à leur mère ces derniers mois a en effet été extrême. Il visait à la garder en vie, pas à l'accompagner dans la mort. Le médecin de garde et la doctoresse qui est responsable des soins palliatifs leur parlent avec tant de douceur et de compassion que j'en suis profondément ému. Les jeunes femmes comprennent rapidement la situation et savent qu'il est temps de se préparer aux adieux. Elles doivent maintenant avertir les proches d'une précipitation tout à fait prévisible des événements.

Nous sortons de réunion pour nous rendre compte que plusieurs personnes se sont donné le mot afin de visiter Yanna en ce lundi après-midi. Il y a notamment sa filleule qu'elle admire et qu'elle encourage depuis toujours ainsi que l'une de ses nièces. Leur tante est leur modèle. Yanna elle-même semble vivifiée par leur présence et offre à son entourage ses derniers sourires de vie.

Le mardi matin, elle ouvre les yeux quelques secondes, le temps de me reconnaître et de me tendre la main faiblement. Mais ce type d'exercice est devenu au-dessus de ses forces. Elle navigue déjà entre la vie et la mort. Après quelques heures, je retourne chez moi, puis je reviens en soirée. Les filles, son ex-mari et des amis proches sont là. Sans le soutien des médicaments palliatifs, elle a sombré rapidement dans le coma qui précède souvent le passage d'une vie à une autre. Nous circulons dans sa chambre et dans le corridor attenant qui est devenu l'antichambre de la mort. Il règne une atmosphère de délicatesse extrême et de respect entre les êtres qui sont présents. D'ailleurs, j'éprouve une véritable sympathie pour les membres de sa famille. Je reconnais chez eux le cœur de Yanna. Nous réalisons que nous nous approchons du départ réel et qu'une partie de nous va mourir avec elle. Cela nous unit au-delà des différences.

Vers dix heures du soir, je rentre chez moi. N'ayant pas de statut officiel aux yeux de sa famille d'origine, il me semble que je dois leur céder la place. Guillaume, le compagnon de l'aînée, est très partagé à l'idée de quitter sa copine au moment où le décès de la mère de celle-ci peut survenir. Je lui dis sincèrement ce que je pense : « Vraisemblablement, elle va mourir cette nuit. Si tu veux être là au moment du passage, je te recommande de rester. En même temps, il ne serait pas plus mal que tu ailles te reposer, car ta compagne est exténuée et elle va avoir besoin de toi dans les prochains jours. »

Nous marchons jusqu'à l'automobile. Au moment de prendre le volant, j'entends distinctement la voix de Yanna. C'est comme si elle avait pénétré dans la voiture en même temps que nous. « Mon petit monsieur Corneau, je te défends de croire que je suis morte », me lance-t-elle, plus vivante que jamais !

Je me mets à sourire. Lorsqu'elle me taquine, elle m'appelle toujours « mon petit monsieur Corneau » avec le doigt levé dans les airs comme pour m'enseigner quelque chose. Ce geste et cette expression affectueuse me font rire à coup sûr. C'est, pour ainsi dire, ma dernière conversation avec l'âme de Yanna pendant qu'elle est encore sur Terre, et je me suis interdit de croire qu'elle était morte jusqu'à ce jour. À l'occasion, je passe même du temps avec elle en esprit. Je m'assieds tranquille dans un coin pour quelques minutes et je déguste sa présence, tout comme si elle était encore près de moi. Parfois, je lui parle à cœur ouvert et, à l'occasion, j'en ressors avec de véritables suggestions sur le chemin à prendre dans telle ou telle situation. Si l'âme existe et que le corridor espace-temps est aussi relatif que la physique l'affirme, je me dis que ces communications ont toute leur réalité. En tout cas, je les recommande à tous ceux et à toutes celles qui ont perdu un être cher.

Au moment de le déposer chez lui, je demande à Guillaume de me téléphoner si le décès survient pendant la nuit. Je passerai alors le chercher et nous retournerons à l'hôpital ensemble. Je dors près du téléphone, prêt à me rhabiller rapidement si quelque chose arrive. Je me réveille à 6 h 50 précisément, tout étonné que le téléphone n'ait pas sonné pendant la nuit. Je commence à douter de mon intuition. Je me lève et me prépare à partir. Sur les entrefaites, le téléphone retentit : « Guy, c'est Guillaume. J'arrive à l'hôpital. J'ai pris un taxi. Yanna est morte à 6 h 50 ! »

J'arrive à la chambre vers 7 h 45. Nous sommes le mercredi 6 mai 2009. J'y trouve la mère de Yanna très éplorée ainsi que son compagnon. Elle perd ainsi un autre enfant, sans parler de son premier mari, le père de Yanna. J'éprouve tant de compassion pour elle. Elle pleure et gémit doucement en touchant le corps de sa fille, retrouvant les gestes antiques des pleureuses et de toutes les mères qui perdent un enfant à la guerre comme nous en voyons trop souvent aux informations. Elle a fait des heures de route en pleine nuit pour être là. Les filles sont allées se reposer à la maison avec leur père. Finalement, elle part se reposer elle aussi.

Martine, une autre grande amie de Yanna, arrive. À deux, nous nous mettons debout de chaque côté du corps de notre tendre sœur. Nous lui parlons à voix haute. Nous la prions de suivre le chemin de la lumière qui toute sa vie l'a tant attirée et nous lui souhaitons bon voyage. En pleurant, je lui promets de faire ce qu'elle a désiré ardemment pour moi ces derniers temps : trouver une âme sœur avec laquelle cheminer dans la vie ! Je passe les heures qui suivent avec le corps qui refroidit dans la chambre jusqu'à ce que l'on vienne la chercher pour la morgue. Je peux constater la froideur et la rigidité qui s'installent. Mais je suis heureux de cette dernière matinée auprès de ma compagne de route dans l'intimité de l'âme. Eugénie vient, et d'autres amis passent pour un moment. Nos cœurs ne sont que prière et gratitude.

L'HOMMAGE FUNÉRAIRE

Voilà, ça s'est passé comme cela. J'ai accompagné Yanna aux frontières de la mort. J'ai franchi les limites de la vie terrestre avec son être de lumière. Le cadeau de ce dialogue direct avec son essence restera gravé dans mon cœur à jamais. Yanna m'a aidé à sortir de moi-même. Elle m'a permis de compléter le chemin de ma guérison en me faisant comprendre et pratiquer l'amour inconditionnel, l'amour qu'elle a toujours eu à mon égard. J'ai mis du temps à m'y mettre, mais finalement j'ai saisi de quoi il s'agissait : *l'engagement total permet la liberté totale.* C'est un bel enseignement, n'est-ce pas ? Étrangement, je n'éprouve pas de peine et n'en ai éprouvé que très peu depuis lors. Je connais la joie d'un geste accompli complètement. Et puis, je me rappelle les paroles de la nuit précédente : « Je te défends de croire que je suis morte ! » Quelques jours plus tard, le service religieux a lieu. On m'invite à prononcer l'éloge funèbre dans la charmante petite église de son village. Je suis touché de parler devant sa famille et ses amis réunis dans la ferveur. En voici un extrait :

> *Maintenant, Yanna, tu voles dans le ciel et ta lourde douleur n'est plus qu'un mauvais souvenir. Ton esprit est clair et la beauté de ta vie t'apparaît dans toute sa splendeur. Tout est accompli et rien ne reste des chagrins, des culpabilités et des charges que tu as dû porter.*
>
> *Il n'y a plus que l'amour lumineux qui te mène aux portes de l'éternité, et là, où il n'y a plus de temps, tu goûtes à la liberté que tu as tant cherchée.*
>
> *Merci d'être venue nous visiter, maîtresse de la lumière, amoureuse de la beauté. Toi qui toute ta vie a vu au-delà des apparences, contemple maintenant la beauté radieuse de ce que tu es.*
>
> *Je dépose à tes pieds si purs tout l'amour que j'ai pour toi. Nous tous et toutes, ici, nous te remercions pour l'amour que tu as pour nous. Maintenant, vogue, vogue toutes voiles déployées dans le ciel, Yanna, et emporte-nous avec toi, loin, bien loin, du lit de la souffrance humaine.*

Dehors, le stationnement est plein comme dans le rêve qu'elle a fait quelques années plus tôt.

corneau

Chapitre dix

Revivre

AU BEAU CENTRE DE TOUT

Yanna est morte depuis quelques semaines maintenant. Même si cela me semble surréaliste, la vie continue. Je suis tellement convaincu de la survivance de mon amie au-delà de la mort, je la sens encore si présente dans mon cœur, que je ne suis pas agité par le chagrin outre mesure. À la fin mai, je reprends mes activités doucement, le cœur plein de gratitude pour ce temps qui m'a été accordé avec elle. Après quelques conférences au Québec et au Maroc, je fais une halte à Paris en juin. J'y découvre le Spa Confidenciel que des amies viennent d'ouvrir. Sophie m'y propose un *watsu*, une technique qui combine le travail en eau chaude et le massage shiatsu. Elle me promène dans une eau à 34° celsius, exactement la température du ventre maternel. Je récapitule une vie qui va de l'enfant blessé au vieillard rachitique pour aboutir à l'envol d'un merveilleux danseur.

Après quarante minutes, lorsque Sophie me dépose sur le sol de la piscine, je fais une expérience magnifique : une perle d'argent part de mon front pour venir se déposer dans mon cœur. En même temps, j'entends les mots « Le temps est venu ! » prendre forme en moi, tout comme j'ai entendu Yanna me défendre de croire qu'elle était morte un mois auparavant. Je sais d'office que le temps de revivre est arrivé. Je ne sais pas encore ce que cela veut dire exactement. Cela fait deux ans que je mène une vie en parallèle de la vie ordinaire et le fait de reprendre pied me semble bizarre.

Le soin de Sophie me porte jusqu'à un séminaire que j'anime au Domaine du Fan, dans le Limousin. Dès qu'on y arrive, on est surpris par la vitalité des grands arbres du parc, ainsi que par la beauté des rosiers qui ornent la devanture de la villa principale. En ce début du mois de juillet 2009, presque toute la nature est en fleurs et il est enchanteur de marcher dans le jardin. Tout respire le soin et l'amour. Mon taux vibratoire réagit automatiquement à tant de beauté. Un cèdre du Liban de 160 ans domine le parc. Je ne me lasse pas de le fréquenter matin et soir.

J'y retrouve ma grande équipe de Cœur.com après trois ans d'absence. J'y expérimente un premier cadeau de l'épreuve : la proximité avec les autres et avec la terre. Je constate que ma traversée du cancer m'a humanisé. Je ne vois plus les participants de la même façon. Je me sens proche de chacun et chacune d'une tout autre manière. Il me semble que mes pas pénètrent à un mètre dans le sol quand je marche. J'ai l'impression de « nager dans la terre », en fait, comme s'il s'agissait d'une matière fluide. Je me sens définitivement plus enraciné que jamais et cela me fait un bien immense.

Au mois d'août, je me retrouve au Québec, en train de chanter sur un plateau scénique au bas d'une falaise de roches de vingt mètres de haut. Le lieu s'appelle l'Amphithéâtre au cœur de la forêt. Il s'agit d'un site proprement magique. Mon bon Claude est à la voix, mon filleul, Marco, est à la guitare électrique, Marie Bernard, compositrice et chef d'orchestre, est aux claviers, et Jocelyn Boily est à la basse et à la guitare synthétiseur. Je complète ce quintet en jouant de la guitare acoustique et en chantant. Les spectateurs sont tellement touchés qu'ils écoutent mes mots les yeux fermés, la main sur le cœur. Le ménestrel est comblé.

Je me dis que je vais me réveiller bientôt, mais il ne s'agit pas d'un rêve. Aucune armée de punks ne viendra me dévorer après le concert et je n'aurai pas à fuir à toutes jambes pour leur échapper. Tout cela est bien réel. François Bruneau est à l'origine de cette soirée. Voulant revitaliser ce site abandonné, il a appelé son ami Guy à la rescousse, mais « pas pour une conférence », a-t-il pris soin de préciser. Il m'est donc venu l'idée de concocter un récital à partir de mes chansons et de mes poèmes. Je l'ai intitulé *Au beau centre de tout*. J'ose livrer le côté le plus personnel de moi-même, et cela aussi, je le reçois comme un cadeau de l'épreuve.

Pendant l'automne 2009, l'idée d'écrire le récit de ce voyage intérieur prend forme. Je réfléchis à la question qui ouvre ce livre : pourquoi avais-je besoin du cancer dans ma vie ? Qu'est-ce qu'il m'a permis d'apprendre que je ne savais déjà ? Qu'est-ce qu'il fait vivre ou revivre en moi ? Des éléments du mythe d'Inanna, que j'ai appris auprès du professeur Marguerite Kardos, une spécialiste de la civilisation sumérienne, me viennent à l'esprit pour répondre de façon imagée à ces interrogations. Pour ce peuple, le mot « maladie » se dit *enténèbrement*, une expression qui correspond très bien à ce que j'ai vécu.

Inanna, la reine d'En-Haut, désire aller aux enfers pour y faire résonner le nom de l'amour et y apporter l'espoir. Elle souhaite que les êtres humains ne soient plus jamais seuls dans leurs propres ténèbres. Pour s'y rendre, elle doit abandonner les pierres précieuses qui ornent chacun de ses centres énergétiques. Or les chakras sont d'abord et avant tout des véhicules de communication. Ainsi, en perdant la pierre qui habille sa couronne, perd-elle sa liaison avec le tout, avec le divin ; puis elle perd la vision juste, soit la vision de l'unité fondamentale ; elle perd ensuite la parole juste, celle qui habille le monde de beauté ; elle perd aussi son cœur universel pour rester prisonnière d'un organe livré aux émotions et aux réactions de la vie courante, et ainsi de suite.

À travers la maladie, j'ai réalisé que, comme Inanna descendue aux enfers, j'avais perdu le lien avec la lumière et l'élan de vie à un degré beaucoup plus grave que je ne le croyais. Lorsque j'ai rétabli ce contact, cela s'est donc fait de façon très intense. Cette descente dans les enfers m'a aussi permis d'aller à la rencontre des parties de moi-même que j'avais laissées dans les ténèbres sans espoir et sans amour. Le poète, l'acteur et le ménestrel ont pu de nouveau faire entendre leurs voix, et j'apprends maintenant chaque jour à me définir tout autant comme un artiste que comme un enseignant.

Par rapport à l'amour, j'ai appris que chaque relation devait *faire résonner le nom de la déesse*, si l'on me permet l'expression. Chacune d'elles est appelée à célébrer la beauté universelle et à servir de pont de communication vers cet idéal qui a toujours guidé ma vie. Le cancer m'a aussi permis de constater qu'il existait en moi une dissociation profonde sur le plan psychique, une dissociation qui a entraîné de lourds désordres physiologiques. La maladie a mis en scène cette division entre le corps et l'esprit. Elle m'a permis de la constater et, par la suite, de faire en sorte de retrouver l'unité.

Éric Baret, qui pratique un yoga de l'écoute, dit souvent dans ses cours : « Ne nous faisons pas croire que nous sommes en train de nous détendre, nous sommes en train d'écouter nos tensions. La détente est ce qui vient de temps à autre comme une grâce. » J'ai en effet l'impression que la détente, la joie et la guérison m'ont visité comme une grâce. Maintenant, il s'agit pour moi de faire le reste, de faire les choix qui nourrissent la lumière en moi et permettent aux différents niveaux de mon être de vivre de façon équilibrée, favorisant ainsi la régénérescence et ralentissant les processus de mort. C'est ainsi que je veille aujourd'hui à entretenir et à réactiver en moi un état d'union de façon quotidienne par la méditation, l'harmonisation de mes différents corps, le dialogue avec mes organes et de nombreuses visualisations.

Ma relation au temps et au travail a aussi changé radicalement. Je prends le temps de vivre. Je ne veux plus courir. J'en ai perdu le goût. Mon rythme de travail a diminué de moitié. Goûter à la vie, aux amitiés, à la poésie, au temps qui passe me semble aussi important que n'importe quel accomplissement.

QUELQUES CONSEILS POUR LA ROUTE

En m'écoutant parler du cancer et des expériences intérieures qu'il m'a permis de faire, certaines personnes m'ont dit qu'elles m'enviaient d'avoir été si malade. Personnellement, je ne trouve pas cela enviable du tout. Ce n'est pas facile à traverser. À ceux qui demeurent envieux d'un sort si extrême, je dirais la chose suivante : vous êtes déjà malade ; le pire est déjà arrivé, car vous allez mourir. Peu importe ce que vous ferez, les processus de dégénérescence gagneront la partie. Vous ne pouvez que ralentir le déclin.

Vous n'avez donc pas besoin d'attendre une maladie terminale pour vous mettre en chemin puisque vous l'avez déjà. Vous ne pouvez que retarder la mort. Pour cela, il s'agit de retrouver pleinement le goût de vivre et de le servir. Si vous retrouvez le feu du vouloir-vivre qui soutient votre élan créateur, si vous vous mettez en lien avec la lumière pour l'incarner et manifester sa présence en vous par la façon dont vous menez votre vie, il y a de bonnes chances que vous favorisiez vos mécanismes d'autoguérison.

Il importe aussi de se mettre à l'écoute du sens de ce qui nous arrive, car ce sens aide à vivre. Toutefois, si vous êtes malade et cherchez le sens de ce qui vous arrive, ne vous acharnez pas pour savoir si c'est « exactement » ce que la maladie a voulu vous signifier, comme j'ai vu plusieurs personnes le faire, demeurant ainsi prisonnières d'une opération mentale. Pour paraphraser Jean-Charles Crombez, je dirais qu'il n'est pas nécessaire que ce sens soit absolument juste ou relativement juste. L'important est d'en trouver un qui réponde à nos tripes, d'en découvrir un que nous sentons pertinent au plus profond de nous-mêmes.

Rappelez-vous que ce qui importe est un dialogue avec l'inconscient. Il s'agit d'avoir l'audace de laisser la parole à notre partenaire intérieur, que ce soit en se mettant à l'écoute des rêves, des impressions et des intuitions, ou en parlant avec le corps et ses organes. Puisque le moi est défait dans sa tentative de mainmise héroïque sur la vie, il faut en profiter pour entendre le message de l'ombre. Souvenez-vous qu'il est nécessaire de permettre des effondrements intérieurs qui nous mettent en contact avec les émotions et les traumatismes refoulés. Le lâcher-prise s'avère donc une attitude essentielle à la santé. Il ne faut d'ailleurs pas hésiter à consulter un psy pour se faire aider dans la tâche qui consiste à confronter son intérieur.

Il n'y a pas de formule magique en ce qui concerne le retour à la santé, ou ce que les médecins appellent prudemment *la rémission*. Chacune d'elles n'est pas seulement le fruit des éléments que l'on a associés pour faciliter un nouvel équilibre. La rémission est également fonction de la détermination à changer de vie, de la compréhension du sens de l'épreuve à laquelle on est parvenu, du contact que l'on a noué avec son corps, particulièrement avec ses cellules, et de la confiance que l'on a en ses propres ressources. Autrement dit, la guérison est une autre étape du mouvement créateur qu'est notre vie. Ce mouvement créateur est l'amour lui-même. Ce mot est masculin au singulier et féminin au pluriel peut-être parce que l'énergie masculine initie le projet créateur et que l'énergie féminine le réalise à travers de multiples formes. Toute une vie durant, et sans doute pendant nombre d'autres, nous apprenons à nous unir et à fusionner avec le mouvement amoureux. Nous consentons peu à peu à communier avec la vie, à devenir Un.

Quelque chose en nous est juste, lumineux et ne peut par conséquent être malade. Il s'agit de la force même qui anime un être, de son énergie vitale. Toutefois, en raison des charges du passé et des contraintes sociales qui engendrent chez l'être tant de peur et d'insécurité, cette énergie est inhibée. Elle ne peut s'exprimer librement. Des barrages de plus en plus nombreux se dressent sur notre chemin et un jour la rivière de notre vie sort de son lit ! Nous prenons alors le lit de la maladie.

Je le répète, pour revenir à la santé, il n'est pas essentiel que toutes les sources douloureuses soient identifiées et revécues. Il importe plutôt de reconnaître suffisamment ses propres lourdeurs et leurs conséquences pour se trouver motivé à choisir des états plus légers et plus expansifs, ceux qui stimulent véritablement les mécanismes d'autorégulation. Il ne sert à rien d'attendre d'avoir fait le tour de ses problèmes psychologiques pour éveiller les aspects lumineux de son être, tout comme il ne sert à rien d'attendre que la joie lumineuse se répande en soi avant de songer à régler ses problèmes psychologiques. Le fait est que les ombres psychologiques empêcheront d'atteindre la légèreté tant qu'elles existeront. Mais l'attention exclusive portée aux méandres psychologiques finit par tourner au nombrilisme si elle ne débouche pas sur les autres et sur l'univers.

La recherche frénétique de formules magiques, de potions remarquables ou de guérisseurs exceptionnels peut s'avérer vaine et décevante elle aussi, et vous faire perdre un temps précieux. Débutez plutôt par ce qui est à votre portée. S'il y a un acupuncteur au coin de votre rue, commencez par lui. Soyez toutefois attentif à vos réactions. Puis continuez votre route en gardant l'oreille ouverte aux pistes que l'on vous propose. L'important est de se mettre en chemin et de s'ouvrir. La maladie vient toujours d'un état de fermeture. Il ne peut en être autrement. À partir du moment où vous vous ouvrez, la guérison commence. Et, je le répète, elle viendra de vous, de votre intérieur.

Un accompagnement adéquat, qu'il soit psychologique, spirituel ou énergétique, stimule votre autonomie. Il offre un éclairage, mais il ne décide pas à votre place. Un protocole qui vous serait imposé de l'extérieur sans recevoir votre participation consciente s'apparenterait à une intervention technique que vous vivriez comme étrangère. La guidance doit résonner à l'intérieur, sinon l'instrument perd en puissance et ne peut engendrer de résultats très probants. Un outil ne peut pas être plus puissant que la puissance qu'on lui reconnaît. C'est ce que l'on fait, ce que l'on ressent et ce que l'on vit en utilisant un outil donné qui stimule l'autorégulation. La bonne attitude consiste donc à accueillir un exercice à l'intérieur de soi, à défaut de quoi l'on fait une simple expérience technique.

Il faut également se rappeler qu'il est bon d'unir différents types de médecines. Il y a la *médecine du corps*, celle des médicaments, de l'alimentation et des plantes. Il y a la *médecine de l'esprit*, celle de la psychothérapie et des diverses interventions énergétiques. Et il y a la *médecine de l'âme*, celle de l'expression créatrice, de l'amour et de la joie. Cette approche intégrative constitue le chemin du succès, car elle ne néglige nul aspect de l'être au nom d'une quelconque idéologie. Je ne serais d'ailleurs pas étonné que la médecine du futur voie des ententes de collaboration s'établir entre patients et médecins, qui détermineront les rôles de chacun face à divers types d'interventions. Nous finirons peut-être par avoir des *coachs* de santé globale ! C'est peut-être là le futur rôle des médecins de famille.

Je ne peux m'empêcher ici de penser à ceux et celles qui sont limités à leur chambre d'hôpital ou même à leur lit. Je les croise encore régulièrement à chacune de mes nombreuses visites pour des examens de contrôle. Si vous êtes de ces personnes, j'ai envie de vous dire que, même si plus rien de ce dont je vous parle ne vous semble accessible, vous pouvez tout de même utiliser le temps qui vous reste pour tenter de résoudre les relations problématiques de votre vie et vos différents conflits intérieurs. Par-dessus tout, il vaut encore la peine de pacifier votre cœur en y faisant circuler des énergies d'amour et de paix pour les offrir à vos proches et à l'univers. Cela vous rassurera et transformera votre humeur, car vous aurez le sentiment d'accomplir encore quelque chose de très important pour le monde, la chose la plus importante en fait : vivre l'union sacrée entre le corps et la conscience, entre la lumière et la matière.

Comme je l'ai dit à de nombreuses reprises, tout l'environnement médical n'est qu'un contexte qui vient stimuler ce que nous sommes. Les médecins, les médicaments, les thérapeutes et les techniques constituent des milieux qui viennent accentuer et parfois provoquer le réflexe de vie. J'ai appris en cours de route que rien ni personne ne peut nous guérir de quoi que ce soit. Il n'est pas utile d'implorer pour la guérison puisqu'elle est déjà en nous. On peut prier pour que des énergies nous accompagnent dans la perception de ce niveau de réalité. On peut songer à ce à quoi nous servira la guérison. On peut goûter le talent créateur qu'elle nous permettra de mettre en œuvre. On peut se demander comment elle sera utile à l'humanité. On peut même l'offrir à l'avance au monde entier. Mais on ne peut la quémander ni l'asservir. Elle vient comme une grâce qui remplit le cœur. On peut la favoriser, on ne peut en décider. Rien ne sert de demander la guérison, parce que les cellules possèdent elles-mêmes ce pouvoir. Il s'agit donc plutôt de l'activer et d'entrer dans des états de bien-être intérieur assez intenses pour permettre une expansion libératrice.

Certes, vous pouvez prier pour votre guérison, mais il serait plus juste de demander l'accompagnement de l'ensemble des forces universelles, que plusieurs appellent Dieu, dans votre propre effort de recréation de vous-même, ou dans ce que l'on pourrait nommer plus justement votre offrande à la vie d'un être plus présent et plus conscient. Car prier pour la guérison consiste à nier qui l'on est essentiellement, à savoir non pas une victime de quoi que ce soit, mais un être créateur de lui-même. Nous sommes malades parce que nous avons oublié la dimension illimitée de nos êtres ou n'y avons jamais touché. Ne sachant pas qui nous étions, nous avons quémandé reconnaissance et réconfort pour nous sécuriser. Nous avons pris de mauvaises habitudes. Nous sommes devenus complaisants envers les autres et envers nous-mêmes, et nous voici face au résultat : le malheur est entré dans nos vies. Cet état de fait peut être renversé. Il invite à ce qu'un ménage soit fait. Il ne sert à rien de s'apitoyer sur son sort. C'est la complainte de la victime ignorante de sa dimension créatrice qui continuerait.

À partir de cette prise de conscience, tout n'est que choix, communion et communication. Ça ne simplifie pas nécessairement les choses. Le couteau du sculpteur tranche dans la matière, il poursuit une vision qui l'inspire et guide sa main. Il en va de même de chacun de nous face à sa propre vie. Le couteau tranche la matière vivante de nos vies. Y a-t-il un créateur derrière chaque coup ou bien le couteau est-il laissé à lui-même, produisant bonheur et malheur par accident ? Qui va oser prendre en main la définition même de sa vie ? Car tout procède de cette audace, de ce courage. Le reste, ce ne sont que les peurs et les revendications du personnage qui occupent la majorité du temps de nos existences.

Le goût de vivre et de participer à la vie intensément, avec ses talents, favorise la guérison. L'envie d'aimer profondément et d'être utile aux autres facilite le retour à la santé. La beauté qui fait vibrer le cœur nous réjouit et stimule les mécanismes d'autoguérison. L'amitié, l'amour, la compagnie bienveillante et inspirante donne du sens à notre existence. Les projets apportent la joie. L'amour vibrant et intense de la vie permet d'entrer dans un état intérieur au sein duquel les transmutations deviennent possibles.

Finalement, je dirais que la méditation, la visualisation et la contemplation ont toujours avantage à faire partie d'un parcours qui vise le retour à l'équilibre. De même, l'expression créatrice, qu'elle soit artistique ou autre, aide considérablement à faciliter le mouvement vers la santé. Et puis, il faut se rappeler que, même si vous faites tout ce qu'il faut pour favoriser les mécanismes d'autorégulation, la guérison vient aussi comme une grâce, comme un cadeau de la vie. Parfois, elle ne vient pas. N'en faites pas alors une occasion de culpabilité ou de comparaison car il n'y a pas de recette idéale. Vos exercices auront alors servi à une guérison plus subtile mais tout aussi réelle, celle du lien avec votre âme et avec votre esprit. Voilà, au fond, ce qu'il faut savoir.

RENAÎTRE, C'EST SE RECONNAÎTRE

Je médite dans mon lit. En ce matin d'automne 2009, tout est d'une clarté cristalline. Je sens le sourire qui s'étire en moi et qui renaît à la vie. Je comprends, et surtout, je sens comment tout est notre création. Nous sommes de purs élans créateurs et tout procède de là. Chaque élément de notre vie est un environnement que nous avons mis en place pour notre propulsion. L'amour conjugal, les amitiés, les relations s'apparentent à des ambiances qui reflètent et expriment ce que nous sommes. Les tensions dans notre corps, nos malaises et nos maladies également. Ils traduisent nos états de fluidité et de contraction. Et chacun de ces états constitue un livre ouvert prêt à nous offrir les informations nécessaires à notre bonheur à partir du moment où nous le consultons sans nous juger.

Je retrouve le « Nous, nous voulons vivre », ce cri lancé par mes cellules, et qui, dans mon cas, a initié le processus de retour à la santé. Je peux m'y associer maintenant. « Moi, je veux vivre ! » Je contemple l'intensité de vie en moi. Le goût de vivre remplit la coupe jusqu'au bord. L'enfant joueur a envie de bondir et de s'emparer de la vie. Je déguste sa force avant de l'oublier dans l'action, avant de me faire croire que je suis victime de quoi que ce soit. Je savoure la clarté, la tranquillité. Je suis convaincu que la régénérescence procède de tels états qui se déploient en nous et tout autour de nous. En ce sens, nous créons notre équilibre. À partir de cette réserve inépuisable de vie, nous apportons du réconfort et de la compréhension à chaque partie de nous-mêmes. Nous leur apportons gratitude et reconnaissance pour le travail que chacune effectue dans l'ombre, parfaitement humble, parfaitement ajustée à l'ensemble.

L'élixir de vie se répand en moi et je comprends que nous sommes en réalité notre plus belle création : ce corps, cet esprit, cette âme, cette vie, son équilibre, son déséquilibre, sa beauté, son harmonie. Voilà la prise de conscience qui m'attendait sur le chemin de la santé. La guérison est un cadeau de vie que l'on s'offre à soi-même. À partir du cœur de ce réacteur la vie explose. À partir de ce big bang intérieur, la vie entre en expansion.

Revivre, vivre à nouveau, naître une deuxième fois, c'est très différent de la première, car, cette fois, on produit cette naissance soi-même. Je ne pensais pas que l'on pouvait se donner naissance. Je pensais que ça arrivait tout seul. Je fais maintenant l'expérience que de longues années nous préparent à choisir d'être soi, à choisir de s'aimer. Au-delà des ombres, on se donne naissance à soi-même dans une version améliorée, allégée, plus disponible à la clarté. On sort de cette impression d'être une victime que l'on croyait indélébile. On redécouvre que la vie est une merveille et que l'on en fait partie totalement. On redécouvre que l'on est aussi cette puissance merveilleuse venue vibrer d'amour et de joie, venue ici-bas par pur plaisir, pour créer de la beauté, de l'harmonie et de la fraternité.

Revivre consiste à reconnaître la soif de lumière et d'union qui nous habite et à lui accorder la priorité dans notre existence. Ainsi, on devient un Vivant, au sens des Sumériens. Alors, même si vous mourez, l'essentiel aura été accompli et vous franchirez les portes de la mort sans souci superflu.

À travers cet épisode de maladie, je saisis un enjeu qui va au-delà de mes découvertes. Ma renaissance ne repose pas seulement sur l'amour et la création artistique, elle signifie la tentative de cultiver un état de joie permanent à travers des choix personnels quotidiens. En effet, je constate que les deux fois où la maladie m'a entraîné sur les bords du précipice, les deux fois où j'ai pu regarder ma propre finitude en face, c'est l'émergence d'une joie pure et spontanée qui m'a tiré du mauvais pas. Toutefois, si une telle joie accentue les capacités d'autoguérison, elle doit être entretenue au jour le jour pour continuer d'avoir son action bienfaisante. La notion de maîtrise de soi prend ici tout son sens. Pour entretenir la joie vive au cœur de soi comme une flamme sacrée au centre de l'être, il faut la cultiver assidûment par des méditations, des visualisations, des choix cohérents et une vie créatrice.

Je ne parle pas ici d'un état superficiel qui consisterait à éviter les gens en difficulté ou les lieux traversés par de pesantes lourdeurs. Je parle au contraire d'une joie alimentée par le contact avec l'essentiel et qui ne s'effraie pas à la vue de la souffrance humaine. Je parle d'une lame de fond, le fond lumineux de l'être. Ce qui est en jeu, de toute façon, c'est l'intimité avec soi et avec la vie, l'intimité avec la nature universelle à laquelle nous appartenons et que nous sommes venus exprimer, l'intimité avec notre individualité profonde qui appelle nos talents, nos dons et nos goûts. Elle représente notre façon particulière de nous inscrire dans la réalité de ce monde et d'en manifester la force et la beauté. Cette intimité est l'instrument de notre santé.

Cela n'exige pas de situations exceptionnelles. Aujourd'hui, par exemple, je n'ai fait que des petits gestes les uns après les autres, mais je les ai bien faits, sans hâte, sans précipitation. Pourtant, ce soir, je baigne dans un bien-être intense, au seuil de la béatitude. Mon état est gratuit, sans raison. Il est vrai qu'il s'agit d'une journée au cours de laquelle je ne me suis pas mis en échec. Une sorte de justesse l'a parcourue. Je suis heureux. J'ai goûté à tant d'instants présents qu'il me semble que je pourrais mourir sans regret. Au bout d'une telle journée, on peut quitter cette vie en ayant l'impression d'avoir accompli l'essentiel : goûter à un instant et connaître une sorte d'ivresse.

J'ai l'impression de reconnaître enfin la direction juste. J'entre dans une existence qui vise la présence à l'instant par-dessus toute autre chose. Je cours moins après la reconnaissance des autres, je cours après ma propre approbation. Je vis pour être content de moi-même, en accord avec mes élans de vie et mes idéaux humanitaires. Je vis pour connaître la paix intérieure. Lorsque j'envisage une action qui semble provoquer beaucoup d'agitation interne, je me dis que le personnage doit bien se profiler là-dessous. Je tente alors de trouver une position plus satisfaisante. J'essaie de voguer vers l'unité, et parfois l'unité me visite.

Il y a tout de même un aspect sur lequel il faut veiller : faire en sorte que les voix intérieures auxquelles on prête l'oreille ne se confondent pas à celles d'un surmoi conformiste craignant les éléments pulsionnels. Car les voix intérieures dont je parle ne relèvent pas de la morale, elles nous parlent au contraire des réjouissances intérieures dont nous pouvons faire l'expérience de façon durable. Cela implique discernement, justesse et vigilance.

Nous sommes sur la Terre pour nous réjouir. À quoi bon le nier ? Nos actions, et même les épreuves que nous endurons, existent en fonction des plaisirs qu'elles sont à même de nous apporter. Certaines personnes exercent six jours par semaine des métiers qui n'ont pas de sens pour elles dans le simple but de jouir du septième jour, ce qui n'est pas toujours le cas, loin s'en faut. Tout de même, se reconnaître, s'aimer véritablement consiste à choisir l'allégresse.

Je me demande si le but de l'exercice de la vie, de la mort et du processus d'autoguérison ne serait pas d'apprendre à nous abandonner toujours plus profondément au processus même de la vie. J'ai acquis la conviction intime qu'il en est ainsi. Je crois que tout cela n'a d'autre objectif que de nous faire épouser une vision toujours plus large et plus vaste de la vie et de l'univers afin de faire en sorte que nous soyons des explorateurs de plus en plus curieux et réjouis des mystères de la vie. Le jeu de la vie ne vise que la découverte que nous sommes des créateurs conscients de tout ce que nous sommes et que l'existence constitue notre jeu joyeux, que nous le sachions ou non, que nous voulions le reconnaître ou non.

Chaque instant nous invite à laisser derrière nous le poids de notre biographie, de nos habitudes et de nos noirceurs pour embrasser la liberté. Libre, à la porte de l'indicible, il m'arrive de déguster le nectar divin de quelques moments de légèreté infinie. Alors, j'ai l'impression que mon âme se balade dans le ciel au soleil du printemps et que la douce saison est en moi, se répandant partout. Se peut-il qu'il y ait eu tant de souffrances dans ma vie pour m'amener à goûter à cette liberté qui se situe au-delà de tout et qui est en même temps au cœur de tout ?

L'AUBE SE LÈVE

L'été 2010 se déploie. L'aube se lève. Il y a des tons rosés dans le ciel, et la lumière, puissante, semble chasser les nuages. Quel spectacle magnifique et réjouissant ! Il n'est pas tout à fait cinq heures et je suis déjà à mon bureau en train de terminer mon récit. La porte-fenêtre est ouverte sur le chant des oiseaux dans la forêt. La vie s'éveille, c'est merveilleux. Chaque jour, la vie s'éveille, peu importe les horreurs que les hommes ont pu commettre. Chaque jour, la vie s'éveille et chacun de nous a la chance de renaître en faisant le choix de rester ouvert à ce qui l'émerveille. Car même si une ombre terrible s'attache à nous, même si les blessures et le manque de confiance existent, l'enfant joyeux cherche à naître et à nous entraîner encore plus loin au cœur du mystère. Le bonheur veut venir au monde.

Je ferai à nouveau du théâtre. J'aimerai de nouveau une femme. Je ne sais pas pourquoi ces élans sont si importants pour moi — au point d'en faire une maladie ! En cela réside l'énigme de chaque individu et de son incarnation. Un rayon de lumière vient au monde, habité d'une force de vie qui veut se manifester à tout prix. Comment se fait-il que cette flamme s'éteigne si l'élan qui l'anime ne se réalise pas ? C'est un mystère auquel on peut répondre uniquement en vivant, en nourrissant ce qui donne le goût de vivre, en alimentant ce qui donne du sens, car le sens est lié au vouloir-vivre, à l'élan vital. Si certains ingrédients que l'on apprécie particulièrement ne sont jamais présents aux repas, après un certain temps on perd l'envie de manger.

Mon premier passage près de la mort a éveillé mon esprit à des dimensions ignorées de l'existence. Le second a donné naissance à mon corps, à ma présence ici-bas, de façon plus incarnée et plus amoureuse de la vie. Voici le rêve qui clôt la série de songes qui m'ont visité pendant la maladie :

Je suis sur mon terrain à la campagne. Je dois faire un grand trou dans la terre avec ma main, un trou assez grand pour planter un gros arbre. Puis j'apprends que c'est ma propre

tête que je dois planter. Je la vois maintenant dans le sol.
Mon visage est doré par le soleil. Il est entouré d'une cou-
ronne de grandes feuilles vertes comme pour une fête afri-
caine. Mon sourire s'illumine.

Au réveil, je sais ce qu'il me reste à faire pour demeurer en
bonne santé. La couleur, la musique, la danse et la sensualité
viennent d'entrer à nouveau dans ma vie. En plantant ma tête
dans le sol, le soi m'invite à incarner le nouvel esprit qui m'habite.
Je marchais dans ma tête, je marche maintenant sur la Terre,
et je marche dans le ciel. Le serpent a mué, laissant son
ancienne peau derrière lui. Le vieil homme est mort, l'homme
nouveau naît à la vie.

Même si tout est sous contrôle aujourd'hui, je peux entrevoir que je mourrai peut-être des suites de la maladie qui vient
de me visiter, mais c'est un être profondément réconcilié avec
la vie et ses épreuves qui mourra alors. Je laisserai mon corps
derrière pour continuer à vivre dans un autre théâtre, eh oui,
dans un autre théâtre !

Le temps est venu de refermer mon livre, maintenant. J'espère que je suis parvenu à dire le plus inspirant. Mon but était
d'enseigner à partir de ma propre expérience. Je voulais montrer
le genre de bilan psychologique qu'il est utile et même nécessaire de faire pour revenir à la santé, de façon à pleurer ce qui
n'a pas pu l'être et ainsi faire revivre ce qui a été trop longtemps
négligé. Je désirais également faire état des pratiques énergétiques qui nourrissent ma vie et qui ont soutenu ma guérison
pour vous encourager à vous familiariser avec elles et à y recourir. Elles vivifient la vie et contribuent de façon importante à
la santé. Il ne fait d'ailleurs pas bon d'attendre d'être malade
pour s'y attacher.

Parfois, je me demande pourquoi je me suis lancé dans cette écriture. Je n'ai pas besoin que ma vie intime soit connue de tant de gens. Je ne veux pas qu'elle devienne matière à potins. Je ne voudrais pas que ce récit heurte mes proches en quoi que ce soit. Je souhaite qu'il serve à l'amour de soi et des autres, de l'humanité et de l'univers. Car le plus important consiste à vibrer d'amour. Après tout, que reste-t-il une fois que tout a été dit ? Rien d'autre que la main tendue au-dessus de l'abîme, rien d'autre que le sourire qui nous encourage à faire le prochain pas, rien d'autre que la sainte fraternité de tous les êtres visibles et invisibles.

Ce dont j'ai parlé à travers ces pages vient de mon authenticité profonde et de la terre vierge où je pose les pieds chaque jour en méditant pour me renouveler. Cette terre fertile est en vous aussi. Elle ne peut vous quitter et vous ne pouvez pas la quitter non plus. Elle est votre âme. Elle est déjà unie à tout ce qui existe, vibrante de tout. Quelles que soient vos convictions, quelle que soit votre condition, elle ne peut que vous souffler à l'oreille : « Abandonne-toi, tout va bien aller ! » Que vous franchissiez les rivages de cette vie ou restiez ici-bas, abandonnez-vous, tout va bien aller. Car si vous avez retrouvé l'intimité avec votre âme, vous avez reconnu ce que vous étiez au-delà des apparences. Vous avez guéri l'essentiel. Il ne vous reste plus qu'à vivre, qu'à vivre à nouveau, qu'à revivre.

Je vous laisse sur un texte que j'ai composé au printemps 2008[54]. Il s'intitule *La joie au cœur de l'épreuve*. Il résume à sa façon toute la trajectoire de ce livre.

---

54. Il s'agit d'une commande de la photographe Isabelle Clément. Elle a interpellé une vingtaine de personnalités québécoises autour du thème « La vie est belle » dans *La vie est belle !* Montréal, Éditions Fides, 2008.

Un jour, à Bruxelles, me promenant dans un parc jouissant d'un printemps précoce, je me retrouve le nez dans les branches d'un amandier en fleurs. Cette éclosion de petites fleurs roses flottant dans le vent doux du printemps, dansant contre le bleu d'un ciel à la fois clair et profond, me fait monter les larmes aux yeux.

Je suis en face de la vie, de la vie pure. Elle reprend ses droits après l'hiver. C'est le mouvement naturel des choses. Cet amandier me touche particulièrement parce que moi-même je sors de l'hiver du cancer. Neuf mois de procédures, de piqûres, d'examens et de chimiothérapie. Neuf mois d'une inquiétude et d'une menace sourde qui se lève enfin. Les résultats des derniers examens sont bons, je vais vivre. Mais je marche encore comme le renard rusé sur la glace, écoutant et craignant les moindres signes d'effondrement.

Cet amandier en fleurs, dans toute sa splendeur printanière, me donne de l'assurance. Il me dit de croire en la vie, d'oser vivre. Peu importe qu'un autre hiver vienne, les fleurs annonçant de nouveaux fruits sont bien présentes. Je respire largement dans ses branches. Je communie à sa vie toute fraîche. Je la prends en moi et elle me fait du bien. Certes, je suis encore fragile, mais je me relèverai. Je porterai à nouveau des fruits. À nouveau la sève de l'inspiration coulera en moi et je pourrai en bénéficier tout autant que ceux qui m'entourent.

Pourtant, cet hiver n'a pas été que difficile. Bien au contraire. Au cœur de la noirceur, ayant abandonné toute attente parce que devenu trop faible pour en formuler, ayant abandonné mes prétentions habituelles parce que réduit à zéro sur le plan des capacités, j'ai connu des moments de lumière. J'ai même fini par me dire que c'est au cœur du désastre que l'on peut le mieux convoquer la lumière intérieure. C'est alors que l'on peut la voir, pour ainsi dire, que l'on peut la toucher, s'en imprégner, la fréquenter, comme on fréquente une musique que l'on aime.

Il est facile de palabrer sur le bonheur et sur le sens de la vie lorsque tout nous sourit. Mais lorsque l'épreuve est là, lorsqu'il s'agit de traverser sur la rive d'un nouvel équilibre ou de mourir, les mots ne sont plus d'un grand secours. Il faut se recueillir et essayer de garder sa dignité. Il s'agit d'un choix intime. Un choix qui se fait au cœur de l'angoisse, au fil des petits matins sans sommeil. On peut faire la traversée en maugréant à chaque pas. Qui pourrait même nous le reprocher ? Ou l'on peut cultiver la sérénité en entrant en relation avec la part lumineuse de soi chaque jour et plusieurs fois par jour. Au fond, il s'agit de chercher la part heureuse et de la découvrir, même au sein du pire. Surtout au sein du pire parce qu'il n'y aura jamais de meilleur moment pour sortir des concepts et pour mettre en pratique ce dans quoi l'on croit.

Et parfois, et tout à coup, la joie, la joie contre toute attente. La pure joie de vivre reprenant ses droits, se distillant dans les cellules, ou plutôt émergeant du cœur de chaque cellule comme un bourgeon d'amandier délivre sa fleur. On comprend alors la méprise de sa vie, une vie remplie de devoirs et de responsabilités, de mérite et de reconnaissance. On comprend que ce n'est pas de cela qu'il s'agit. On s'est trompé de vie. Il s'agit de goûter à la joie d'exister sans autre but. La vie goûtant la vie. La vie célébrant la vie. Et tout notre être y participant, acquiesçant enfin à l'évidence, savourant enfin l'essentiel.

Devant cet amandier en fleurs au printemps, je me suis dit : c'est donc pour cela que j'ai été si malade.

Merci à tous ceux et à toutes celles qui, d'une façon ou d'une autre, m'ont aidé à traverser le pont vers la lumière que peut devenir un cancer.

corneau

On commence un livre, on se plaint du temps que ça prend et puis on réalise qu'on en est déjà à écrire la page des remerciements. Il y a de nombreuses personnes à qui je désire exprimer ma reconnaissance concernant l'écriture de ce volume, mais concernant également mon épisode de maladie.

Pour le livre, je désire remercier en tout premier lieu Antoine Audouard des Éditions Versilio. Voilà la quatrième de mes gestations qu'il entoure de ses bons soins. C'est à lui que revint la tâche de me dire ce que je ne voulais pas entendre sur mon manuscrit. Finalement, avec finesse et amitié, et tout en m'assurant que je demeurais le maître d'œuvre, il a réussi à me faire rédiger trois versions de mon récit... Je pense que vous avez la meilleure entre les mains ! Je veux également remercier Erwan Leseul des Éditions de l'Homme pour ses conseils éclairés, notamment par rapport aux parties de mon texte qui touchaient des sujets délicats. Grâce à son talent, il a su former avec Antoine une magnifique équipe éditoriale. Ma reconnaissance va également à toute l'équipe des Éditions de l'Homme, sur le territoire tant québécois que franco-européen. Elle est dirigée de main de maître par Pierre Bourdon qui a accueilli ce projet de livre avec un grand enthousiasme, enthousiasme partagé par ses patrons Pierre Lespérance et Céline Massicotte. Du côté des Éditions Versilio, ma reconnaissance s'étend à Susanna Lea et à Léonard Anthony, qui ont aussi accueilli mon projet avec un grand intérêt.

Mon comité de lecture maison tient aussi une place de choix dans cette entreprise. Il s'agit de Régine Parez, Catherine Balance, Line Corneau, Linda Corriveau et Eugénie Francœur. Toutes, elles m'ont offert un avis franc et honnête qui m'a permis de m'orienter. De même, ma gratitude va à Myriam Lessard et à Maryse Grambras qui n'ont pas ménagé les heures et les lectures répétées, travaillant souvent jusque tard dans la nuit. C'est à Myriam Lessard que je dois nombre des références scientifiques qui émaillent le texte. Mon assistante personnelle, Marie Lemieux, m'a également soutenu à plusieurs reprises au cours de la rédaction. Que la créativité éclaire ses pas.

Finalement, ma gratitude va à Sylvie-Ann Paré et à Maxime Boisvert pour les photographies de la page couverture et de la promotion. Pour des raisons qu'ils comprennent, ces photos du retour à la vie revêtent une importance particulière pour moi.

Je tiens maintenant à remercier les gens qui m'ont accompagné au cours de mon cancer. Tout d'abord, du côté médical, ma reconnaissance va aux médecins Louise Yelle et Michel Boivin pour leur compétence et leur humanité. Elle va aussi à tout le personnel du 4e étage du Pavillon Deschamps de l'Hôpital Notre-Dame de Montréal où l'on est toujours accueilli avec le sourire. Ensuite, du côté familial, elle va à ma mère, Cécile, à mes sœurs, Line et Joanne, et à mon filleul, Marco. Il est bon de se sentir soutenu par ses proches, surtout lorsque ce soutien s'accompagne de bonnes tartes aux bleuets ! Sur le plan de l'alimentation, j'ai également eu la chance de jouir de la présence d'amis qui sont à proprement parler de véritables chefs : Claude Lemieux, Raymond Gauthier, Liliane Gandibleux et Robert Geoffrion m'ont régalé de nombreuses fois. Sans oublier Lucie Déry et Linda Corriveau qui m'ont nourri de mets et d'amitié. Je pense aussi à mes collègues et amis Jan Bauer et Tom Kelly, ainsi qu'à Rémi Portrait, Victoire Theismann, Maud Penella, Isabelle Rolin, Sylvie Chouinard, Danielle Proulx, Paule Ducharme, Nathalie Coupal, Marie Bernard, Marie-Ginette Landry, Louis Plamondon et à bien d'autres encore dont la présence bienveillante m'a soutenu dans l'épreuve. Je m'en voudrais de ne pas mentionner Éric Baret, Jean-Charles Crombez, Claude Sabbah, Claude Vallières, Arnaud Desjardins et sa compagne, Véronique Loiseleur, Hubert Reeves et sa belle-fille Dominique Ribière, dont les visites m'ont honoré et réjoui.

Je dois beaucoup à mon ami Pierre Lessard pour ce retour à la santé. Il n'a pas ménagé sa sollicitude, ses connaissances et son temps pour m'accompagner très concrètement dans l'épreuve, de même que plusieurs personnes de Prismayam, le lieu que nous avons créé à la campagne. Mes camarades de création des Productions Cœur.com, tant au Québec qu'en Europe, m'ont aussi servi d'appui. Finalement, Thomas d'Ansembourg, Danièle Morneau, Marie Lise Labonté et Claude Lemieux m'ont accompagné merveilleusement de leur chaleureuse amitié.

Tous les gens que je viens de nommer m'ont apporté une aide salvatrice, sans compter tous ceux et toutes celles qui l'ont fait en silence et à qui j'ai dédié ce livre. Que l'univers dans sa grande bonté les garde encore longtemps dans son sein lumineux.

Des témoignages sur le cancer

ATTIAS, Élodie. *La carte chance*, Paris, Jean-Claude Lattès, 2009.

DEY, Marie. *Fais-moi rire. Le rire contre le cancer*, Nîmes, Lacour Éditeur, 2005.

SINGER, Christiane. *Derniers fragments d'un long voyage*, Paris, Albin Michel, 2007.

La biologie totale et le décodage biologique

FLÈCHE, Christian. *Décodage biologique des maladies. Manuel pratique des correspondances émotions/organes*, Gap (France), Éditions Le Souffle d'Or, 2000.

L'accompagnement en fin de vie

DE HENNEZEL, Marie, et Johanne DE MONTIGNY. *L'amour ultime. L'accompagnement des mourants*, Paris, LGF, Le Livre de poche, 1997.

L'alimentation contre le cancer

BÉLIVEAU, Richard, et Denis GINGRAS. *Les aliments contre le cancer*, Montréal, Éditions Trécarré, 2005.

_____ . *Cuisiner avec les aliments contre le cancer*, Montréal, Éditions Trécarré, 2007.

La médecine chinoise

ODOUL, Michel. *L'harmonie des énergies. Guide de la pratique taoïste et des fondements du shiatsu*, Paris, Albin Michel, 2002.

_____ . *Dis-moi où tu as mal, je te dirai pourquoi*, Paris, Albin Michel, 2000.

La médecine énergétique, la visualisation et les cellules souches

CHOPRA, Deepak. *Santé parfaite. Guérir, rajeunir et vivre heureux avec la médecine indienne*, Paris, J'ai lu, 2005.

CLINIQUE MAYO. *Médecine alternative*, Ottawa, Broquet Inc., 2007.

DRAPEAU, Christian. *Le pouvoir insoupçonné des cellules souches*, Montréal, Les Éditions de l'Homme, 2010.

LESSARD, Pierre. Maître SAINT-GERMAIN. *Manifester ses pouvoirs spirituels. Vivre en équilibre dans un monde en mutation*, tome premier, Montréal, Éditions Ariane, 2009.

PERT, Candice B. *Molecules of Emotion: The Scientific Basis Behind Mind-Body Medicine*, New York, Scribner, 1997.

REUTER, Liliane. *Votre esprit est votre meilleur médecin. Préserver votre santé, favoriser l'autoguérison grâce à la médecine holistique*, Paris, Éditions Robert Laffont, coll. Réponses, 1999.

SATPREM, Mère. *Le matérialisme divin*, Paris, Éditions Robert Laffont, 1999.

La psychologie analytique de Carl Gustav Jung

BAUDOUIN, Charles. *L'œuvre de Jung*, Paris, Petite bibliothèque Payot, 1963.

GIMENEZ RAMOS, Denise. *The Psyche of the Body. A Jungian Approach to Psychosomatics*, Hove and New York, Brunner-Routledge, 2004.

HUMBERT, Élie G. *L'homme aux prises avec l'inconscient. Réflexions sur l'approche jungienne*, Paris, Éditions Retz, 1992.

JUNG, Carl Gustav. *L'énergétique psychique*, 5e édition, Paris, Georg éditeur, Le Livre de poche, 1993.

La spiritualité

BARET, Éric. *Les crocodiles ne pensent pas. Reflets du tantrisme cachemirien*, Paris, Éditions Almora, 2008.

_____ . *Le sacre du dragon vert. Pour la joie de ne rien être*, Paris, Éditions Almora, 2007.

LESSARD, Pierre, et France GAUTHIER. *Tout se joue à chaque instant. Entretiens avec le Maître Saint-Germain*, Montréal, Éditions La Semaine, 2010.

_____ . *Le Maître en soi*, Montréal, Éditions La Semaine, 2006.

LUSSEYRAN, Jacques. *Et la lumière fut*, Paris, Éditions du Félin, 2005.

_____ . *Against the Pollution of the I. Selected Writings of Jacques Lusseyran*, Standpoint (Idaho), Morning Light Press, 2006.

Les cuirasses corporelles

LABONTÉ, Marie Lise. *Au cœur de notre corps. Se libérer de nos cuirasses*, Montréal, Les Éditions de l'Homme, 2000.

REICH, Wilhelm. *L'analyse caractérielle*, Paris, Payot, coll. Science de l'homme, 2006.

Le sens de la maladie

AKNIN, Nicole, et Jacques SCHECROUN. *Et si la vie voulait le meilleur pour nous ? Petit traité de bientraitance*, Paris, Presses de la Renaissance, 2010.

ANGELARD, Christine. *La médecine soigne, l'amour guérit. Comment la maladie nous révèle à nous-mêmes*, Montréal, Fides, coll. Corps et Âme, 2010.

BERTIN, Georges. *Un imaginaire de la pulsation : lecture de Wilhelm Reich*, Québec, Presses de l'Université Laval, 2004. Voir notamment : « La peste émotionnelle chez Wilhelm Reich ».

CORNEAU, Guy. *La guérison du cœur. Nos maladies ont-elles un sens ?*, Montréal, Les Éditions de l'Homme/Paris, Éditions Robert Laffont, coll. Réponses, 2000.

_____ . *Le meilleur de soi*, Montréal, Les Éditions de l'Homme/ Paris, Éditions Robert Laffont, coll. Réponses, 2007.

CROMBEZ, Jean-Charles. *La personne en ECHO. Cheminer dans la guérison*, Montréal, Les Éditions de l'Homme, 2006.

MUYARD, Jean-Pierre. *Pourquoi tombons-nous malades ?*, Paris, Fayard, 2009.

ORNISH, Dean. *Love and Survival. 8 Pathways to Intimacy and Health*, New York, HarperCollins Publishers, 1998.

SERVAN-SCHREIBER, David. *Anticancer. Prévenir et lutter avec ses défenses naturelles*, Paris, Éditions Robert Laffont, coll. Réponses, 2007, 2010.

_____ . *Guérir le stress, l'anxiété et la dépression sans médicaments ni psychanalyse*, Paris, Éditions Robert Laffont, coll. Réponses, 2003.

corneau

Pour obtenir des informations au sujet des conférences et des séminaires de Guy Corneau, de même que pour jouir des outils de développement personnel qu'il offre à ses lecteurs, il suffit de consulter le site :

www.guycorneau.com

Sur ce site, vous trouverez également des entrevues et des chroniques vidéo de Guy Corneau, de même que des textes de lui, incluant des poésies. Il y figure aussi des interviews d'autres personnes du domaine de la santé, de la psychologie et de la spiritualité.

Pour les informations concernant les activités des Productions Cœur.com, association que Guy Corneau a fondée et dirigée pendant plusieurs années, tant en Europe qu'au Québec, nous vous invitons à consulter le site :

www.productionscoeur.com

Pour des informations sur les groupes d'entraide qu'il a mis sur pied voilà de nombreuses années à l'intention des hommes et des femmes, et dont la formule s'est répandue dans la francophonie, nous vous prions de voir le site :

www.rhq.ca

Pour les activités de Pierre Lessard, nous vous invitons à consulter le site :

www.rayonviolet.com

corneau

Suivez les Éditions de l'Homme sur le Web

Consultez notre site Internet et inscrivez-vous à l'infolettre pour rester informé en tout temps de nos publications et de nos concours en ligne. Et croisez aussi vos auteurs préférés et l'équipe des Éditions de l'Homme sur nos blogues!

www.editions-homme.com

Achevé d'imprimer au Canada
sur papier Enviro 100% recyclé